読者特典

読者様限定書籍連動ダウンロードサービス

使いやすくて、スルスル覚えられる！

重要事項暗記アプリ

読者特典の無料アプリです。
科目別に集中演習できる「ジャンルで暗記」と、
全科目シャッフルで20問出題される「とことん暗記」の
２つの演習メニューをご用意しております！
2024年８月上旬頃から公開開始!!

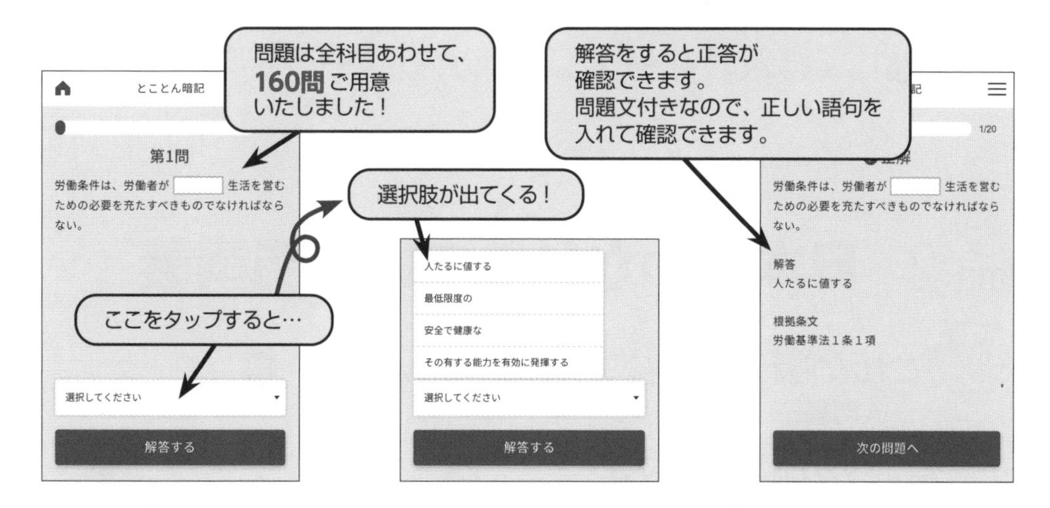

スキマ時間にぴったり！

「書籍連動ダウンロードサービス」にアクセス→パスワードを入力

※本サービスの提供期間は、2025年8月末までです。

二次元バーコードはこちら！

アクセス用パスワード
250811368

CONTENTS

Part 1　社労士360度徹底解剖

Part 2　日本一わかりやすい入門講義

Part 3 これで合格！ 問題演習

Part 4 合格を徹底サポート！

無敵を読んで2025年社労士合格宣言!!
受験勉強は最初の一歩が肝心！

無敵の社労士 2025年合格目標
MUTEKINO SHAROSHI
1 スタートダッシュ

凡例

本書においては、下記のとおり略称を使用しております。

・社労士＝社会保険労務士
・労　基＝労働基準法
・安　衛＝労働安全衛生法
・労　災＝労働者災害補償保険法
・雇　用＝雇用保険法
・徴　収＝労働保険の保険料の徴収等に関する法律
・健　保＝健康保険法
・厚　年＝厚生年金保険法
・労　一＝労務管理その他の労働に関する一般常識
・社　一＝社会保険に関する一般常識

※本書は、2024年7月5日現在において、公布され、かつ、2025年本試験受験案内が発表されるまでに施行されることが確定しているものに基づいて作成しています。

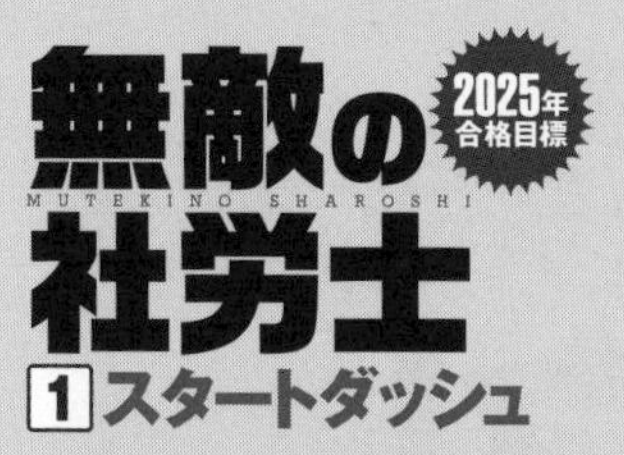

Part 1

社労士 360度徹底解剖

CONTENTS

今、注目の国家資格!
それが社会保険労務士!!

社労士をまるごとチェック!

幅広い年代から人気を集めている国家資格、社労士。まずはその魅力や仕事の内容、社労士になるまでの流れを紹介します。

「働き方改革」の専門家

社労士は、昭和43年に成立した「社会保険労務士法」にもとづく国家資格者です。社労士は、労働条件の最低基準を定めた「労働基準法」をはじめとした労働法、「健康保険法」をはじめとした社会保険に関するスペシャリストで、企業や働く人にとって、とても身近な存在です。

労働・社会保険に関する法律は、頻繁に制度改正が行われています。最近では、「働き方改革」として、長時間労働の是正、多様な働き方の実現、同一労働・同一賃金の実現に向け、平成31年４月からさまざまな法改正が行われました。社労士は、こういった制度改正に対応するためにも、労働・社会保険に関する専門家として企業をサポートすることができる頼もしい存在です。

このほか、中小事業主向けの助成金申請サポートや、テレワークの拡大による就業規則などの社内規程の見直しなど、社労士の活躍する場面はますます広がっています。

社労士資格が強いワケ

1 独占業務を持つ

社労士の仕事で特に重要なのが、**「申請書等作成・提出代行・事務代理（１号業務）」**と**「帳簿書類の作成（２号業務）」**です。この２つの業務は、社労士の資格を持っているものでなければ報酬を得て行ってはならない**「独占業務」**となっています。

2 コンサルタントとして活躍できる

企業は常に経営環境の変化への対応を迫られます。社労士は法律知識や労務管理に関する知識をもとに、育児休業や介護休業規程などの提案を行ったり、パートや派遣社員などの非正規社員の雇用管理や人事制度策定をサポートするなど、専門家の立場から**「労務管理コンサルティング（３号業務）」**を行います。これは社労士の独占業務ではありませんが、その知識と能力があるからこそできる仕事という意味では、社労士ならではの業務といえるでしょう。

3 活躍の場が多い

社労士の果たす役割はとても大きく、職域もどんどん広がっています。資格登録後には**「特定社会保険労務士」**となる道もあります。

【参考】特定社会保険労務士とは？

社労士の登録者で「紛争解決手続代理業務試験」に合格すると、特定社会保険労務士の付記を受けることができます。

特定社会保険労務士は、労働者と経営者が争いになったとき、裁判外紛争解決手続※制度に則った代理業務を行うことができます（詳細は8ページ参照）。

※裁判外紛争解決手続（ADR）
「Alternative（代替的）」「Dispute（紛争）」「Resolution（解決）」の頭文字をとって「ADR」と略す。さまざまな法的トラブルに対して、費用や時間のかかる訴訟ではなく、当事者以外の専門家である第三者に仲裁人として介在してもらい、解決をはかる制度。

4 働き方が選べる

働き方の幅が広いのも社労士の大きな魅力です。資格を活かした働き方には次の2つがあります。

独立開業社労士
社労士は、取得後に独立開業を狙える資格の1つです。企業と顧問契約を結び、給与計算など人事・労務分野の手続業務の代行をはじめ、労働者や雇用に関するマネジメントも含めたコンサルティング業務等幅広く活躍することができます。

企業内社労士
一般企業で人事、労務、社会保険に関するスペシャリストとして活躍する企業内社労士。総務や人事部門では社労士の知識は必要不可欠なので、有資格者は貴重です。

社労士の業務を徹底解剖！

社労士の仕事は次のように分類されます。具体的な業務内容を見てみましょう。

1号業務　申請書等作成、提出代行、事務代理　独占業務

労働社会保険諸法令に基づく「申請書等の作成」、労働社会保険諸法令に基づく申請書等の書類を行政機関等に提出する手続を行う「提出代行」、事業主から委任を受けて、行政機関等への提出から主張、陳述を行う「事務代理」があります。

〔具体例〕
*健康保険・厚生年金保険の算定基礎届および月額変更届　*労働保険の年度更新手続
*健康保険の傷病手当金や出産手当金などの給付申請手続

2号業務　帳簿書類の作成　独占業務

労働社会保険諸法令に基づく帳簿書類等の作成を行います。

〔具体例〕
*就業規則、賃金規程、退職金規程等の諸規程および三六協定などの各種労使協定の作成・届出
*労働者名簿、賃金台帳の作成等

3号業務　労務管理専門のコンサルティング業務

社労士は、法律で唯一認められた労務管理専門のコンサルタントです。企業の人事や労務上の相談業務に応じ、企業の実情に即して適切なアドバイスを行います。

〔具体例〕
*賃金・人事制度および退職金制度の設計　*採用・異動・退職・解雇等の雇用管理
*労働時間管理（休日・休暇を含む）

裁判所における補佐人業務

労務管理その他の労働及び社会保険に関する事項について、裁判所において補佐人として出頭し陳述します。

【参考】特定社会保険労務士の業務

特定社会保険労務士は、労働者と事業主が争いになったとき、次のADRにおける代理人として、裁判によらない円満解決を進めていきます。

- 個別労働関係紛争について厚生労働大臣が指定する団体が行う裁判外紛争解決手続の代理（紛争価額が120万円を超える事件は弁護士の共同受任が必要）
- 個別労働関係紛争解決促進法に基づき都道府県労働局が行うあっせんの手続の代理
- 障害者雇用促進法、男女雇用機会均等法、労働者派遣法、育児･介護休業法及びパートタイム･有期雇用労働法に基づき都道府県労働局が行う調停の手続の代理
- 個別労働関係紛争について都道府県労働委員会が行うあっせんの手続の代理

＊ 上記代理業務には、依頼者の紛争の相手方との和解のための交渉及び和解契約の締結の代理を含む。

社労士が扱う法律（一部抜粋）

○労働基準法　○労働安全衛生法　○労働者災害補償保険法　○雇用保険法
○労働保険の保険料の徴収等に関する法律　○健康保険法　○国民年金法
○厚生年金保険法　○職業安定法　○労働者派遣法　○労働施策総合推進法
○最低賃金法　○高年齢者雇用安定法　○障害者雇用促進法　○職業能力開発促進法
○労働契約法　○賃金支払確保法　○労働時間等設定改善法　○男女雇用機会均等法
○短時間･有期雇用労働者雇用管理改善法　○育児･介護休業法　○中小企業退職金共済法
○労働組合法　○労働関係調整法　○個別労働関係紛争解決促進法
○次世代育成支援対策推進法　○国民健康保険法　○高年齢者医療確保法　○介護保険法
○船員保険法　○確定拠出年金法　○確定給付企業年金法　○社会保険労務士法
○児童手当法

社労士試験に合格したら…

社労士として働くためには､試験に合格後､全国社会保険労務士会連合会に登録し、さらに都道府県社会保険労務士会に入会しなければなりません。登録にあたっては、2年以上の実務経験または、連合会主催の｢事務指定講習｣の受講が必要です。

登録手数料や入会金は最初だけですが、登録後は毎月、都道府県社会保険労務士会の会費が発生します。会費は都道府県ごとに違い、開業と勤務でも金額が違います。なお､登録は試験合格から何年後でも可能となっています。

■社労士登録にあたって必要な費用

登録にあたって	登録免許税	30,000円
	登録手数料	30,000円
社労士会 入会にあたって	開業の場合	入会金50,000円／年会費96,000円
	勤務等の場合	入会金30,000円／年会費42,000円

＊東京都社会保険労務士会の場合（2024年7月現在）。

【参考】事務指定講習

通信指導課程（4月間）と、eラーニング講習の組み合わせにより行われます。

受講料は77,000円（税込）です。

■全国の社労士の登録状況

2023年6月末時点での調査数（東京都社会保険労務士会発表）

開業者	法人社員	勤務等	合　計	法人会員
24,561名	3,741名	16,722名	45,024名	2,744法人

＊開業者は独立し事務所を開いている者、法人社員は社会保険労務士法人を開き代表社員となっている者、勤務等は、企業ならびに社会保険労務士事務所等で勤務する者です。

難関資格の１つといわれている社労士の試験とは、どんなものでしょうか。気になるその概要を徹底研究します！

スケジュール

例年、４月中旬に試験要項が発表され、５月末までに願書提出、８月末に本試験、10月上旬に合格発表（第56回本試験は10月２日が合格発表日となっております）という流れです。令和６年度については、以下の流れで実施されています。

受験資格(主なもの)

受験資格は幅広く、学部や学科に関係なく、大学か短大を卒業していれば受験可能です。受験資格のどれにも当てはまらない場合、まずは行政書士の資格取得がおすすめです。主なものは次ページの通りです。

○学校教育法による大学、短期大学、専門職大学、専門職短期大学若しくは高等専門学校(5年制)を卒業した者又は専門職大学の前期課程を修了した者
○上記の大学(短期大学を除く)において62単位以上の卒業要件単位を修得した者
○上記の大学(短期大学を除く)において一般教養科目と専門教育科目等との区分けをしているものにおいて一般教養科目36単位以上を修得し、かつ、専門教育科目等の単位を加えて合計48単位以上の卒業要件単位を修得した者
○行政書士試験に合格した者　　ほか

詳しくは「社会保険労務士試験オフィシャルサイト」にてご確認ください。

試験地

全国19都道府県で実施!

北海道、宮城県、群馬県、埼玉県、千葉県、東京都、神奈川県、石川県、静岡県、愛知県、京都府、大阪府、兵庫県、岡山県、広島県、香川県、福岡県、熊本県、沖縄県

受験料

¥15,000

試験科目及び配点

社労士試験の大きな特徴として、学習する科目数が多いことが挙げられます。試験科目は下記の8科目ですが、1科目の試験で2科目出題される科目もありますので、実際に学習する科目は10科目となります。

<table>
<tr><th colspan="2">試 験 科 目</th><th>選択式</th><th>択一式</th></tr>
<tr><td rowspan="4">労働関係科目</td><td>労働基準法及び労働安全衛生法</td><td>1問(5点)</td><td>10問(10点)</td></tr>
<tr><td>労働者災害補償保険法(労働保険の保険料の徴収等に関する法律を含む)</td><td>1問(5点)</td><td>10問(10点)</td></tr>
<tr><td>雇用保険法(労働保険の保険料の徴収等に関する法律を含む)</td><td>1問(5点)</td><td>10問(10点)</td></tr>
<tr><td>労務管理その他の労働に関する一般常識</td><td>1問(5点)</td><td rowspan="2">10問(10点)</td></tr>
<tr><td rowspan="4">社会保険関係科目</td><td>社会保険に関する一般常識</td><td>1問(5点)</td></tr>
<tr><td>健康保険法</td><td>1問(5点)</td><td>10問(10点)</td></tr>
<tr><td>厚生年金保険法</td><td>1問(5点)</td><td>10問(10点)</td></tr>
<tr><td>国民年金法</td><td>1問(5点)</td><td>10問(10点)</td></tr>
<tr><td colspan="2">合 計</td><td>8問(40点)</td><td>70問(70点)</td></tr>
</table>

＊選択式の労働基準法及び労働安全衛生法は、例年、労働基準法で3点分、労働安全衛生法で2点分出題されます。
＊選択式の労働者災害補償保険法及び雇用保険法は、労働保険の保険料の徴収等に関する法律からの出題はありません。
＊択一式の労働基準法及び労働安全衛生法は、労働基準法で7問(7点)、労働安全衛生法で3問(3点)となります。
＊択一式の労働者災害補償保険法(労働保険の保険料の徴収等に関する法律を含む)は、労働者災害補償保険法が7問(7点)、労働保険の保険料の徴収等に関する法律が3問(3点)となります。
＊択一式の雇用保険法(労働保険の保険料の徴収等に関する法律を含む)は、雇用保険法が7問(7点)、労働保険の保険料の徴収等に関する法律が3問(3点)となります。

試験種

社労士試験には選択式と択一式の２種類の試験があり、すべてマークシート形式で実施されます。どのような形式なのか、実際の本試験問題を見てみましょう。

●選択式試験

Ａ～Ｅまでの５つの空欄に入る適切な語句を、20個の選択肢の中から選択する試験です。最近の本試験では、各空欄ごとに選択肢が設定されている問題も出題されています。

試験時間は80分（１時間20分）です。

空欄ごとに、どのような語句が入りそうか、選択肢を見ながら検討します。
問題文をよく読み、前後の対応関係などから正解を導き出すこともできます。
日頃から、テキストなどで条文を丁寧に読み、重要語句等は意識しておきましょう。

国 民 年 金 法

〔問　8〕 次の文中の ［　　］ の部分を選択肢の中の最も適切な語句で埋め、完全な文章とせよ。

1　国民年金法第74条第１項の規定によると、政府は、国民年金事業の円滑な実施を図るため、国民年金に関し、次に掲げる事業を行うことができるとされている。

⑴ ［ A ］ を行うこと。

⑵　被保険者、受給権者その他の関係者（以下本問において「被保険者等」という。）に対し、 ［ B ］ を行うこと。

⑶　被保険者等に対し、被保険者等が行う手続に関する情報その他の被保険者等の ［ C ］ に資する情報を提供すること。

2　国民年金法第２条では、「国民年金は、前条の目的を達成するため、国民の老齢、障害又は死亡に関して ［ D ］ を行うものとする。」と規定されている。

3　国民年金法第７条第１項の規定によると、第１号被保険者、第２号被保険者及び第３号被保険者の被保険者としての要件については、いずれも ［ E ］ 要件が不要である。

③　国内居住	④　助言及び支援
⑤　生活水準の向上	⑥　生計維持
⑦　相談その他の援助	⑧　積立金の運用
⑨　年金額の通知	⑩　年金記録の整備
⑪　年金記録の通知	⑫　年金財政の開示
⑬　年金支給	⑭　年金制度の信頼増進
⑮　年金の給付	⑯　年齢
⑰　必要な給付	⑱　福祉の増進
⑲　保険給付	⑳　利便の向上

第55回本試験問題（国民年金法）より

●択一式試験

５つの肢の中から、正しいもの（誤っているもの）を１つ選択する試験です。最近の本試験では、５つの肢から正解肢の組合せを選択する「組合せ問題」や、正解肢の個数を問う「個数問題」が出題されています。

試験時間は210分（３時間30分）です。正確に答えを選んでいくことも重要ですが、タイムマネジメントも重要な攻略ポイントとなります。

〔問　4〕 訓練延長給付に関する次の記述のうち、正しいものはどれか。

A　訓練延長給付の支給を受けようとする者は、公共職業安定所長が指示した公共職業訓練等を初めて受講した日以降の失業認定日において受講証明書を提出することにより、当該公共職業訓練等を受け終わるまで失業の認定を受けることはない。

B　受給資格者が公共職業安定所長の指示した公共職業訓練等を受けるために待期している期間内の失業している日は、訓練延長給付の支給対象とならない。

C　公共職業安定所長がその指示した公共職業訓練等を受け終わってもなお就職が相当程度に困難であると認めた者は、30日から当該公共職業訓練等を受け終わる日における基本手当の支給残日数（30日に満たない場合に限る。）を差し引いた日数の訓練延長給付を受給することができる。

D　訓練延長給付を受ける者が所定の訓練期間終了前に中途退所した場合、訓練延長給付に係る公共職業訓練等受講開始時に遡って訓練延長給付を返還しなければならない。

E　公共職業安定所長は、職業訓練の実施等による特定求職者の就職の支援に関する法律第４条第２項に規定する認定職業訓練を、訓練延長給付の対象となる公共職業訓練等として指示することができない。

第55回本試験問題（雇用保険法）より

１肢ずつ問題文を読み、正しい内容か、誤っている内容かを判断していきます。
過去問などで、どのようなところを論点にしてくるのか、把握しておきましょう。

合格基準 総得点で7割以上、各科目6割以上が目標!

社労士試験には、合格基準が設けられています。選択式、択一式それぞれの試験で**「総得点基準点」「科目別基準点」**の両方の基準点以上を得点することにより、合格となります。この基準点は合格発表のときに発表され、毎年若干の調整が行われます。

「総得点基準点」とは、全科目の合計得点です。過去10年の試験結果を見ると、選択式が21点から27点の間で、択一式が42点から46点の間で調整されていますので、**7割**得点することを目指して対策するとよいでしょう。

「科目別基準点」とは、1科目の合計得点です。例年、選択式が**3点**、択一式が**4点**となっています。総得点基準点でどんなに良い点数をとれたとしても、科目別基準点を下回ってしまった科目が1科目でもあれば、不合格となってしまいます。

総得点基準点	選択式	21点～27点
	択一式	42点～46点
科目別基準点	選択式	1科目 3点
	択一式	1科目 4点

令和5年度試験の合格基準は、選択式が総得点26点以上かつ各科目3点以上、択一式が総得点45点以上かつ各科目4点以上でした。

過去5年間の受験申込者・受験者・合格者数の推移

全国社会保険労務士会連合会試験センターが発表している資料を参考に、どれくらいの人が社労士試験を受験して、どれくらいの人が合格するのかを見ていきましょう。

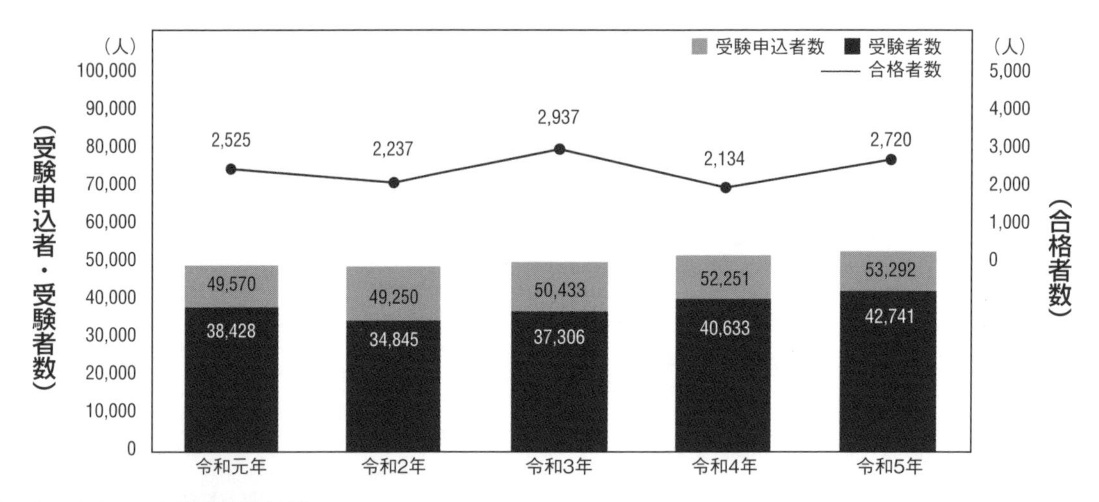

【過去5年間の合格率の推移】

令和元年	令和2年	令和3年	令和4年	令和5年
6.6%	6.4%	7.9%	5.3%	6.4%

過去5年間の平均合格率は約6.5%となっています。5～7%台で落ちついています。

<受験の申込み及び問い合わせ先>
全国社会保険労務士会連合会試験センター

〒103-8347 東京都中央区日本橋本石町3-2-12
社会保険労務士会館5階
ホームページ https://www.sharosi-siken.or.jp

TEL 03-6225-4880
【受付時間 9:30～17:30 平日】
※試験日前日は10:00～16:00通話可(繋がりにくい場合あり)

FAX 03-6225-4883

第55回(令和5年度)合格者調査

全国社会保険労務士会連合会試験センターより発表された、第55回(令和5年度)社会保険労務士試験の合格者の年齢階層別、職業別、男女別割合は次の通りです。

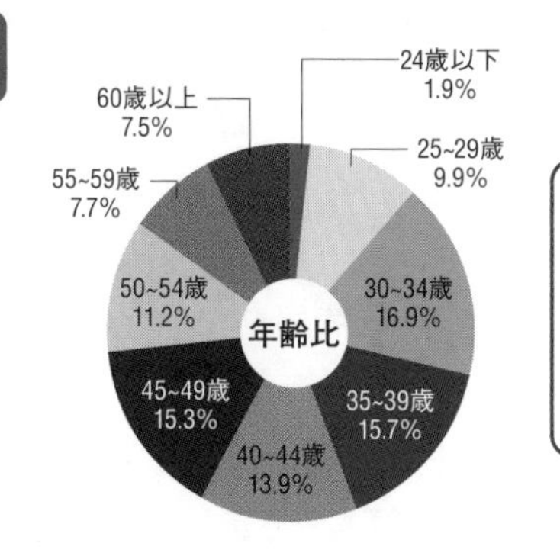

→各世代バランスのよい比率です。
→30代と40代が最も多くなっています。
→50歳以上の方も約4分の1を占めています。

⇒幅広い世代が注目する人気の資格!

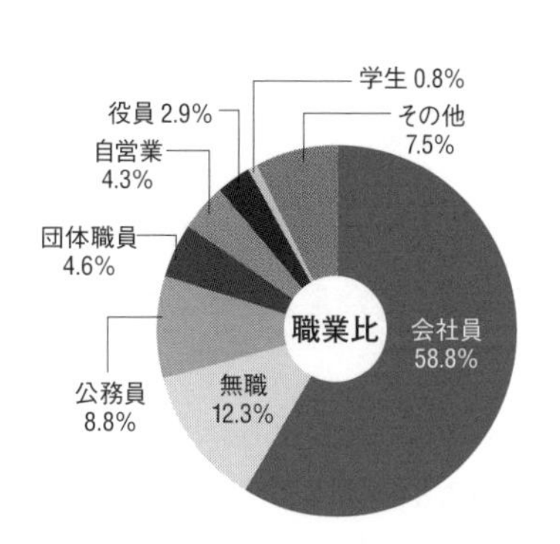

→会社員が半数以上を占めており、働きながらの資格取得も十分可能です。

⇒働きながらの合格も可能です!

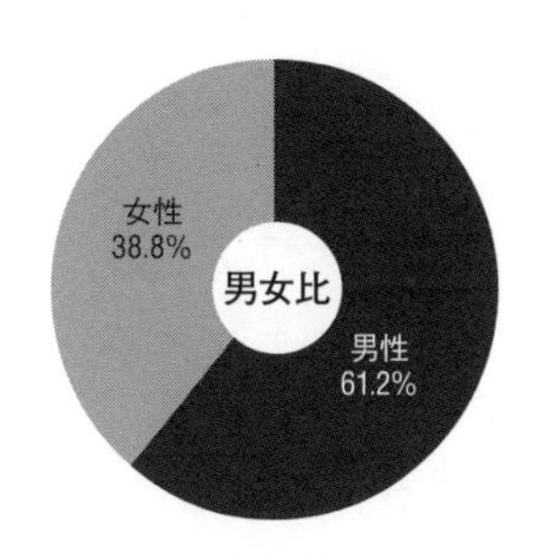

→男女比はおよそ3:2で、他資格に比べ、女性合格者の割合が高いのが特徴です。

⇒女性合格者も多い試験です!

TAC受講生合格者調査

2017年～2023年合格目標のTAC社労士講座で学習し、合格した方の中から、ご協力いただいた600名のアンケートの結果を見てみましょう。試験センターの発表にはない貴重なデータです。

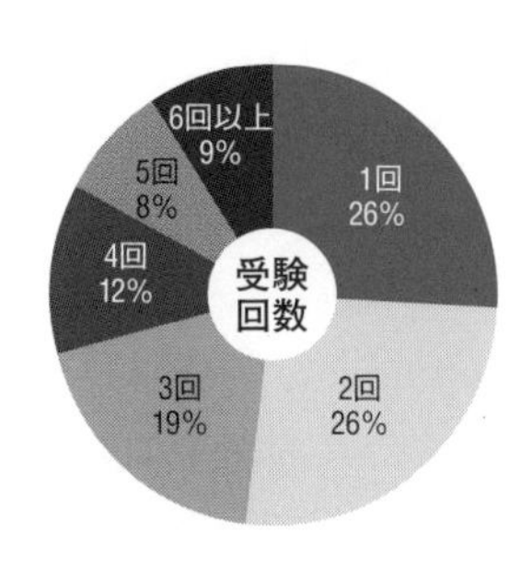

→合格者の約5割が1～2回の受験で合格しています。
→何度もチャレンジする方が多いのは、資格の魅力がたっぷりだから。あきらめないことが大切です。

⇒一発合格も夢じゃない! 目指すは短期合格!

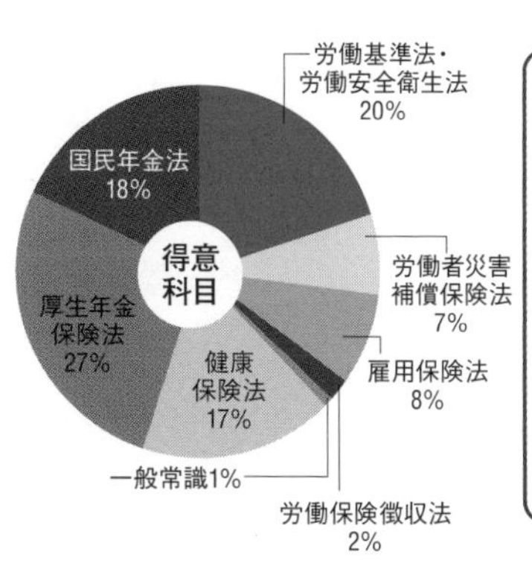

→労働基準法や厚生年金保険法は、働く人に身近な内容で学習しやすいことから、得意とする方が多いようです。
→普段の生活に馴染みのない労働保険徴収法、範囲が広い一般常識については、得意な方は少ないようです。

⇒普段の生活に密着した科目を得意科目に!

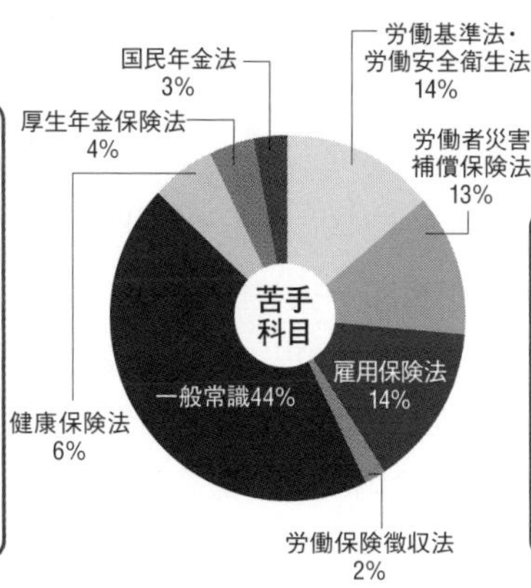

→一般常識がダントツという結果になりました。
→一般常識対策として「統計・白書セミナー」(TAC社労士講座のオプション講座)を活用した方が多数でした。

⇒一般常識などは早いうちから対策を!

＼絶対に合格する／学習プランの立て方

社労士試験は、科目数が多く、学習する内容も多岐にわたります。ある程度計画的に学習をしていかないと、試験には太刀打ちできません。難しい試験ではありますが、コツコツ努力し、知識を積み上げていけば、必ず結果につながるものでもあります。ここからは、具体的な学習方法について説明していきます。みなさんも一緒に、これからの学習プランについて考えていきましょう。

まずは学習スタイルを考えよう！

社労士試験の学習スタイルは、大きく２つに分かれます。受験指導校を利用して、講義を受けながら学ぶ「通学スタイル」と、市販書籍を使用しながら独力で学ぶ「独学スタイル」です。どちらにするか、ご自身で選択していただくことになります。それぞれの特徴を簡単に説明していきましょう。

①通学スタイル

「資格の学校TAC」(以下TACという) をはじめとして、社労士試験に合格するための講座を開講している学校はたくさんあります。合格するために必要とされるものがすべて整った環境の中で学習することができるので、「とにかく絶対合格したい」という方にはオススメです。

TACの社労士講座の中で最も人気を集めている、スタンダードコース「総合本科生」の場合、通学期間は10カ月から１年で、例年８月から10月にかけての開講となります。受講料約20万円の中には、講義で使用するテキストはもちろんのこと、豊富な演習教材、さらに法改正セミナーや全国模試など、合格に必要なアイテムがすべて含まれています。

スクールを利用するのであれば、教室での講義への参加がオススメとなります。講義の進行に沿って学習を進めていくことになりますので、学習ペースもつかみやすいですし、励まし合える仲間にも出会うことができるでしょう。

なかでも一番の魅力は、社労士試験を知り尽くした実力派講師による迫力ある生講義です。やはり迫力のある講義を聞くと、インプットもスムーズに進みます。

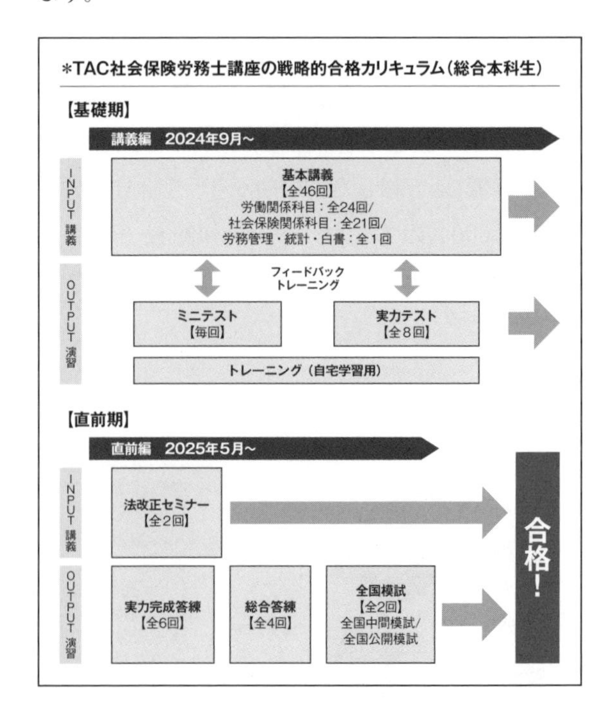

そんな教室講座の講義ですが、お仕事などの都合で、どうしても通学することができないという方もいらっしゃるでしょう。そんな方には、通信講座という選択肢があります。ライブで行われる講義の魅力を余すことなく収録したものを、Webで視聴することができます。ライブの講義と違って、自分の都合のよい時間に、好きなだけ、巻き戻しも早送りも自由自在というフレキシブルな形で学習することができます。

②独学スタイル

社労士試験は、市販書籍などを活用しながら、独学で合格を目指すことも十分可能です。市販されているテキストや問題集を購入し、自分でスケジュール管理をしながら学習を進めていくことになります。社労士試験対策に関する書籍は、さまざまなものが販売されており、受験対策上必要なアイテムは、ひと通り書店で購入することができます。

テキストは1冊3,000〜4,000円、問題集は1冊1,000〜3,000円が一般的で、通学に比べると、かなりお財布にもやさしいといえます。

スクールでの学習との最大の違いは、自分自身で学習ペース配分を決め、スケジュール管理をしていくことにあります。自分のライフスタイルに合わせて、自由自在にスケジュールを組めますが、「絶対にやるぞ！」とどこまで自分を追い込めるかもポイントになります。また、学習を進めていくなかで疑問が出てきたときは、自分の力で解決しなければならないなど、スクール利用者と比べて、自分でやらなければならないことも多くなります。

最近では、独学者向けの書籍等をすべてパッケージ化した商品などもあり、独学でも安心して学習できる環境は、かなり整ってきています。TAC出版では、フルカラーでわかりやすいと評判の『みんなが欲しかった！　社労士の教科書』や、完全準拠の問題集、さらには教科書の内容の理解度を高めるWeb講義などをパッケージにした「独学道場」を用意しております。

Web講義は、短時間で集中して学習するために、解説を超重要ポイントに絞り込み、ピンポイント解説を行っていますので、スクールを利用するよりもかなり短時間でインプットを終えることができます。あとは、ひたすらご自身で演習を重ねていくスタイルとなります。

このように、学習スタイルにはさまざまな選択肢があります。ご自身の学習環境を踏まえて、選択されるとよいでしょう。

戦略的学習プランを考えよう！

学習スタイルが決まったら、具体的な学習プランを考えていきましょう。ここでは、独学者向けに、説明していきます。

①総学習時間から学習スタート時期を考える
～短期集中派か、じっくりコツコツ派か？

一般的に、社労士試験合格に必要とされる学習期間は「半年から1年弱」、学習総時間は「800〜1,000時間」といわれています。学習期間を1年とすると、おおよそ1日あたりの学習時間は約2時間半（1週間あたり約18時間）の学習が必要となります。仮に8カ月という学習期間であれば、1日あたりの学習時間は約4時間（1週間あたり28時間）となります。

一見すると、1年のほうが楽そうに思えますが、一概にそうともいえません。社労士試験にチャレンジする多くの方が社会人であることを考えれば、コンスタントに1年間、毎日2時間半の学習時間を確保することは難しいでしょう。となれば、学習期間を短縮して、集中して学習していくという方法もありますよね。

8月下旬の本試験までにどの程度の時間をかけられるか、ご自身のライフスタイルに照らし合わせて、考えてみるとよいでしょう。

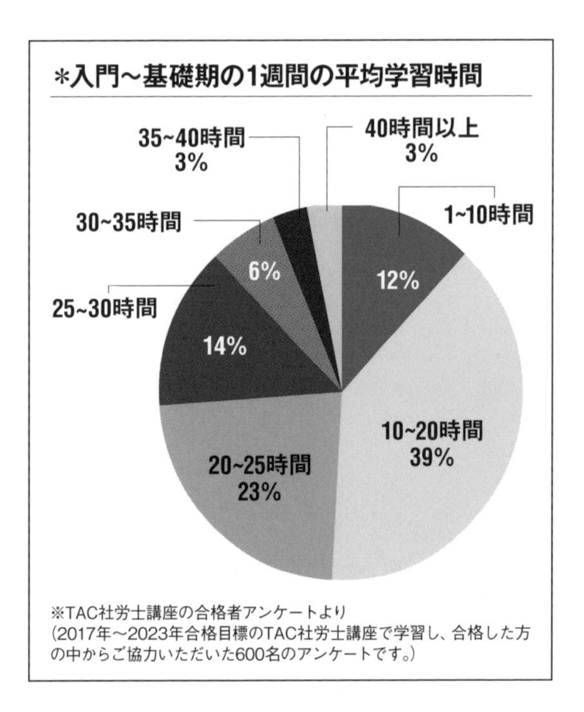

※TAC社労士講座の合格者アンケートより
（2017年～2023年合格目標のTAC社労士講座で学習し、合格した方の中からご協力いただいた600名のアンケートです。）

②合格までの学習プランを考える
～大きく2つの時期に分けてみよう！

おおまかな学習時間のイメージができたら次に、具体的な学習プランを考えてみましょう。まずは本試験をゴールとして、月単位でざっくりと「この時期に○○をする」というプランを立てます。社労士試験の学習プランは、「基礎期」と「直前期」の大きく2つの期間に分けて考えます。

◎基礎期の学習

基礎期は、全科目の基本事項を身につけ、テキストを繰り返し読み込むことからスタートします。テキストを1項目読み終わったら、知識が身についているかの確認として、問題演習を行いましょう。

だいたい4月から5月くらいまでは、この基本事項の定着に専念します。

◎直前期の学習

直前期は、身についた知識を確認することからスタートします。資格学校が実施する公開模試や答案練習会に参加したり、市販書籍等で本試験形式の演習を行ったりしましょう。 演習の過程で判明した苦手分野・弱点があれば、重点的に確認し、克服しましょう。

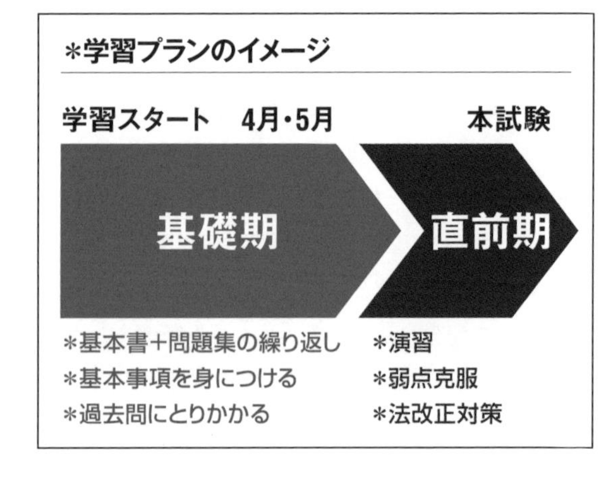

③科目ごとの学習プランを考える
～スクールのカリキュラムを参考にしよう！

次に、もう少し具体的に科目別に何をどれくらいやるか、学習プランを考えていきます。スクールのカリキュラムは合理的に組み立てられていますので、そのカリキュラムを参考に、プランを立ててしまえばよいのです。

TACの総合本科生の基本講義編のカリキュラムをご紹介しましょう（次頁の図）。科目ごとの講義回数を見ると、各科目のボリューム感がわかりますね。これを参考に、科目ごとのおおよその学習プランを考えてみてください。

実際に学習を進めていくうちに、得意・不得意科目が出てくると思います。独学であれば、自分でスケジュール調整が可能ですので、得意科目については時間をかけず、その分、苦手科目に時間を費やすといったことができますね。

学習は無計画にやるよりもある程度計画性があるほうが効果的です。ぜひ、ご自身に合った、合格するための戦略を練り込んでいってください。

＊TAC社労士講座 総合本科生のカリキュラム

＊基本講義　46コマ（1コマ2時間半）=115時間

＊実力テスト　8コマ（1コマ2時間半）=20時間

科目ごとの講義回数

労基… 6コマ（15時間）	健保… 6コマ（15時間）
安衛… 2コマ（5時間）	国年… 6コマ（15時間）
労災… 5コマ（12時間30分）	厚年… 6コマ（15時間）
雇用… 5コマ（12時間30分）	社会常識…3コマ（7時間30分）
徴収… 3コマ（7時間30分）	労務管理・統計・白書…1コマ（2時間30分）
労働常識…3コマ（7時間30分）	

＊講義→復習→問題演習の繰り返し
＊実力テストで定着度確認

強い意志をもって、学習プランをこなそう！

社労士試験の学習期間は、短くて約半年、長い方は1年を超える方もいます。その間には、学習環境が変化することもあるはずです。学習に集中できる環境を手にする方もいるかもしれませんし、逆に、お仕事などが忙しくなり、学習から遠ざかってしまう時期もあるかもしれません。

学習初期に立てた学習プランは、あくまで計画ですから、環境の変化に合わせてフレキシブルに対応することが大切です。とはいえ、安易に変化を繰り返せば、合格から遠のいてしまいます。

ときに遠回りもあるかもしれませんが、「絶対に合格する」という意識を持って、学習を続けてください。毎日、合格へと1歩でも近づいていくという強い意志をもって、学習プランをこなしていけば、その先に合格は待っています。がんばってください。

目指せ合格！『無敵の社労士 年間カレンダー』

「無敵年間カレンダー」を使ってスケジュール管理をしよう！

右ページに、９月から使えるカレンダーをつけました。記入例を参考に日付欄に、学習した科目と時間を書き込みましょう。学習スタート時から本試験までの記録ができるため、累計時間を見て励みにすることもできます。また、試験までの残り日数を把握できるので、学習の軌道修正もカンタンです。月ごとの目標を書き込むスペースもありますので、学習に役立ててください。キリトリ線で切り取ると小さな用紙になります。お手持ちのテキストに挟んで活用してください。

<記入例>

2024年9月	Mon	Tue	Wed	Thu	Fri	Sat	Sun	
							1	
【強化科目】	2	3	4	5	6	7	8	
	9	10	11	12	13	14	15	
	16	17	18	19	20	21	22	
	23	24	25	26	27	28	29	
	30							

10月	Mon	Tue	Wed	Thu	Fri	Sat	Sun	
		1 労基1.5	2 労基1.5	3 労基1.5	4 労基1.5	5 労基5	6 労基5	
【強化科目】	7 労基3	8 労基1.5	9 労基1.5	10 安衛1.5	11 安衛1.5	12 労基6	13 労基3 安衛2	
労基 安衛	14 労基1 安衛1	15 休	16 安衛1.5	17 安衛1.5	18 休	19 安衛2	20 安衛7	
	21 安衛1.5	22 安衛1.5	23 安衛1.5	24 安衛1.5	25 休	26 安衛2	27 安衛5	累計
	28 労基1.5	29 休	30 安衛1.5	31 安衛2				68 h

11月	Mon	Tue	Wed	Thu	Fri	Sat	Sun	
					1	2	3	
【強化科目】	4	5	6	7	8	9	10	
	11	12	13	14	15	16	17	
	18	19	20	21	22	23	24	
	25	26	27	28	29	30		

勉強した科目と勉強時間数を書き込みましょう。

月ごとにざっくりとした目標を立てましょう。

仕事で平日に勉強できなかった場合等、予定通りにいかなかったときには、休日で調整すると学習の進捗の遅れを取り戻せそうですね！

累計時間を書き込みましょう。合格するために必要な勉強時間は約800〜1,000時間と言われています。1つの目安にしてください。

無敵年間カレンダー

（キリトリ線で切り取ると、お手持ちのテキストに挟み込めるサイズのカレンダーになります♪）

2024年9月	Mon	Tue	Wed	Thu	Fri	Sat	Sun	
							1	
【強化科目】	2	3	4	5	6	7	8	
	9	10	11	12	13	14	15	
	16	17	18	19	20	21	22	
	23	24	25	26	27	28	29	累計
	30							h

10月	Mon	Tue	Wed	Thu	Fri	Sat	Sun	
		1	2	3	4	5	6	
【強化科目】	7	8	9	10	11	12	13	
	14	15	16	17	18	19	20	
	21	22	23	24	25	26	27	累計
	28	29	30	31				h

11月	Mon	Tue	Wed	Thu	Fri	Sat	Sun	
					1	2	3	
【強化科目】	4	5	6	7	8	9	10	
	11	12	13	14	15	16	17	
	18	19	20	21	22	23	24	累計
	25	26	27	28	29	30		h

12月	Mon	Tue	Wed	Thu	Fri	Sat	Sun	
							1	
【強化科目】	2	3	4	5	6	7	8	
	9	10	11	12	13	14	15	
	16	17	18	19	20	21	22	
	23	24	25	26	27	28	29	累計
	30	31						h

2025年1月	Mon	Tue	Wed	Thu	Fri	Sat	Sun	
			1	2	3	4	5	
【強化科目】	6	7	8	9	10	11	12	
	13	14	15	16	17	18	19	
	20	21	22	23	24	25	26	累計
	27	28	29	30	31			h

2月	Mon	Tue	Wed	Thu	Fri	Sat	Sun	
						1	2	
【強化科目】	3	4	5	6	7	8	9	
	10	11	12	13	14	15	16	
	17	18	19	20	21	22	23	累計
	24	25	26	27	28			h

3月	Mon	Tue	Wed	Thu	Fri	Sat	Sun	
						1	2	
【強化科目】	3	4	5	6	7	8	9	
	10	11	12	13	14	15	16	
	17	18	19	20	21	22	23	
	24	25	26	27	28	29	30	累計
	31							h

4月	Mon	Tue	Wed	Thu	Fri	Sat	Sun	
		1	2	3	4	5	6	
【強化科目】	7	8	9	10	11	12	13	
	14	15	16	17	18	19	20	
	21	22	23	24	25	26	27	累計
	28	29	30					h

5月	Mon	Tue	Wed	Thu	Fri	Sat	Sun	
				1	2	3	4	
【強化科目】	5	6	7	8	9	10	11	
	12	13	14	15	16	17	18	
	19	20	21	22	23	24	25	累計
	26	27	28	29	30	31		h

6月	Mon	Tue	Wed	Thu	Fri	Sat	Sun	
							1	
【強化科目】	2	3	4	5	6	7	8	
	9	10	11	12	13	14	15	
	16	17	18	19	20	21	22	
	23	24	25	26	27	28	29	累計
	30							h

7月	Mon	Tue	Wed	Thu	Fri	Sat	Sun	
		1	2	3	4	5	6	
【強化科目】	7	8	9	10	11	12	13	
	14	15	16	17	18	19	20	
	21	22	23	24	25	26	27	累計
	28	29	30	31				h

8月	Mon	Tue	Wed	Thu	Fri	Sat	Sun	
					1	2	3	
【強化科目】	4	5	6	7	8	9	10	
	11	12	13	14	15	16	17	
	18	19	20	21	22	23	24	累計
	25	26	27	28	29	30	31	h

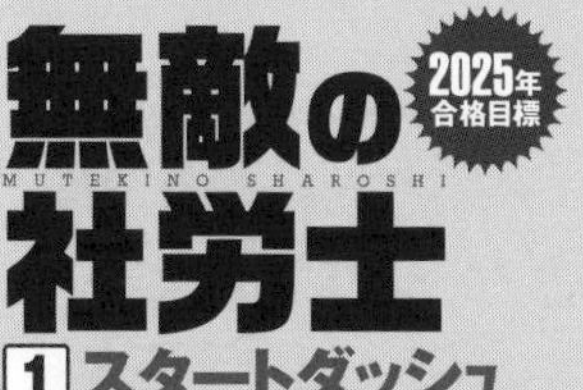

日本一わかりやすい入門講義

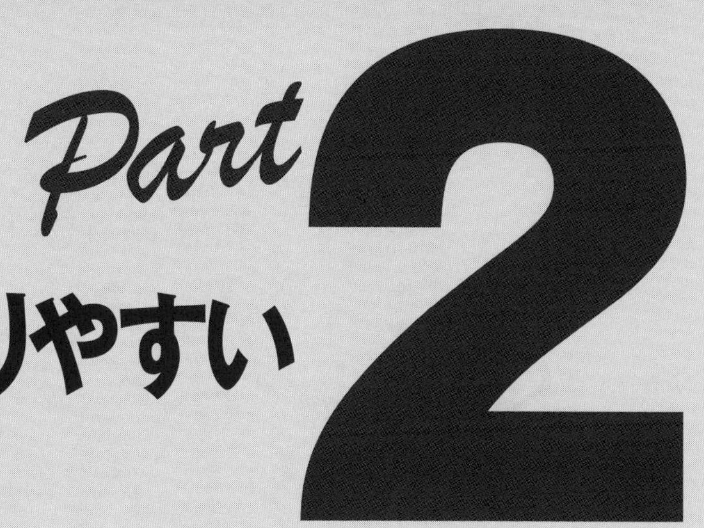

CONTENTS

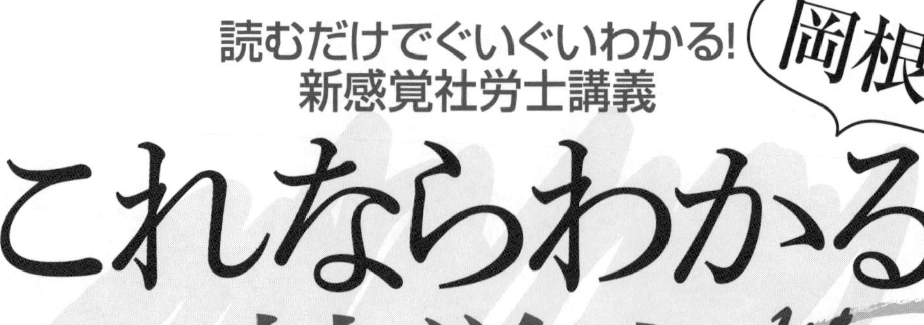

社労士 1st Edition
−入門編−

TAC社会保険労務士講座 専任講師
岡根 一雄

私たちの生活を支える必須の法律を学ぶ

読者のみなさん、こんにちは。「社労士の勉強って面白そう」「何か役に立ちそうな勉強みたい」「社労士試験を受けてみたい！」とは思うものの、一体何を勉強するのか、まだ具体的なイメージをお持ちでないみなさんに、その内容を少しでも分かりやすく、またさらに興味を持っていただけるように、お話しをしていきたいと思います。

まず、声を大にして言いたいのは、社労士の受験勉強を通して、「今、この時代を生きていく上で必須の法律を学ぶことができる！」ということです。現代を生きるすべての人が、健やかに穏やかに日々の生活を安心して送れるに越したことはありません。しかし、現実にはそうはいきません。その要因として、今のこのご時世、正規・非正規雇用の処遇格差や長時間勤務をはじめとする労働に関する問題や、少子高齢化のもと医療や年金の問題などが挙げられます。これらは、私たち誰もが関わり得る、あるいは現に関わっている問題ではないでしょうか。だからこそ、国はどういう対策を講じているのか、講じようとしているのかを知っておくことは、いたずらに不安がることなく、少しでも安心して日々の生活を送っていく上で、とても大事なことではないでしょうか。社労士の受験勉強では、この「大事なこと」を法律の勉強として、身につけていくことができるのです。

とても身近で頼りになる(ハズの)法律

それでは、社労士の試験科目となっている法律とはどんなものでしょうか。ひと言で括れば「私たちが健康で経済的にも安定した生活を送れるようにサポートしてくれる法律」です（ひと言ではなかった）。とても身近にあって私たちの生活を支えてくれるものなのですが、日常生活において特にトラブルが発生しなければ、その存在があまり意識されることはないかもしれません。しかし、この現代社会において、これらの法律の存在、その頼り甲斐をあらためて確認しなければならないような状況が生じてきているのです。いくつか例をみてみましょう。

・長時間労働―過労死

近年、労働時間の二極化が進み、特に正社員の長時間労働が深刻な問題となっています。その極限状況での過労死、過労自殺の新聞記事を目にするのも、残念なことに、めずらしいことではなくなってきています。この長時間労働に規制を課し、労働者の健康や精神的なゆとりを守っていこうとするのが、労働基準法（以下「労基法」といいます）という法律の目的の１つです。また、疲労の蓄積などにより潜在的に進行する疾病の早期発見のために行われる会社の定期健康診断は、労働安全衛生法（以下「安衛法」といいます）という法律に規定されています。さらに、過労死の予防を直接の目的として、より厳密な健康診断等を行うこと（二次健康診断等給付）を定めているのは、労働者災害補償保険法（以下「労災保険法」といいます）という法律です。もちろん、労災保険法は、仕事中にケガをしたときに、労働者が費用を負担することなく治療を受けられるようにしたり、入院やリハビリで働くことができず、賃金を受けられないときに、所得保障を目的に現金を支給したりします。また、過労死・過労自殺が業務災害と認定されれば、遺族に対する補償も行います。

・倒産、解雇―失業

景気の低迷とコスト削減の波のなか、雇用不安が一層増し、会社から解雇されて失業し再就職先がみつからないまま長期の失業状態に陥ってしまっている人たちがたくさんいます。これらの人たちに救いの手を差し伸べるのが、雇用保険法という法律です。特に、失業期間中の最低限度の生活を保障するために、所定の要件と手続を定めて、基本手当という名のもとに現金を支給するのが、この法律の重要な役割です。また、このような状況が生じないように失業の予防を図っていくことも、雇用保険法の重要な機能となっています。

・私傷病―医療費負担

私たちは生身の人間である以上、仕事とは関係なく、私生活において病気になったり、ケガをしたりすることはありますよね。そのときに発生する医療費の支出も家計を圧迫する大きな要因です。そこで、すべての国民が公的な医療保険に加入し、病気やケガをした場合には、この保険を使って医療を受けることができるようにして、医療費の自己負担額が軽減されるようになっています。この公的な医療保険のうち、民間企業に勤めている会社員等が加入するのが健康保険（法）で、自営業者などが加入するのが国民健康保険（法）です。こうして、国民に対して良質かつ高度な医療を受ける機会を平等に保障する仕組み（国民皆保険）になっているのです。

・高齢化社会―老後の生活不安

かつて高齢者は、老後の備えのために自ら貯えた金銭によって、あるいは自分の子どもに扶養されて老後の生活を送っていました。しかし、今の時代、平均寿命の伸びや経済変動の激しさなどから、老後の生活に必要十分な貯蓄額を事前に確定し、確保することは一層困難となっています。また、子どもによる扶養も、子ども自身の所得水準に左右されるため、これに頼ることも難しくなってきています。そこで、現役世代が全員で保険料を納付し、そのときそのときの高齢者全体を支える仕組み、公的年金制度が設けられています。

公的年金制度は、国民年金（法）と厚生年金保険（法）によって構成されています。国民年金は、20歳以上のすべての国民が加入する年金制度であり、保険料や年金支給額は定額です。厚生年金は、労働者を対象とした制度であり、報酬に比例して保険料の額や年金の支給額が決まるものです。

公的年金制度は、支えられる側の高齢者世代にとってはもちろんのこと、支える側の若い世代にとっても、自分の老親への私的な扶養に伴う経済的負担や自分自身の老後の心配を取り除く役割を果たしているのです。

まずは興味・関心を

「面白い！」と思えれば、自ずと学習意欲は高まりますよね。そう思えるためには、学習の対象に、まず興味・関心がないと始まらない。この後、試験科目となっている法律ごとに、それぞれの目的など主要なポイントは説明していきますが、今ここでいえるのは、そのどれもが身近な法律であり、私たちの安定した、安心できる生活をサポートすることを目的としたものだということです。したがって、自分や家族の生活に引きつけて、具体的なイメージを描くことを心がければ、興味・関心を維持して勉強が続けられるはずです。

そして、正しい勉強の取り組み方

暗記、ではありません。興味と関心をもって臨めば、その勉強の中心は「内容の理解」となるはずです。理解するためには、テキストの本文、つまり条文や判例、通達をベースにした記述を、考えながら、ていねいに読むことが大切です。断片的に、用語や数字を暗記しようとする受験生、はたまたそのような受験指導が、ある意味、社労士受験の一般的な光景となっているのが悲しいです。文を読む。文章を読む。考える。理解する。正しい勉強の取り組み方とは、そういう至極当然、当たり前の勉強方法で、そしてそれが一番合理的な合格への道筋なのです。「社労士試験は暗記」という巷の声には、くれぐれも惑わされないでください。

短期合格、それがベストか?

受験生の誰もが短期合格を望み、すべての予備校が短期合格実績を謳い、そして怪しい短期合格ノウハウとやらが闊歩する。短期合格、それがベストですか？　短期合格、それを否定するつもりはありません。ただ、短期合格を第一の目標に置くこと、一番の価値を置くことに異を唱えたい。短期合格を目指すばかりに、その勉強が、薄っぺらな、表面的な、機械的な、それこそ勉強ではなく単なる作業になってしまうことを恐れているのです。短期合格とは、あくまで結果であって、第一の目標に掲げるべきものだとは思いません。

どのように勉強していくのか

社労士試験の対象となる法律は、どれも私たちの生活に直結しているものです。したがって、自分の生活に、自分の身に引きつけて、興味と関心をもって勉強を続けていくことができるはずです。単に試験勉強イコール暗記と捉えてしまうと、すぐに興味や関心が薄れ、本来は面白くて有意義な勉強が、苦痛な作業となってしまいます。

もちろん、法律の勉強において、ましてや試験勉強において「記憶すること」は大事な要素であることに間違いはないのですが、なによりその前提が最も大切です。それは「理解すること」です。各法律、各規定の趣旨・目的を正しく理解すること、単なる手続を定めたにすぎない規定であっても、その仕組みや意味を考えて理解し勉強していくことは、知識の定着に大いに役立つはずです。また現行の法律や制度が必ずしもベストなものとは限らないし、社会情勢の実態とは合わなくなっているものだって当然あり得るのです。したがって、時に批判的な眼をもって勉強していくことがあってもいいわけです。

このように主体的に、能動的に勉強していくことが、とりもなおさず、短期合格の秘訣であることを、受験生としての、また講師としての経験から、私は確信しています。

ひとりひとりの人間を大切にする、大事にする

受験生時代、そして講師となって約30年、試験科目となっている法律を勉強してきて思うのは、これらの法律はすべて、「ひとりひとりの人間を大切にする。大事にする」ことを目的としたものだということです。だからこそ、各法律、各規定の趣旨や制度の仕組みを理解することを心がけて、ていねいに勉強してほしいのです。そして、この社労士の試験勉強を通して、みなさんにとって大事な、大切なものを得ていただきたいと思います。

まずは試験科目を概観しよう!

社労士の試験範囲は広く、10科目に及びます。これを1科目からいきなり掘り下げて勉強していくと、際限なく勉強が続くように感じられ、せっかくのやる気が萎えてしまうかもしれません。そこで、まずは試験範囲全体を一通り見渡して、大まかにでもその内容を把握しておくことは、これから本格的な勉強に入るうえでも、また精神的にも有益でしょう。

これから、各試験科目の法律の目的や全体像、特徴的な規定の簡単な、でも重要な説明をしていきます。興味や関心をもって読んでいただき、さらにそれらを深めていただければ幸いです。

1. 労働基準法

Q1 守られるのは正社員だけ? ➡ A. 2

Q2 突然の解雇通告ってあり? ➡ A. 6

Q3 残業で10時間も働かされた? ➡ A. 8

Q4 残業代の計算は? ➡ A. 9 10

1 主役は労働者、使用者は敵役!?

労働基準法は、**労働契約**に基づく労働者と使用者との関係を規律する法律で、その前提として考えられているのは、**労働者と使用者の力の圧倒的なアンバランス**です。

売買契約をはじめとする典型的な契約（労働契約も含まれています）に基づく当事者間の権利・義務関係について、それぞれ一般的なルールを定めているのは**民法**です。その民法では**契約関係に立つ両当事者が自由かつ対等**な者同士であることが、原則として、前提となっています。しかし、こと、労働契約関係の当事者たる労働者と使用者（会社）が自由かつ対等な者同士であるとするのは、実態とは異なります。

そこで、現実に存在する経済的な力の差を認めて、弱者である**労働者を保護**するため、強者である使用者に規制を課す（**労働条件の最低基準を定めて、使用者にその基準を守らせる**）という形で、**労基法**が設けられているのです。

たとえば「使用者は、１週間の各日については、労働者に、休憩時間を除き１日について８時間を超えて、労働させてはならない。」と規定しています。このように、労基法のほとんどの条文は「使用者」が主語で、述語の部分は「～してはならない。」「～しなければならない。」となっています。そして、この違反に対しては、原則として、**罰則**（たとえば上記の労働時間の規定違反には「６箇月以下の懲役又は30万円以下の罰金」）が定められています。

労基法において、「使用者」はどうも分が悪く、敵役（！？）のイメージが拭えませんが、それはともかく、**弱者たる労働者**、**強者たる使用者**を前提として、労基法が定められていることを、まず、しっかりと理解してください。現実には、時に強い労働者、弱い使用者もいるでしょうが、労基法はこれを前提にはしていません。したがって、前提をひっくり返して勉強したり、ましてや問題を解こうとしたりしないように注意してください。

以下、労基法の主な規定がわかりやすく、また全体のイメージがつかみやすくなるように、条文の順番にはとらわれずに説明していきます。

2 労基法上の「労働者」「使用者」とは?

労働者 ――「使用」性・「賃金」性

使用者
- ① ex. 会社
- ② ex. 代表取締役
- ③ ex. 部・課長

労基法では、その保護の対象（適用対象）を明確にするために、**労働者**について「職業の種類を問わず、事業又は事務所に**使用される者**で、**賃金を支払**

われる者」と定義しています（法９条）。この「労働者」に該当するか否かを判断する上での重要なポイントは、①使用者の**指揮命令**を受けて働いていること（「使用」性）、②**労働の対償**として報酬を得ていること（「賃金」性）、の２点です。この２点が**客観的**に認められる者であれば、その前提となる契約の名称にとらわれることなく（たとえば使用者が偽って、労働契約を請負契約などとしていても）、労基法上の保護の対象たる「労働者」と判断されます。また、その対象がいわゆる正社員に限定されているものではありません。有期契約労働者やパートタイム労働者、派遣労働者などのいわゆる非正規労働者も保護の対象となります。たとえ高校生がアルバイトで働いている場合でも、労基法の規定が適用されます。つまり所定の要件を満たせば年次有給休暇（法39条）だって付与されるのです。

一方、労基法上の責任の主体（規制の対象）である**使用者**については

①事業主
②事業の経営担当者
③その他その事業の労働者に関する事項について、事業主のために行為をするすべての者

と定義しています（法10条）。

①は、労働者が労働契約を結んでいる相手方である企業（一般に個人企業の場合は企業主個人、法人企業の場合は法人—ex. ○○株式会社）を指します。②は、法人の代表（代表取締役）や支配人などが該当します。③は、労基法が規制する事項について実質的な権限を持っている者、たとえば部下に対して時間外労働を命じる権限を持っている部・課長などが該当します。

なお、③に挙げた部・課長は、その部下との関係においては労基法上その規制を受け責任の主体となる「使用者」にあたりますが、①の**事業主**や②の**代表取締役等との関係**においては、労基法上その保護の対象となる「労働者」にあたる場合もあることに注意してください（企業との労働契約において、当該部・課長は労働者側に位置します）。

特に「労働者」であるか否かの判断は実質・実態に基づいて行うのです！

3 労基法はどんな事業に適用されるのか？

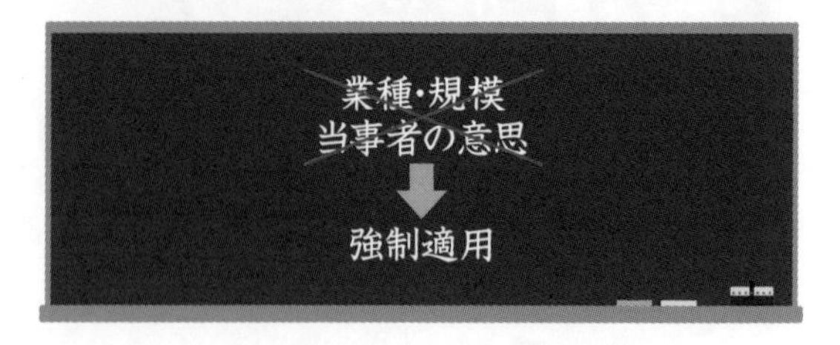

労基法は、原則として、労働者を使用している事業または事務所であれば、その業種や規模に関係なく（たとえ１人の労働者しかいなくても）、当事者の意思にかかわらず、いわば**強制的に適用**されます。なお、同居の親族のみを使用する事業には適用されません。ここには、労基法が保護すべき労働者に該当する者がいないからです。また、一般家庭に雇われて、その家族の者から指示されて働くお手伝いさん（労基法では「家事使用人」といいます）にも、労基法は適用されません。罰則を後ろ盾にした労基法を一般家庭の中に持ち込むのは不適切だからです。

同居の親族のみを使用する事業や、一般家庭に雇われるお手伝いさんには、労基法は適用されません。

4 労基法の基本原則とは？

憲法第25条第1項（生存権）
↓
労基法第1条第1項（労働条件の原則）

・労働条件は、労働者が**人たるに値する生活**を営むための必要を充たすべきものでなければならないと定められています（法１条１項）。ここにいう労働条件とは、賃金、労働時間、解雇など労働者の職場におけるすべての待遇を含むものです。また、労基法が定める労働条件の基準は、これを下回ったら人たるに値する生活を営むことができないという最低のものですから、使用者はもちろんのこと、労働者も**この基準を理由に労働条件を低下させてはならない**ことはもとより、その向上を図るように努めなければならないとされています（同条２項）。たとえば、１日の勤務時間を７時間と定めている会社が、労基法で１日の労働時間は８時間までと定めていることを

唯一の理由に、勤務時間を7時間から8時間に変更すること（労働条件が低下している！）があってはならないということです。

・労働条件は、労働者と使用者が**対等の立場で決定すべき**ものとされています（法2条1項）。現実には力のアンバランスがあるからこそ、わざわざこのような規定を置いているわけです。また、労働者及び使用者は、①**労働協約**、②**就業規則**及び③**労働契約**を遵守し、誠実に各々その義務を履行しなければならないとされています（同条2項）。①～③について簡単に説明すると次の通りですが、これらはいずれも**労使間の権利・義務を根拠付ける**非常に重要な役割があるということを覚えておいてください。

①**労働協約**とは、労働組合と使用者又はその団体とが結んだ労働条件その他に関する合意であり、原則として、その労働組合の組合員に適用されるもの。

②**就業規則**とは、使用者が定めた職場規律や労働条件であり、その事業場の労働者に適用されるもの。

③**労働契約**とは、労働者が使用者に対して労働に従事することを約束し、使用者がこれに対して報酬を支払うことを約束する契約で、労働者の労働条件などが定められるもの。

上記以外にも、**均等待遇の原則**（法3条）、**男女同一賃金の原則**（法4条）、**強制労働の禁止**（法5条）などが定められています。

労基法の定める基本原則は、「労働者の人権の保障」という視点で理解すること!

5 労働契約についてはどんな規定があるか?

労基法は強行法規
↓
第13条 ─┬─ 強行的効力
　　　　 └─ 直律的効力

労基法で定める基準に達しない労働条件を定める労働契約は、**その部分については無効**とされます（①）。この場合において、**無効となった部分は、労基法で定める基準による**ことになります（②）（法13条）。①の効力を「**強行的効力**」、②の効力を「**直律的効力**」といいます。

労基法は、強行法規の1つです。**強行法規**とは、当事者の合意の有無・内容にかかわらず当事者を規律する性格を持つ法規範のことをいいます。上記の規定（法13条）は、労基法が強行法規であることを示す条文でもあるのです。そして、強行法規という性格をもって労働者を保護し、使用者に規制を課していることをおさえてください。

また、労働契約については、契約締結の際に使用者は、労働者に一定の労働条件を書面を交付するなどして明示しなければならない（法15条）とする規定などがあります。

明示された労働条件が事実と異なるときは即時解除できる場合があります。

6 解雇についてはどんな規制があるか?

解雇権（解雇の自由）
規制 ↑
　└─ ・解雇制限期間
　└─ ・解雇予告期間（or 解雇予告手当）

解雇とは、使用者がその一方的な意思表示によって労働契約を解約することです。しかし、労働者と使用者の双方の約束（合意）によって成立する労働契約を、使用者の一方的な意思表示によって解約する解雇とは、そもそも認められているものなのでしょうか。

民法では、期間の定めのない雇用契約について、**2週間の予告期間**を置けば当事者はいつでも解約できる旨を定めています（民法627条1項）。この解約の自由を使用者の立場から見たものが「解雇の自由」（**解雇権**）です。つまり、民法のこの規定を根拠に「解雇権」は認められているのです。しかし、解雇は労働者の生活に重大な影響を及ぼすことが多いので、労基法は特に2つの規制を設けて労働者を保護しています。

①解雇制限期間

使用者は、労働者が**業務上の負傷や疾病**による療養のために休業する期間及び**その後30日間**、ならびに、**産前産後休業の期間**及び**その後30日間**は、原則として、その労働者を解雇してはならないとしています（法19条）。これは、労働者が安心して療養のための休業や産前産後の休業がとれるようにするために定められた規定です。

②**解雇予告期間**

使用者は、労働者を解雇しようとするときは、原則として、**少なくとも30日前にその予告**をするか、又は**30日分以上の平均賃金**（予告手当）を支払わなければならないとされています。なお、この予告の日数は、1日分の平均賃金を支払った日数だけ短縮できます（法20条）。

この規定は、突然の解雇から被る労働者の生活への重大な影響を緩和するため、予告期間を設けることや予告手当を支払うことで、解雇の意思表示の後少なくとも**30日間の生活保障**を使用者に課したものです。

ちなみに労働者からは、民法の規定により、原則として2週間の予告期間で解約可能です。

7 賃金にはどんな規定が設けられているのか?

賃金 ⟶ 定義「労働の対償」
⟶ 支払方法5原則と例外

労働の対価として支払われる賃金は、労働条件のうちで最も重要なものの1つです。労基法において**賃金**とは、**労働の対償**として使用者が労働者に支払うすべてのものと定義されています（法11条）。そして、使用者にこの賃金を確実に支払わせ**労働者の経済生活の安定**を図るために、賃金の支払方法について、次の5つの原則を定めています（法24条）。

①**通貨払の原則**
②**直接払の原則**
③**全額払の原則**
④**毎月一回以上払の原則**
⑤**一定期日払の原則**

なお、①の例外として、労働者の同意を得て、その指定する金融機関などの口座へ振込むこと、③の例外として、労使協定を締結して社宅の費用などを賃金から控除すること、その他の例外が定められています。

また、賃金に含まれるものとして労基法が定める「**休業手当**」があります。これは、使用者の責に帰すべき事由により労働者を休業させる場合、使用者は、労働者の最低生活を保障するために、休業期間中、**平均賃金の6割以上**を支払わなければならないとするものです（法26条）。たとえば、原材料不足による休業や円の急騰による輸出不振のための一時休業では、使用者は休業手当を支払わなければなりません。

就業規則でもともと休日とされている日は休業手当の支払義務はありません!

8 労働時間、休憩及び休日に関する規制は?

<原則>
労働時間 ⟶ 週40時間、1日8時間
休憩 ⟶ 労働時間6時間超で45分、8時間超で1時間
休日 ⟶ 毎週少なくとも1回

・**労働時間**は、賃金とならんで労働者にとって最も重要な労働条件の1つです。長時間労働は労働者の健康を害し、その精神的なゆとりも損なうものとなるので、労基法は次のように労働時間に制限を設けています。

原則として、使用者は労働者に休憩時間を除いて①**1週間に40時間**を超えて、②**1日に8時間**を超えて、労働させてはならない（以下「法定労働時間」という）とされています（法32条）。

この規制の対象となる「**労働時間**」とは、労働者が使用者の**指揮命令下**に置かれていると**客観的に評価できる**時間とされています（最高裁判例）。規制の対象となる労働時間に該当するか否かの判断を使用者の主観に委ねてしまっては、労働時間の制限を労基法に定めた意味がなくなるからです。

・**休憩**は、労働時間が**6時間を超える場合は少なくとも45分、8時間を超える場合は少なくとも1時間**の休憩時間を**労働時間の途中**に与えなければならないとされています（法34条）。

・**休日**は、原則として、**毎週少なくとも1回の休日**（以下「法定休日」といいます）を与えなければならないとされています（法35条）。

ただし、労働時間、休憩及び休日の規定は、いわゆる管理監督者等（部・課長など）には適用されません。

9 法定労働時間や法定休日に例外は認められるのか?

時間外労働・休日労働 ―原則→ 違反 → 罰則
↓例外
規制の解除(法33条、法36条)

使用者は、法定労働時間を超えて、又は法定休日に労働者を労働させてはならないのが原則です。ただし、例外として①**災害・公務による臨時の必要がある場合**、および②**労使協定が締結・届出されている場合**には、法定労働時間を超える労働(時間外労働)や法定休日における労働(休日労働)をさせることができるものとされています(①法33条、②法36条)。なお、時間外労働・休日労働に対しては、**法定の割増賃金**の支払義務が課されます(後述)。

ここでは②について簡単に説明します。

使用者は、事業場の労働者の**過半数で組織する労働組合**(ない場合には労働者の**過半数代表者**)と**労使協定**を締結し、これを労働基準監督署長に届け出た場合は、その協定の定めに従って時間外労働・休日労働をさせることができるとされています〔この労使協定は第36条に規定されているので36(サブロク)協定と呼ばれています〕。ただし、この協定で定める時間外労働の時間数は、通常予見される時間外労働の範囲内において、限度時間(1箇月45時間および1年間360時間)を超えない時間に限るとされています。この36協定の趣旨は、業務の繁忙の場合などには、労働者の過半数という、いわば労働者の**団体の意思に基づく同意**を条件に、労基法の規制を解除しようとするものです。なお、時間外労働・休日労働を使用者が労働者に**命ずることができる権利**や労働者がその命令に**従う義務**は、この労使協定に根拠付けられるものではなく、あくまで**労働協約**、**就業規則**又は**労働契約**にその旨を定めておく必要があります。

労働者と使用者の間の労働をめぐる権利・義務関係は、労働協約、就業規則、労働契約によって定められています。

なお、使用者は36協定によって時間外労働または休日労働をさせる場合であっても、1箇月については100時間以上、2箇月以上6箇月間では月平均80時間を超えて労働者を労働させてはならないとされており、この違反には刑罰が科されます。

10 割増賃金とは?

労基法では、**時間外労働・休日労働・深夜労働**について、下記の**割増賃金**を支払うことを使用者に義務付けています。このうち、時間外労働と休日労働に対する割増賃金は、使用者に経済的負担を課すことによって法定労働時間と法定休日を確保しようとする趣旨が含まれていることを覚えておいてください。

	通常の賃金に対する割増率
時間外労働	2割5分以上※
休日労働	3割5分以上
深夜労働	2割5分以上

※時間外労働が1箇月について60時間を超えた場合には、その超えた時間については5割以上

深夜労働とは、午後10時から午前5時までの時間帯に行わせた労働をいいます。

11 その他の主な規定

これまで、労基法を理解する上で特に重要な条文をいくつか挙げて、その趣旨などを説明してきました。これらは、普段の生活においても、これからの勉強においても是非とも頭に入れておいてほしいものです。

このほか、取り上げなかった主な規定には、**年次有給休暇**、**年少者・妊産婦等の保護**、**就業規則**などがあります。特に「就業規則」は、労働条件や職場規律など職場のルールのほとんどが記載されているもので、労使間の権利・義務を根拠付けるものとして、非常に重要なものであることを覚えておいてください。

2. 労働安全衛生法

Q1 労働安全衛生法ってどんな法律?
➡ A. 1 2

Q2 会社の安全衛生を確保するための仕組みとは?
➡ A. 3

Q3 会社の健康診断は法律に基づくもの?
➡ A. 4

1 労働基準法からの独り立ち?!

安全衛生に関する事項も、賃金や労働時間などとともに**労働条件**の重要な要素です。ですから、当初は労基法に「第５章　安全及び衛生」として、安全衛生に関する最低基準などが定められていました。しかし、昭和30年代半ば頃からの高度経済成長の過程で機械設備の大型化・高度化等が進み、それとともに労働災害も増大してきたため、当時の簡素な安全衛生に関する規制だけでは、対処しきれなくなってきました。そこで、この部分を労基法から分離独立させ、これを基本として、技術革新、生産設備の高度化、元請・下請労働者の混在作業などに伴う労働災害の防止対策を幅広く展開するための規制事項を加えて、**昭和47年**（1972年）に「**労働安全衛生法**」（安衛法）が誕生しました。そして、時代に応じて新たな規制が付加されるなどのいく度かの改正を経て、現在に至っています。

2 安衛法の目的は

安衛法の目的を一言でいえば、**労働災害の防止**です。条文では「職場における労働者の安全と健康を確保するとともに、快適な職場環境の形成を促進すること」（法１条）とされています。保護の対象となる労働者は、労基法の労働者と同じです。なお、安衛法では、その責任の主体となる事業主のことを「**事業者**」と呼びます。そして、この事業者は、単に安衛法で定める労働災害防止のための最低基準を守るだけでなく、快適な職場環境の実現と労働条件の改善を通じて職場における労働者の安全と健康を確保するようにしなければならないとされています（法３条１項）。

安衛法はその目的を実現するため、事業者その他の関係者に対して、①**職場における安全衛生管理体制の整備**、②**危険・健康障害の防止措置の実施**、③**機械・有害物の製造許可などの手続**、④**安全衛生教育・健康診断などの実施**を義務づけています。以下、簡単に説明していきましょう。

3 安全衛生管理体制?!——子どもの頃、学校で

子どもの頃、小学校や中学校には安全委員会や美化委員会がありませんでしたか。委員の生徒たちが自分たちで校内を見回り、危険な場所や遊びなどをチェックし、その対策を話し合ったりする役割を負っていたのではないでしょうか。もちろんその役割について何か責任まで負わされるわけではありませんが。

安衛法に定める「**安全衛生管理体制**」も、基本的な考え方はこれに近いといえます。つまり、安全・衛生面について、原則としてそこで働く一定の資格をもつ労働者が一定の職務を担い、事業場を見回ってチェックし、自分たちでその対策を講じていく体制です。この体制を事業場ごとに設けることを、安衛法は、その責任の主体である事業者に義務づけているのです。事業場の業種や規模（労働者数）によって異なるところはありますが、基本となる仕組みは次の通りです。

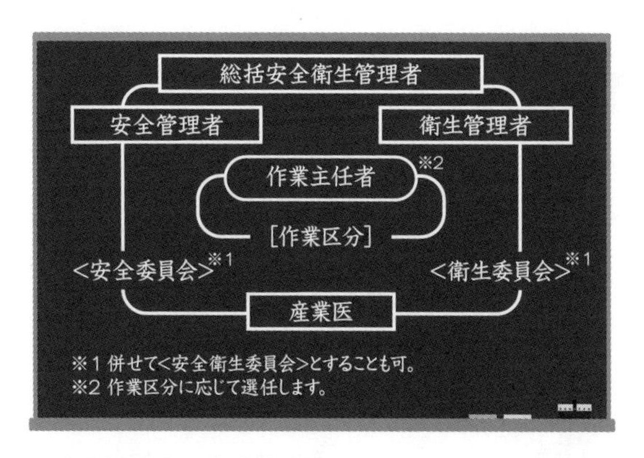

安全管理者や**衛生管理者**として選任される労働者たちには、専門性や一定の資格又は免許、実務経験などが要求されます。彼らは、実際に職場を定期的に見回り、問題点があれば、具体的にその対策を講じていくという役割を担っています。

そして彼らの職務を統括管理する立場にあるのが、**総括安全衛生管理者**です。総括安全衛生管理者は、工場長や作業所長等など、事業場を統括管理する権限や責任を有する者をもって選任されます。安全衛生に関する専門的な知識や資格・免許などは要求されていません。

産業医は、事業場の労働者の健康管理を行わせるために選任するものです。常時1,000人以上の労働者を使用する事業場や、労働者が一定の有害業務に従事する事業場では、専属の産業医を選任しなければならないとされています。

この安全衛生管理体制が機能せず（それぞれが各自の職責を果たさず）、労働災害が発生したとしても、その責任は、あくまでも、原則として事業者が負うことになります。

安衛法の責任の主体は「事業者」！
労基法の責任の主体は「使用者」！

4 健康診断、過重労働・メンタルヘルス対策の充実

・労働者の健康の保持増進
➡健康診断（事業者は実施義務
　　　　　労働者は受診義務）

・過重労働・メンタルヘルス対策
➡面接指導（時間外労働80時間超/月）

・ストレスへの気付きの促進
メンタルヘルス不調のリスク低減
➡ストレスチェック&面接指導

会社に勤めている人であれば、入社時の健康診断や年に一度の定期健康診断を受けた経験があるはずです。これは、安衛法に基づくものです。

安衛法では、事業者に対し、労働者の健康の保持増進を管理する立場から、**医師による健康診断**の実施を義務づけ、労働者に対しては、自らが健康管理に努めるように、この健康診断の受診を義務づけているのです。

近年、過重労働や業務による心理的負荷との関連性が強い疾患の発症が増えてきています。そこで安衛法では、過重労働・メンタルヘルス対策として、事業者は、時間外労働が月80時間を超え疲労の蓄積が認められる労働者について、本人の申出により**医師による「面接指導」**を行わなければならないとし、また当該労働者について医師の意見を聴いて必要があると認めるときには、作業の転換、労働時間の短縮などの措置を講じなければならないとしています。

さらに、ストレスによるメンタルヘルス不調を未然に防止するために導入された**ストレスチェック制度**では、事業者は、常時使用する労働者に対して、医師、保健師等による心理的な負担の程度を把握するための検査（ストレスチェック）を実施することが義務づけられ（労働者50人未満の事業場は当分の間、努力義務）、高ストレス者として面接指導が必要と評価された労働者からの申出があったときは、医師による面接指導を行わなければならないとしています。

5 その他の規制、実効性の確保

上記のほか、現行の安衛法では、さまざまな労働の実態、その環境に応じ、労働災害を防止するために多岐にわたり細やかな規定が設けられています。

たとえば、近年、生産技術の高度化が進展する中、業務に対する経験や知識の不足が原因とされる労働災害も増大しています。そこで、雇入れ時などの**安全衛生教育**、作業中の労働者を直接指導・監督する者を対象とした安全衛生教育などを定めています。また、労働者が操作する機械本体の欠陥から発生する労働災害や、労働者が扱う有害物質から生じる健康障害などから労働者を守るために、それらの**製造・流通過程にわたって規制**を設けています。

そして、これらの法規制の実効性を確保するために安衛法では、**罰則や労働基準監督制度による監督・取締り**のほか、事業者の自主的な取組みを推進するなどの法規制システムを採用しています。

3. 労働者災害補償保険法

Q1 労災保険制度が必要なワケは？
➡ A. 1

Q2 ウチの会社、労災保険に入っているの？
➡ A. 2

Q3 アルバイトでも受けられる？
➡ A. 3

Q4 業務災害、複数業務要因災害、通勤災害って？
➡ A. 4～6

Q5 どんな補償が受けられるの？
➡ A. 7～9

1 労災保険制度がなかったら?!

たとえば、ある会社の工場で働く従業員のAさんが、仕事の最中に機械の誤作動によって大ケガを負った場合、Aさんは会社（使用者）に対して損害賠償請求することができます。これは、**民法709条**（**不法行為**）に基づくもので、交通事故で被害者が加害者に損害賠償請求をするのと同じです。しかし、この規定では損害賠償請求をする側が、相手側の落ち度や不注意、すなわち過失などを立証（りっしょう）する責任を負い、この立証ができなければ損害賠償を受けることができません（「**過失賠償責任**」）。会社が自らその過失を認めないケースでは、被災した労働者がこれを立証することは実際上は困難で、なかなか損害賠償は受けられないでしょう。そこで、この点に配慮した規定が、労働者保護法たる、かの労基法に規定されています。

労基法75条以下の一連の**災害補償規定**では、使用者の過失を問うことなく、「業務上」生じたケガや病気、あるいは死亡であると認定されれば、使用者は被災労働者あるいはその遺族に補償をしなければならないとしています（**無過失賠償責任**）。労働者側が使用者の過失を立証する負担をなくし、その保護を図っているわけです。しかし、これで問題解決というわけにはいきません。使用者に十分な資力がない場合には、災害補償を受けられないおそれがあるからです。

このように、民事損害賠償制度や労基法の災害補償制度では被災労働者の保護に不十分であることから、それをカバーするために制定されたのが「**労働者災害補償保険法**」です。労災保険では、働いていてケガや病気などの災害が発生した場合、それが「業務上災害」と認められれば、被災労働者は**政府**に対して「**保険給付**」の請求をすることができます。政府が保険給付を行うことになるので、使用者の無資力を心配する必要がなくなります。また、保険給付の内容は労基法が使用者に義務づけている補償内容を多くの点で上回っています。以上の説明から、労災保険法がその第1条で「**迅速かつ公正な保護**をするため、必要な保険給付を行う」と定めている趣旨を理解してください。一方、労災保険は使用者にとっても大きなメリットがあります。労災保険制度は、政府が管掌する**社会保険制度**の形をとり、労働者を使用する全事業主から保険料を徴収して、被災労働者・遺族に政府が直接保険給付を行うものです。したがって、労災保険による保険給付が行われた場合には、所定の保険料を納付している事業主（使用者）は、その保険給付に相当する損害賠償責任や労基法上の災害補償責任を免れることができるのです。

現行の労災保険法では、労働者を1人でも使用する事業は原則として労災保険への加入が義務づけられているので、実際には労基法の災害補償制度が適用されることはほとんどなくなっています。したがって、労災保険制度は、わが国の労災補償制度の中心をなしているといえるのです。

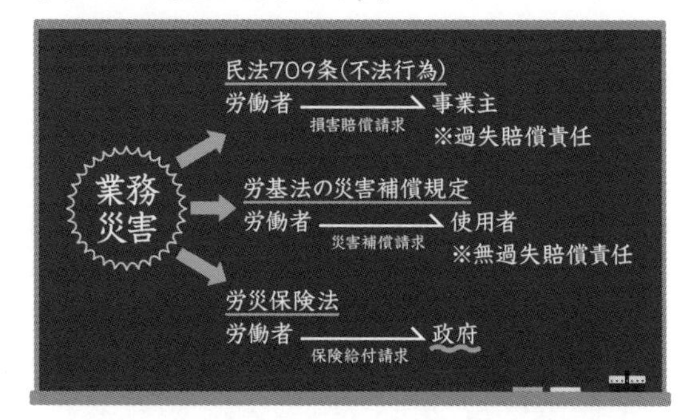

2 すでに労災保険に入っている?!

労働者を使用して事業開始
➡適用事業(労災保険に入っている!)
・事業主や労働者の意思にかかわらず強制加入
・加入するための手続(申請など)不要
・事業主には保険料を支払う義務!
・労働者には保険給付を受ける権利!

労災保険は、**事業単位で適用**されます。そして一部の例外を除いて、**労働者を使用するすべての事業**に労災保険への加入が義務づけられています。したがって、労働者を雇って事業を始めれば、すでにその時点で事業主や労働者の意思にかかわらず法律上当然に労災保険に入っているわけで、「入らない」という選択肢はありえません。それでは、ある会社の社長が「うちには労災保険は必要ない！」といって所定の手続をせず、会社は保険料を払っていない場合、その会社で労働者が仕事をしていてケガをしてしまったらどうなるのでしょうか。もちろん、労働者は政府に保険給付を請求してこれを受けることができます。会社は社長の意思にかかわらず法律上当然に労災保険に入っているわけなので、そこで働く労働者が労災保険で保護されるのは当然です。「手続をせず、保険料を払っていないのに？！」と思われるかもしれませんが、それと労働者が保険給付を受けられることとは別問題です。保険料を払っていない社長（事業主）は、政府が行った保険給付に要した費用の額を一定の限度で請求されます。労災保険に入っている以上、保険料を納めるという事業主の義務を果たしていなかったのだから当然です。

事業主には、「労災保険に入らない」という逆選択は認められません!

3 アルバイトにも保険給付! 社長にも?!

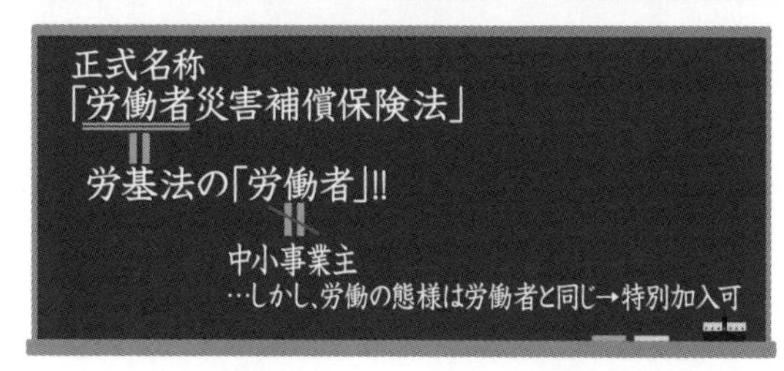

そもそも労災保険法は、**労基法の災害補償制度をカバーする保険制度**としてつくられたものです。したがって、その保護の対象となる労働者（**適用労働者**）は労基法で定義される労働者（「職業の種類を問わず、事業又は事務所に使用される者で、賃金を支払われる者」）ということになります。したがって正社員に限られることなく、非正規労働者、アルバイト、日雇いで働く人にも、すべて平等公平に労災保険制度の保護が及びます。

社長は？　もちろん「労働者」ではないので当然にはその保護は及びません。しかし、一定の規模・業種に該当する**中小企業**の社長で、たとえば、昼間は自分が雇う若い従業員とともに、自らも作業服に身を包み、機械を前に汗まみれ油まみれで仕事をしているような場合は、労働者と同じ業務災害を被る危険にさらされているので、その限りで労災保険で保護する必要性も考えられます。ここから「**中小事業主の特別加入**」という制度が設けられました。中小企業という枠で定められた一定の要件を満たす事業の社長があらかじめ**申請**をし、政府の**承認**を受ければ、原則として労働者と同じように、社長も業務災害による保険給付を受けることができるのです。

労働者は手続なしで、中小事業主は特別加入の手続をして、保護の対象になるのです!

4「業務災害」の認定が大前提!

労災保険給付は、「**業務災害**」「**複数業務要因災害**」または「**通勤災害**」に対して支給されるものです。まず「業務災害」について説明していきましょう。労働者が政府に対して保険給付の請求をしても、政府が「業務災害」と認定しなければ、保険給付は一切行われません。それでは、「業務災害」の認定はどのように行われるのでしょうか。

「**業務災害**」といえるかどうかは、①**業務遂行**

性、②**業務起因性**の２点から判断されます。これを説明すると、①は「労働者が労働契約に基づいて事業主の**支配下**にある状態」、②は「業務に内在する危険が現実化したと経験法則上認められること」となります。たとえば、勤務時間中に仕事をしていて起こった災害はもちろん、会社行事の宴会や運動会で**参加が事実上強制**されているなかで起こった災害も、業務遂行性が認められます。もっとも、業務遂行中に起こった災害であっても、それが天災地変など、業務とは無関係のものによるときは、一般に業務起因性は認められません。ただし、台風による漁船乗組員の遭難などその業務の性質上、業務起因性が認められることはあります。

また、うつ病などの精神障害による自殺について、近時の裁判例では、過重業務や職場でのハラスメントとうつ病などとの間に因果関係があり、それに起因して自殺したと認められる場合には、業務起因性が肯定されています。

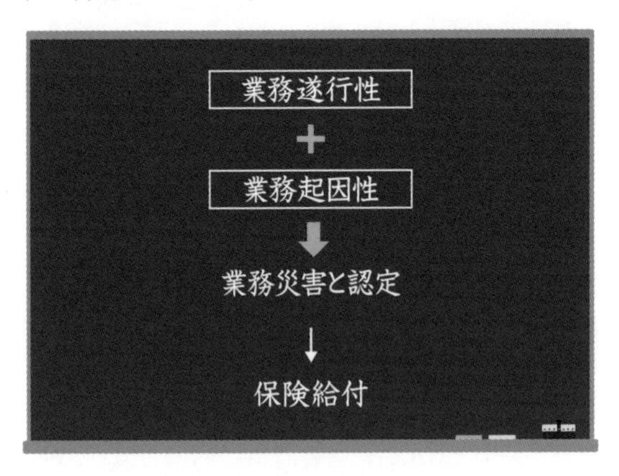

5 複数業務要因災害とは？

たとえば、同じ時期にA社とB社に勤務していた労働者が、心疾患を発症した場合。A社、B社それぞれの業務だけでは発症の原因とは認められなくても、A社とB社での業務の相乗効果で発症したと考えられる場合があります。このようなケースで、複数の就業先での業務上の負荷を総合して評価し、傷病等との間に因果関係が認められる場合には、「複数業務要因災害」として、保険給付を行うこととしています。これは、兼業・副業等を行う労働者が安心して働くことが出来るように設けられた保険給付です。もちろん複数事業労働者（事業主が異なる２以上の事業に使用される労働者）であっても、一つの事業場における業務のみで労災認定できるときは、「業務災害」として保険給付が行われます。

6 飲み屋で一杯、逸脱・中断？！

労災保険給付は、「**通勤災害**」に対しても行われます（労基法の災害補償規定は、通勤災害には適用されません）。ここにいう「**通勤**」とは、①**住居と就業の場所との間の往復**だけでなく、②**複数就業者の事業場間の移動**や、③**単身赴任者の赴任先住居と帰省先住居との間の移動**も含まれ、これらの場所の間を**合理的な経路と方法**で移動することをいいます。ただし、この通勤の途中で移動の経路を**逸脱**し、又は**中断**した場合には、その**逸脱又は中断の間及びその後の移動は、通勤とはされません**。

たとえば「会社帰りに飲み屋で一杯」という行為。会社を出て、いつも利用する駅へとつづく大通りを、飲み屋に立ち寄るために角を曲がれば、これが逸脱。いいお酒を飲んでいる時間、これが中断。したがって、角を曲がったら最後、その後は通勤と扱われません。店を出ていつもの帰り道、大通りに戻ってもダメです。通勤と扱われない以上、ここで生じた災害について保険給付が行われることはありません。ただし、この逸脱・中断が**日常生活上必要な行為**（日用品の購入や病院における診察など）をやむを得ない事由のために最小限度で行うものである場合には、これらの逸脱・中断**後**の移動は、「通勤」とされます（この場合も、逸脱・中断の**間**は通勤とはされません！）。

「通勤」の対象となる移動
①住居⟷会社（就業の場所）
②A社⟶B社
③赴任先住居⟷帰省先住居

7 業務災害に関する保険給付の手続と内容は？

たとえば「業務災害」が発生した場合、その被災労働者または遺族は政府（具体的には「労働基準監督署長」）に**保険給付の請求**を行うことができます。政府はこの請求を受けて、「業務災害」と認定したときは、**保険給付の支給決定**を行います。なお、政府が「業務災害」と認定せず、保険給付の**不**

支給決定をしたときは、被災労働者等はこの処分を不服として、所定の機関（「労働者災害補償保険審査官」「労働保険審査会」）に**審査請求・再審査請求**を申し立てることができます。

業務災害に関する保険給付の種類としては、次のものがあります。

①傷病の療養のための**療養補償給付**（法13条）
②療養のための休業期間の補償としての**休業補償給付**（法14条）
③傷病が治っても障害が残った場合としての**障害補償給付**（法15条、15条の2）
④労働者が死亡した場合の**遺族補償給付**（法16条以下）
⑤労働者が死亡した場合の葬祭費用としての**葬祭料**（法17条）
⑥療養を開始して1年6月を経過しても治らず休業している場合の補償としての**傷病補償年金**（法12条の8第3項、18条）
⑦障害補償年金（③）又は傷病補償年金(⑥）を受ける者の介護費用としての**介護補償給付**（法12条の8第4項、19条の2）

業務災害に関する保険給付を時系列で整理すると次のようになります。

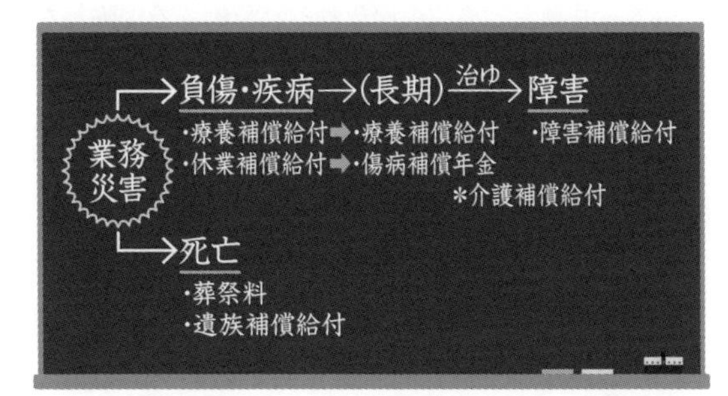

複数業務要因災害と通勤災害に関する保険給付の内容は、原則として、業務災害に関する保険給付の内容と同じものになっています。

また、上記の保険給付とは性質が異なるものとして、「**二次健康診断等給付**」があります。これは、**過労死の予防**という観点から設けられたものです。

8 「現物給付」と「現金給付」

上記の保険給付のうち、療養補償給付は、労災保険を扱う医療機関では無料で治療が行われる「**現物給付**」を原則としています。他の保険給付は、災害を被ったことにより失われた稼得能力を現金支給で補てんする「**現金給付**」となっています。各保険給付の具体的な支給要件や支給内容については、本格的に勉強を始めたときに確認してください。

9 保険給付プラス「特別支給金」

政府は、労災保険の目的を達成するため、保険給付を行うほか、各種の**社会復帰促進等事業**を行っています。そのうちの1つである被災労働者等援護事業の一環として、**特別支給金**の支給を行っています。これは、労働災害による**損失・損害を補てんする保険給付**に**上積みして支給される金銭給付**です。その趣旨は、被災労働者やその遺族へのお見舞い、援護または弔意です。

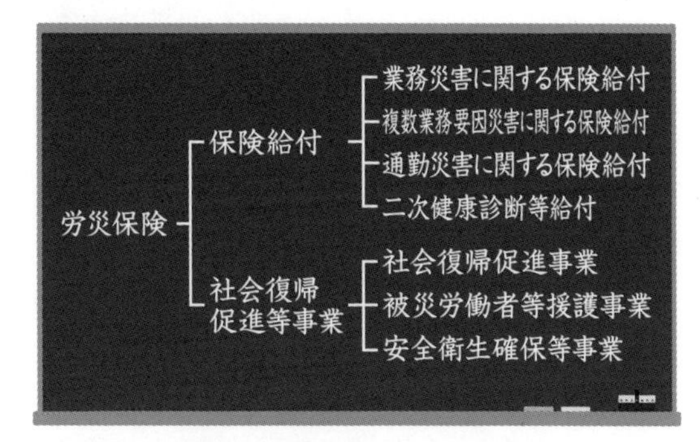

■ 特別支給金と保険給付

特別支給金		傷病特別年金	障害特別年金	障害特別一時金	遺族特別年金	遺族特別一時金	特別給与を算定基礎とする
特別支給金	休業特別支給金（20%）	傷病特別支給金 1級～3級	障害特別支給金 1級～14級		遺族特別支給金 一律300万円		定額支給〔休業特別支給金は定率〕
保険給付	休業補償給付（60%）	傷病補償年金	障害補償年金又は一時金		遺族補償年金又は一時金		

4. 雇用保険法

Q1 シツギョウホケンのこと？ ➡ A. 1

Q2 シツギョウホケンがもらえる人ってどんな人？ ➡ A. 2

Q3 失業中に何がもらえるの？ ➡ A. 4～7

Q4 失業中の生活保障だけ？ ➡ A. 8～11

1 シツギョウホケンで暮らしてる!?

「あの人、シツギョウホケンで暮らしてるらしいよ」とか「どうしたらシツギョウホケンってもらえるの？」とか、耳にしたり口にしたことありますよね。このシツギョウホケン、実は失業中の人が一定期間ごとに公共職業安定所（一般に「ショクアン」「ハローワーク」と呼ばれている役所）に通って、その都度所定の手続をしたうえで支給されるオカネのことで、正しくは「**基本手当**」というものです。そして失業中の人の生活を支えるために、この基本手当を始めとする一定の給付（**求職者給付・就職促進給付**）を支給する制度を定めているのが、昭和49年（1974年）に当時の「失業保険法」を改正した「**雇用保険法**」です。

現在の雇用保険制度は、労働者が失業した場合だけでなく、年齢が高くなったことや介護により働き続けるのが難しくなった場合や労働者が自ら職業に関する教育訓練を受けた場合にも必要な給付（**雇用継続給付・教育訓練給付**）を行うものとされています。雇用保険法では、これらの給付をまとめて「**失業等給付**」と呼んでいます。なお、以前は「失業等給付」の中の雇用継続給付の一環として位置付けられていた「**育児休業等給付**」が、次世代育成支援の観点から、目的条文である第１条に新たに加えられた「労働者が子を養育するための休業及び所定労働時間を短縮することによる就業をした場合」に行われる必要な給付として、「失業等給付」とは別の体系的位置付けとされました。この「**失業等給付**」と「**育児休業等給付**」を行うことにより「**労働者の生活及び雇用の安定を図る**」ことが雇用保険の主たる目的とされています（第１条）。

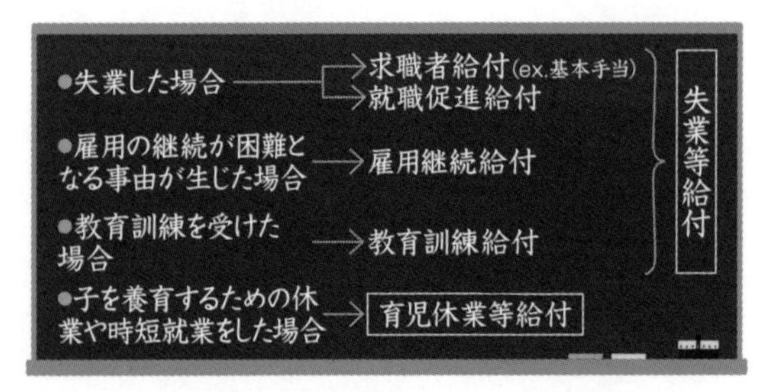

失業等給付と育児休業等給付は、政府が保険者となって、労働者と事業主がそれぞれ負担する保険料を徴収し、労働者が失業等した場合や育児休業した場合に、公共職業安定所を通じて支給するものです。主な給付の内容については、後でお話しします。

2「被保険者」であることから始まる!

雇用保険の失業等給付や育児休業等給付を受けるためには、**雇用保険の適用事業**とされている会社などで「**被保険者**」として一定期間働いている（又は働いていた）という実績が必要です。

（「被保険者」とは、一般に保険料の負担義務を負うとともに、保険事故が発生したときは保険給付を受けることができる者のことです。）

雇用保険も、労災保険と同じように、一部の例外を除いて労働者が雇用されるすべての事業に、その加入が義務づけられています。そして、そこに**雇用関係**を有する労働者は被保険者とされます。

ただし、**週所定労働時間が20時間未満の者**や**同一事業主のもとでの雇用の見込み期間が31日未満の者**などについては、原則として適用対象から**除外**され、被保険者にはなれません。それは、雇用保険が原則としてその適用対象としているのが、**フルタイム**で働く、**常用雇用労働者**（すなわち正規型従業員）だからです。

なお、事業主を異にする２以上の適用事業に雇用される65歳以上の者については、それぞれの１週間の所定労働時間が20時間未満であっても、２の事業主の適用事業における１週間の所定労働時間の合計が20時間以上であれば、厚生労働大臣に申し出て、その申出を行った日から被保険者となることができることとされています。

3 事業主は責任重大!! 届出を怠ると…

適用事業に雇用される労働者は、適用除外者を除いて、法律上当然に被保険者となります。そして、被保険者として働いた期間に基づいて給付を受けることができます。とすると、この被保険者として働いた期間に関する記録が重要になってきますね。

そこで、事業主はまず、雇用した労働者が被保険者となったことについて、その翌月の10日までに「**雇用保険被保険者資格取得届（資格取得届）**」をその事業所の所在地を管轄する公共職業安定所長に提出しなければなりません。また、その雇用する労働者が退職などで被保険者でなくなった場合は、その10日以内に「**雇用保険被保険者資格喪失届**」を同じく公共職業安定所長に提出します。これらの届出を怠ると被保険者であった者が給付を受けることができなくなることもあるので、**罰則**（６箇月以下の懲役又は30万円以下の罰金！）をもって事業主にこの届出を義務づけています。

ちなみに労災保険には「被保険者」という概念はなく、その手続もありません。

4 失業者の生活を支えるシツギョウホケン=「基本手当」とは

失業等給付のうち「**求職者給付**」は失業者の生活保障を目的とするものですが、これは被保険者の種類によって次のように定められています。

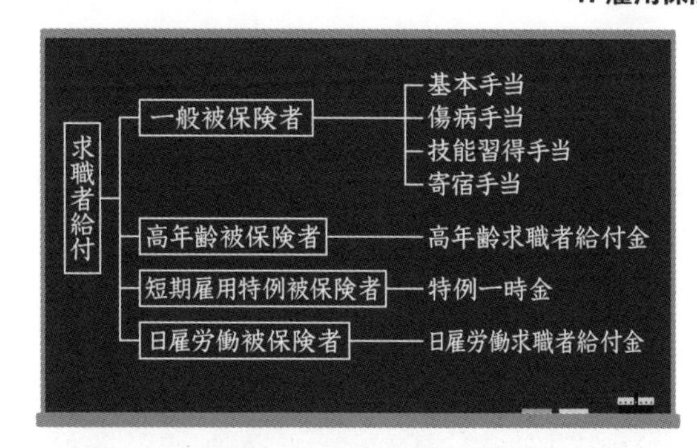

被保険者の種類は、雇用形態や年齢により分けられています。つまり、失業前の雇用形態や年齢により**失業の態様**も違うので、それぞれの態様にふさわしい給付内容となるように定められているのです。

ここでは、現役世代のフルタイムの常用雇用の労働者すなわち「**一般被保険者**」が失業した場合に支給される「**基本手当**」について説明します。

・受給資格要件――何が問われているのか？

基本手当は、①原則として**離職の日以前の2年間に被保険者期間が通算して12箇月以上**ある者（受給資格者）が、②「**失業**」状態にあるときに支給されるものです。

①の要件は、一定期間以上保険料を納付し、かつ、従事する産業に貢献したという実績を問うものです。②の「**失業**」状態とは、「**被保険者が離職し、労働の意思及び能力を有するにもかかわらず、職業に就くことができない状態**にあること」をいいます（法４条３項）。ここでいう「労働の意思」とは、就職しようとする積極的な意思をいいます。「労働の能力」とは、労働に従事し、その対価を得て生活していくことができる精神的、肉体的及び環境上の能力をいいます。何か特別な意思や能力が要求されているわけではありません。①及び②の要件を満たすからこそ、雇用保険はその失業中の生活を保障してくれるわけです。

求職者給付の支給を受ける者は「誠実かつ熱心に求職活動を行うことにより、職業に就くように努めなければならない」と規定されています。

・手続の流れ――受給資格プラス手続

基本手当の受給には、さらに所定の手続が必要です。受給手続を時系列で示すと次のとおりです。

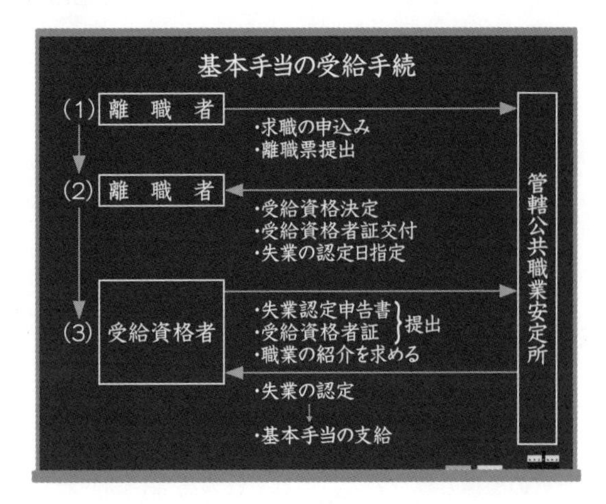

(1) 基本手当を受給しようとする者は、まず自分の住所又は居所を管轄する公共職業安定所（管轄公共職業安定所）に行き、**求職の申込み**をしたうえで**離職票を提出**します。離職票とは、被保険者のときの賃金の支払状況などが記載されたもので、被保険者でなくなったときに事業所の所在地を管轄する公共職業安定所の所長から交付されているものです。

(2) 管轄公共職業安定所長は、提出された離職票により基本手当を受給する資格があると認めた（**受給資格の決定**をした）ときは、その者が失業の認定を受けるべき日（**失業の認定日**）を知らせるとともに、**受給資格者証**を交付します。

(3) **失業の認定**は、求職の申込みをした公共職業安定所において、最初に行った日から**4週間ごとに1回ずつ直前の28日の各日**について行われます。つまり、4週間に1回のペースで公共職業安定所に通うことになります。その際、**失業認定申告書**に**受給資格者証**を添えて提出したうえ、**職業の紹介**を求めなければなりません。管轄公共職業安定所長は、求職活動をきちんと行ったこと（求職活動実績が原則2回以上あること）を確認して、失業の認定を行います。「失業」状態にあること、すなわち「労働の意思及び能力」があることをチェックしているわけです。

そして、失業の認定日の直前の4週間のうち失業していたと認定された日数分の基本手当が支給されます。

なお、上記の失業の認定をはじめとする雇用保険の一定の給付の手続は、受給資格者証等の提出に替えて、個人番号カードを提示することによっても行うことができます。

5 いつまで基本手当に頼れるのか？

基本手当を受けられる期間（**受給期間**）は原則として、**離職した翌日から1年間**です。ただし、1年間＝365日すべての日について失業の認定がなされたからといって365日分の基本手当が受けられるわけではありません。

まず、基本手当を受けるには、求職の申込みをした日以後通算して7日間は失業の状態にあることが必要で、この期間（**待期**といいます）は基本手当が支給されません。また、基本手当が支給される日数（**所定給付日数**）にも限度があり、この所定給付日数分の基本手当を受給してしまえば、受給期間の1年を経過していなくても、基本手当は受けられません。

「**所定給付日数**」は、原則として、被保険者であった期間（**算定基礎期間**）に応じて設定されます。つまり、被保険者として保険料を負担（雇用保険制度に貢献）した実績に基づいて定められているわけです。なお、倒産・解雇等により離職を余儀なくされて失業した者や障害を有するなどして就職が困難な者とされている者に対しては所定給付日数が多く設定されています。

■ 基本手当の所定給付日数

一般の離職者（定年退職、自己都合退職等）

離職日における年齢	算定基礎期間		
	10年未満	10年以上20年未満	20年以上
65歳未満	90日	120日	150日

6 いくらもらえるの？

基本手当の日額は、離職前6箇月間の賃金額（ボーナス等の一時金を除く）の平均額である「**賃金日額**」の45～80％とされています（賃金日額が低いほど給付率が高くなります）。

基本手当の日額にあまり大きな格差が生じないように給付率で調整しています。

7 離職理由で支給開始が遅れる?!

離職した被保険者が基本手当の支給を受けるためには、建前としてその失業が任意のものではなく、また、社会的にも保障するに値するものでなければなりません。この点をふまえて給付制限が設けられています。

被保険者が、「**自己の責めに帰すべき重大な理由**」によって解雇された場合や、被保険者が「**正当な理由がなく自己の都合によって**」退職した場合には、**待期期間が満了した後1箇月以上3箇月以内の間**で公共職業安定所長の定める期間は、基本手当を支給しないとされています。つまり、離職理由によっては基本手当の支給開始が最大3箇月遅くなるわけです。

このことによって所定給付日数が減るわけではありませんが、実質的な受給期間の短縮です。そうなると、受給期間内に所定給付日数分の基本手当を受けきれない場合も出てきますが、そのときは受給期間を延長して所定給付日数分の基本手当を受給できるように配慮はされています。

離職理由によって、所定給付日数が減らされるわけではありません。

8 就職促進給付、その目的は?

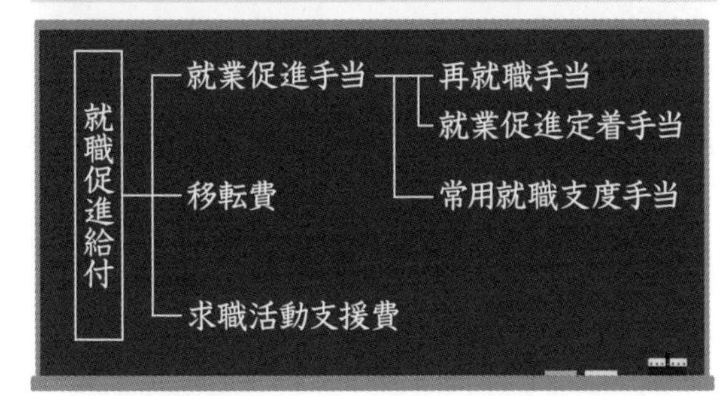

「**就職促進給付**」は、失業者が早期に再就職することを促すために設けられたものです。

本来、基本手当は失業している者に対して支給されるものですから、再就職したときは所定給付日数が残っていても当然に支給されなくなります。すると、所定給付日数分の基本手当をすべて受け終わるまで就職を控えようとする者が出てくることも考えられます。そこで、受給資格者が早期に再就職したときは、支給せずにすんだ所定給付日数の残りの日数（支給残日数）の一部を還元する形で支給し、就職を控えようとする者に就職を促そうとしたのが、就職促進給付の中心となる就業促進手当の1つである「**再就職手当**」です。たとえば、所定給付日数の3分の1以上を残して安定した職業に就いた人には基本手当日額に支給残日数の60%を乗じて得た額を、所定給付日数の3分の2以上を残して安定した職業に就いた人には同じく支給残日数の70%を乗じて得た額を、支給するものとしています。さらに、前の会社より賃金が下がった人には、その差額を、就業促進定着手当として、6箇月分（支給残日数の20%）支給します。

再就職手当は、自ら事業を開始した者にも支給される場合があります。

9 雇用継続給付は2種類、その目的は?

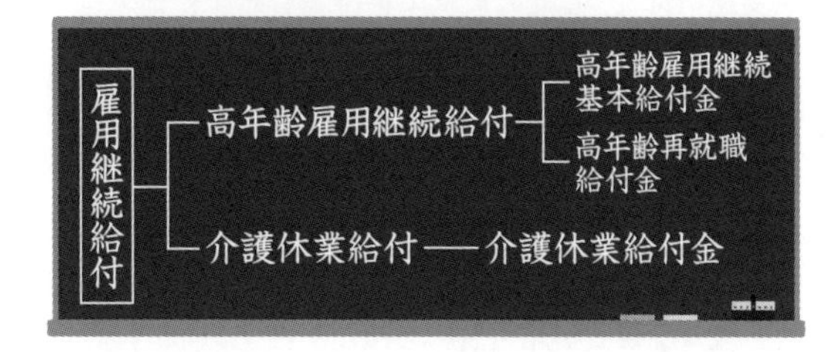

雇用継続給付には、**高年齢雇用継続給付**と**介護休業給付**の2種類があります。

高年齢雇用継続給付の1つである高年齢雇用継続基本給付金は、**60歳から65歳までの被保険者**（被保険者であった期間が5年以上の者に限る）が、年齢が高くなることによる労働能力の低下などを理由に**60歳当時より賃金が75%未満に減少**した場合に、賃金の減少分を補うために支給するものです。この給付を行うことにより、高齢者の就業意欲を維持・喚起して、**65歳（公的年金の老齢年金の支給開始年齢）までの雇用の継続**を援助、促進しようとするものです。給付額は、60歳以降の低下した賃金額の15%を上限としています。

育児・介護休業法に規定する介護休業期間中は事業主には賃金を支払う義務はなく、したがって休業すると、まず賃金が支払われることはありません。そこで**介護休業給付**は、休業した被保険者（休業開始前の2年間に被保険者期間が通算して12箇月以上ある者に限る）に、休業期間中も、休業前賃金の40%（当分の間は67%）に相当する金額を介護休業給付金として支給することで、労働者の**介護休業の取得を容易**にするとともに、職業生活の円滑な継続を援助、促進しようと設けられたものです。

10 育児休業等給付

介護休業期間中と同様に育児休業期間中も事業主には賃金を支払う義務はなく、まず賃金が支払われることはありません。そこで育児休業等給付は、子育て支援の観点から、休業した被保険者（休業開始前の２年間に被保険者期間が通算して12箇月以上ある者に限る）に、休業期間中も、最初の６箇月は休業前賃金の67%、その後は50%に相当する金額を育児休業給付金として支給しようとするものです。なお、育児休業等給付には、基本となる育児休業給付金のほか、出生時育児休業（産後８週間に分割して２回、合計28日間を限度として取得できる育児休業―いわゆる「産後パパ育休」）に対応する出生時育児休業給付金、出生後休業支援給付金、育児時短就業給付金もあります。

11 教育訓練給付でスキルアップ!!

教育訓練給付は、労働者の主体的な能力開発の取り組みを支援して、雇用の安定と就職の促進を図ろうとするものです。この教育訓練給付には、**教育訓練給付金**と**教育訓練支援給付金**の２種類があります。

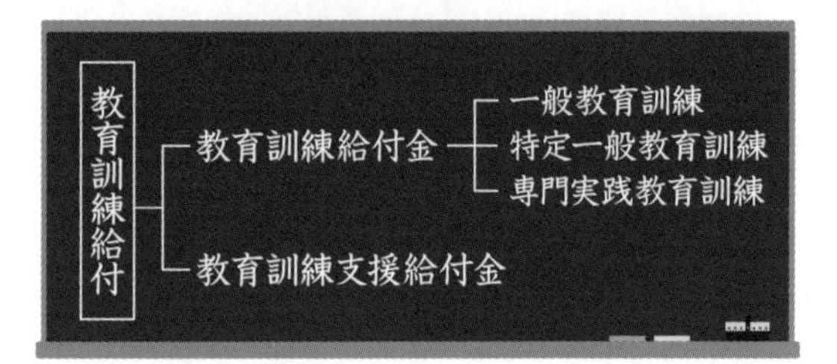

① **教育訓練給付金**

教育訓練給付金の支給対象となる厚生労働大臣が指定する教育訓練には、**一般教育訓練**、**特定一般教育訓練**、**専門実践教育訓練**の３種類があります。一般教育訓練とは、語学学校での語学の習得など、特定一般教育訓練とは、専門実践教育訓練の対象となる講座を除く公的職業資格（業務独占資格等）の養成課程（短期）などで学ぶもので、いずれも労働者が自己の能力を高めるために職場外で自主的に受けるものです。専門実践教育訓練とは、より高度で専門的・実践的な教育訓練で、業務独占資格・名称独占資格（看護師、保育士、建築士等）の取得を目指すものなど、中長期的なキャリア形成に資するものとされています。

教育訓練給付金の支給を受けるためには、一般教育訓練と特定一般教育訓練の場合には被保険者であった期間が**３年**（過去に教育訓練給付金を受けたことがない者については**１年**）、専門実践教育訓練の場合には被保険者であった期間が**３年**（過去に教育訓練給付金を受けたことがない者については**２年**）以上あることが必要です。そして一般被保険者若しくは高年齢被保険者である間、または一般被保険者若しくは高年齢被保険者でなくなった日から原則として**１年以内**に、教育訓練を開始し、一定の要件を満たしていなければなりません。

支給額は、原則として、一般教育訓練の場合には**受講費用の20%**、特定一般教育訓練の場合には**受講費用の40%**、専門実践教育訓練の場合には**受講費用の50%**（一定の要件を満たした者については70%）に相当する額ですが、それぞれ上限額が規定されています。

② **教育訓練支援給付金**

45歳未満の離職者であって一定の要件を満たすものが、専門実践教育訓練を受けている期間中において失業している日については、**基本手当の日額の60%**が支給されます（基本手当が支給されている期間などには支給されません）。

12 雇用保険二事業とは？

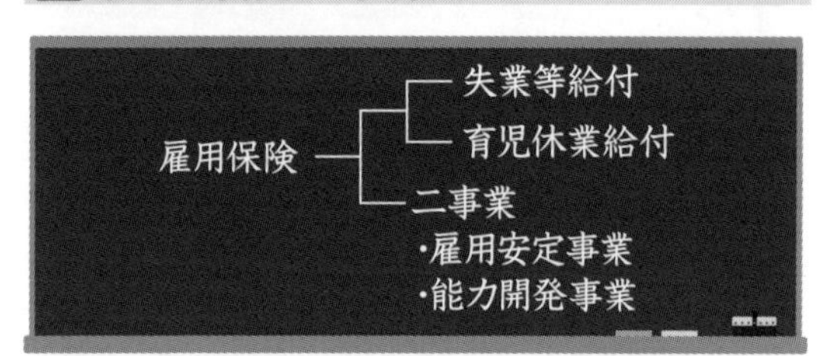

政府は、雇用保険制度において、失業等給付や育児休業給付のほかに、**雇用保険二事業**を行っています。その1つ、**雇用安定事業**は、失業の予防、雇用状態の是正、雇用機会の増大その他雇用の安定を図るために、政府が事業主に対して一定の助成を行うものです。なかでも代表的なものとして、**雇用調整助成金**があります。

もう１つの**能力開発事業**は、職業能力の開発・向上を促進するために政府が行う援助事業です。たとえば、有給教育訓練休暇を与える事業主に対して、必要な助成や援助を行っています。

Column

雇用保険法の勉強のポイントは、「基本手当」の支給要件等をきっちりマスターすることです。特にここに出てくる「算定対象期間」「被保険者期間」「受給期間」「算定基礎期間」という用語の意味内容をおさえること。これらの用語が、他の給付の支給要件等に準用、応用されているのです。そこに気付くと、雇用保険法は思いのほか、覚えるべきことがさほど多くないことがわかってくると思います。

5. 労働保険徴収法

Q1 「労働保険」って?
➡ A. 1～3

Q2 労働保険料に種類があるの?
➡ A. 4

Q3 誰が、どうやって、労働保険料を払うの?
➡ A. 5～9

1 労働保険の手続を定める法律

労災保険の保険給付も、雇用保険の失業等給付も、事業主が保険料の申告・納付をはじめとする諸々の手続をしていないと、スムーズに行われない場合があります。労働保険徴収法には、労災保険と雇用保険の保険料を中心とした手続がまとめて規定されています。この法律の「幹」の部分について、以下説明していきます。

2 労災保険+雇用保険=労働保険

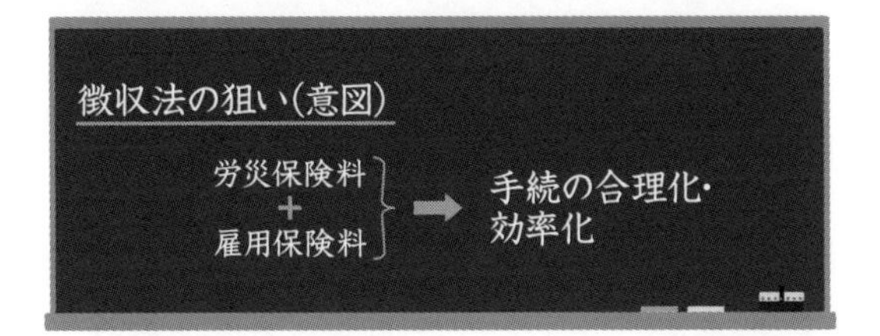

いわゆる労働保険徴収法は、正式名称を「**労働保険の保険料の徴収等に関する法律**」といいます(以下「徴収法」という)。**労働保険**とは、労災保険と雇用保険の総称です。

かつて労災保険と雇用保険は、加入手続や保険料の手続についてはそれぞれの法律に規定され、別々に行われていました。しかし、これらの保険制度の適用範囲が拡大したことに伴い、これらの手続を**一元的**に(一つにまとめて)行えるように、昭和44年(1969年)に徴収法が制定され、昭和47年(1972年)から施行されています。この法律の意図は、労災保険と雇用保険の保険料を**まとめて1つの労働保険料**として徴収することにあります。

政府が行う労働保険事業(労災保険・雇用保険)の効率的な運営を図ることが徴収法の目的です。

3 労働保険の手続は「事業」ごと!

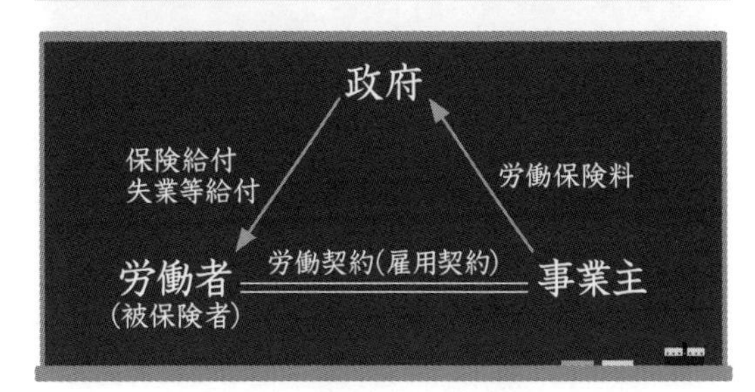

徴収法において「**事業**」とは、経営上一体をなす本店、支店、工場等を総合した企業そのものを指すのではなく、本店、支店、工場、鉱山、建設工事現場、事務所のように、個々に1つの経営組織としての独立性をもった経営体をいいます。なお建設工事を請負った建設会社とは別個独立に、**建設工事現場**も1つの事業として扱います。そしてこの**事業ごと**に労働保険(労災保険及び雇用保険)に係る保険関係が成立することになります。

「労働保険に係る保険関係」とは、保険事故(業務災害、複数業務要因災害若しくは通勤災害または失業など)が生じた場合、労働者または被保険者は保険者(政府)に対して保険給付を請求する権利をもち、これに対応して保険加入者(事業主)は保険者に保険料を納付する義務を負うという権利義務関係の基礎となる継続的な法律関係をいいます。

労災保険も雇用保険も原則として強制適用です

から、事業主が労働者を１人でも使用（雇用）すれば、そこで保険関係が成立する事業となります。この保険関係が成立する事業を**適用事業**といいます。そして徴収法では、この適用事業ごとに、労災保険と雇用保険が**一体となった労働保険の保険関係**が成立するものとして、保険関係の成立に関する手続（保険関係成立届）や保険料の申告・納付の手続を**一元的**に処理するのです。

適用事業については、その事業が開始された日に、労災保険・雇用保険の保険関係が成立します。

4 労働保険料の種類

①一般保険料
②特別加入保険料
③印紙保険料
④特例納付保険料

労働保険料には上記のものがあります。

①**一般保険料**：事業主が労働者に支払う賃金の総額を基礎として算定される保険料です。
②**特別加入保険料**：労災保険の中小事業主などの特別加入者についての保険料です。
③**印紙保険料**：雇用保険の日雇労働被保険者について、雇用保険印紙により納付する保険料です。
④**特例納付保険料**：事業主が雇用保険の保険関係成立届を提出せず２年の時効が成立したため政府が徴収できなくなった保険料を、所定の手続により事業主が支払う場合の保険料です。

以下、労働保険料の中核となる「一般保険料」について説明します。

5 一般保険料の額の算定は？

一般保険料の額は、事業主がその事業に使用するすべての労働者に支払う賃金の総額（以下「**賃金総額**」という）に**一般保険料率**を乗じて得た額です。

一般保険料の額＝賃金総額×一般保険料率

「**賃金総額**」とは、事業の期間が予定されない事業（以下「継続事業」という。ex.一般の会社）であれば、保険年度（毎年４月１日から翌年３月31日まで）ごとに支払う賃金総額です。事業の期間が予定される事業（以下「有期事業」という。ex. 建設工事（現場））であれば、その事業の全期間で支払う賃金総額です。

「**一般保険料率**」は、通常の事業であれば労災保険率と雇用保険率を合わせた率になります。なぜなら、労働者を使用する（雇用する）事業は、労災保険も雇用保険も原則として適用されるからです。これにより、労災保険料の額と雇用保険料の額を別個に算定する必要はなくなり、まとめて「労働保険料」の額として算定し、申告・納付することができるのです。これが徴収法の意図するところです。なお、雇用保険については、有期事業としては取り扱わないこととされていますので有期事業における一般保険料率は、イコール労災保険率となります。

賃金総額の「賃金」とは、**労働の対償**として事業主が労働者に支払うものです。

6 労災保険率、雇用保険率はどのように定められているか？

労災保険率は、船舶所有者の事業のほか、53の事業の種類ごとに過去３年間の災害率などを基礎として最高1000分の88から最低1000分の2.5の間でそれぞれ定められています。

雇用保険率は、下記の事業の種類ごとに定められています。

事業の種類	雇用保険率
一般の事業	15.5／1000
農林、畜産、養蚕、水産の事業、清酒製造の事業	17.5／1000
建設等の事業	18.5／1000

なお、上記の率で算定された労災保険の保険料は全額を事業主が、雇用保険の保険料は一定の割合で事業主と労働者それぞれが、負担することになります（保険料の納付義務を負う事業主は、労働者が負担すべき保険料を、賃金から控除することができます）。

7 労働保険料の申告・納付とは？

労働保険料のうち、**一般保険料**と**特別加入保険料**については、事業主が保険料の算定の対象となる期間の初めに概算額で申告・納付し、その期間の終了後に確定額を申告し、概算額と確定後の過不足を精算する仕組みをとっています。

この概算額で申告・納付する労働保険料を**概算保険料**といい、確定額で申告・納付する労働保険料を**確定保険料**といいます。

継続事業では、前年度の確定保険料の申告は当年度の概算保険料の申告と同時に行います。これを年度更新の手続といいます。

8 継続事業の場合は保険年度単位で

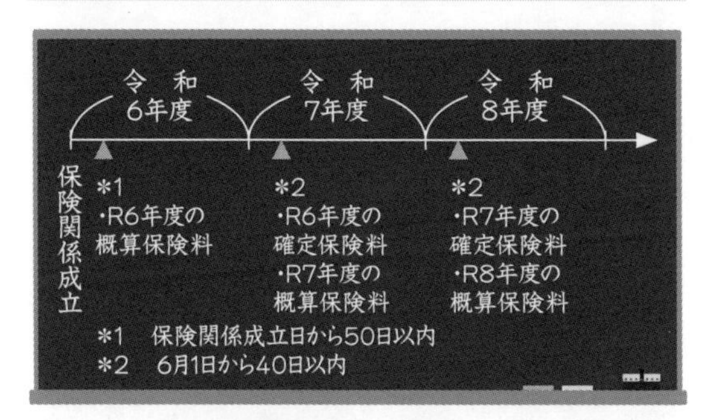

継続事業の**概算保険料**は、原則として保険年度ごとにその事業の**賃金総額の見込額**に、その事業に適用される**一般保険料率**を乗じて得た額です。そしてこの額を、その保険年度の６月１日から40日以内に申告・納付しなければなりません。

継続事業の**確定保険料**は、原則としてその保険年度に**支払った賃金総額**に、その事業に適用される**一般保険料率**を乗じて得た額です。そしてこの額を、次の保険年度の６月１日から40日以内に申告し、概算保険料として納付した額に不足があれば、これを納付しなければなりません。なお、納付した概算保険料の額が確定保険料の額を超える場合には、その超える額の還付を請求することができます。

保険年度の中途に保険関係が成立した事業については、保険関係が成立した日から50日以内に概算保険料を申告・納付しなければなりません。

9 有期事業の場合は事業期間で

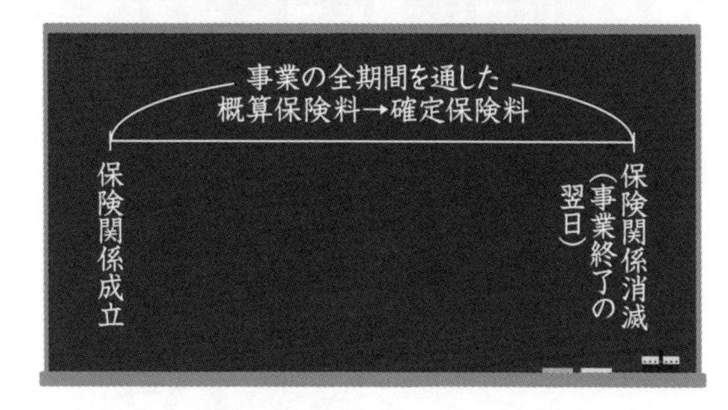

有期事業の**概算保険料**は、保険年度や事業期間の長短とは関係なく、事業の全期間に使用するすべての労働者に支払う**賃金総額の見込額**に、その事業に適用される**一般保険料率（労災保険率）**を乗じて得た額です。そしてこの額を、保険関係が成立した日（事業を開始した日。たとえば工事を始めた日）から20日以内に申告・納付しなければなりません。

有期事業の**確定保険料**は、その事業の全期間に使用したすべての労働者に**支払った賃金総額**に、その事業に適用される**一般保険料率**を乗じて得た額です。そしてこの額を、保険関係が消滅した日（事業が終了した日の翌日）から50日以内に申告し、概算保険料として納付した額に不足があれば、これを納付しなければなりません。なお、納付した概算保険料の額が確定保険料の額を超えた場合には、その超えた額の還付を請求することができます。

Column

徴収法の内容は、労災保険法の保険給付や雇用保険法の失業等給付・育児休業給付に比べると、ちょっと取っ付きにくいかもしれません。「何かが受けられる（もらえる）」というのではなく、「お金（保険料）を支払う」という、ただそれだけのための仕組みや手続を定めた法律ですからね（こう言ったら身も蓋もありませんが……）。

でも、労災保険や雇用保険で保険給付などが受けられる権利を享受する前提として、私たち労働者や会社は保険料を負担し、納付するという義務をはたしていることを知り、これを意識することは、それはそれとして意義があると思います。

徴収法の規定する仕組みや手続は、「なるほどね」と、比較的理解しやすいものが多いので、食わず嫌いにならないように気をつけて、勉強していきましょう。

6. 健康保険法

Q1 2つの医療保険、「健康保険」と「国民健康保険」って?
➡ A. 1〜4

Q2 「被扶養者」って?
➡ A. 5

Q3 保険料の仕組みは?
➡ A. 6

Q4 病気やケガ、そしてそれ以外でも?
➡ A. 7〜15

1 医療保険の目的、公的医療保険の種類

たとえば、ケガをしたり病気にかかったときに病院に行き、診療を受けて、3,000円支払ったとします。この場合、実際の診療にかかった費用は10,000円なのですが、そのうちの7,000円つまり7割は保険でまかなわれ、3割の自己負担ですむわけです。この保険でまかなわれる診療費の7割は「**療養の給付**」といって、数ある保険給付の中でも最も一般的なものです。

このように、医療保険の大きな役割は、**保険給付を行うことによって医療に係る経済的負担を軽減し、国民の生活の安定を図ること**にあります。公的な医療保険は2つあります。労働者とその家族を対象とした「**健康保険(法)**」と、自営業者など健康保険がその対象としない者をカバーする「**国民健康保険(法)**」です。以下、健康保険について説明していきます(国民健康保険については「一般常識」で取り上げます)。

公的医療保険
- ・労働者とその家族→健康保険
- ・自営業者など→国民健康保険

2 保険給付が行われる場合とは?

労働者(被保険者)&被扶養者の
- ・業務災害以外の ― 疾病 / 負傷 / 死亡 ➡ 保険給付to労働者(被保険者)
- ・出産

健康保険は、**労働者**およびその**被扶養者**の**業務災害以外**の**疾病**、**負傷**もしくは**死亡**または**出産**に関して**保険給付**を行うものとされ、これにより「**国民の生活の安定**と福祉の向上」に寄与することを目的としています(第1条)。「業務災害以外の」といっているのは、労災保険との重複を避けるためです。また、健康保険は労働者の経済的負担の軽減を図ることが目的ですから、その「被扶養者」が医療を受けたときにその費用を負担するのは労働者なので、被扶養者の疾病などについても、**労働者に対して**保険給付を行うとしているのです。

保険給付の対象となる「**負傷**」「**疾病**」とは、精神または肉体の異常な状態であり、一般に医師が療養の必要があると認めるものでなければなりません。単なる疲労や倦怠、美容目的だけの整形手術や健康診断などは、保険給付の対象とはなりません。

「**死亡**」や「**出産**」に関しても、一時的な経済的負担(葬式代、出産費用)の軽減を図る目的から、保険給付が行われます。なお、対象となる出産は、**妊娠4か月以上**、つまり妊娠4か月目に入ってからの出産をいい、生産、死産、流産(人工流産を含む)、

早産等を問いません。

複数業務要因災害や通勤災害は「業務災害以外のもの」ですが、労災保険の対象となっているので、健康保険では原則として対象としません。

3 健康保険事業の運営主体は？

健康保険の保険者(運営主体)
- 全国健康保険協会
- 健康保険組合

保険事業を運営するために保険料を徴収したり、保険給付を行ったりする運営主体のことを「保険者」といいます。健康保険の保険者は「**全国健康保険協会**」（以下「協会」という）と「**健康保険組合**」で、それぞれ対象者が異なります。

協会は、健康保険組合の組合員以外の「被保険者」（あとで説明します）に対して健康保険事業を行うために、平成20年10月に設立された団体で、それまで政府が行っていたものを引き継ぎました。健康保険組合は、一般には大企業などがその従業員を組合員として独自に健康保険事業を行うために、厚生労働大臣の認可を受けて設立した団体です。協会よりも保険料が安く、保険給付の内容も手厚いのが一般です。

健康保険組合は、大企業が単独で設立したり、中小企業が共同して設立したりするのが一般的です。

4 まず「適用事業所」ありき、そして被保険者

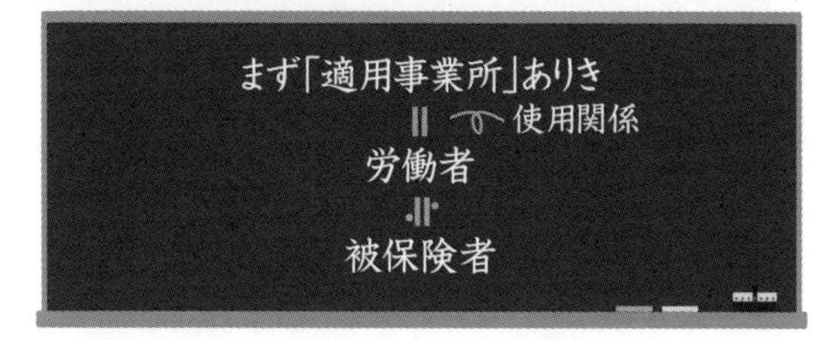

健康保険は事業所を単位として適用されます。健康保険の適用を受ける事業所を**適用事業所**といい、この適用事業所に**使用される**労働者が、原則として**被保険者**となります。

適用事業所には、制度上法律によって強制的に適用を受ける**強制適用事業所**と、任意で適用を受ける**任意適用事業所**がありますが、一般の会社（法人の事業）は労働者を１人でも使用していれば強制適用事業所となります（したがって労働者１人でも被保険者として扱われます）。

健康保険法も、常用雇用労働者を典型的な被保険者として想定しているので、臨時に使用される者などは、適用事業に使用される者であっても被保険者としないことがあります。

健康保険で被保険者・被扶養者とされない者は、原則として、国民健康保険に加入することになります。

5 被扶養者になる？ ならない？ それが（試験）問題だ!?

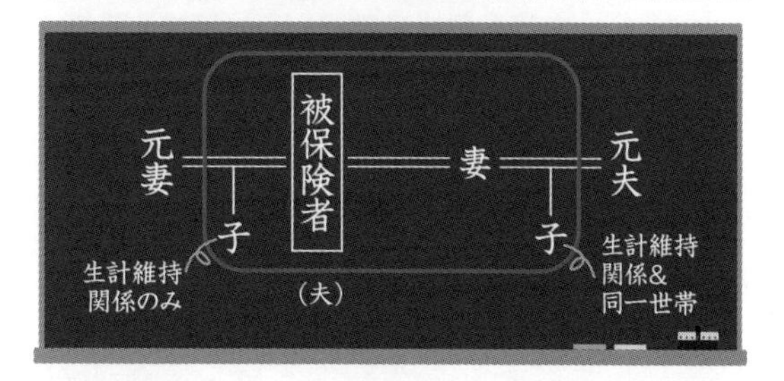

健康保険法上の「**被扶養者**」に該当すれば、その者の医療費などについて、被保険者は家族療養費等の保険給付を受けることができて経済的負担が軽減されます。健康保険法では被扶養者について次のように規定しています。原則として、国内に住所を有する者で、以下のいずれかにあてはまれば被扶養者です。

(1) 主として被保険者により生計を維持している被保険者の——
　①直系尊属（父母、祖父母など）
　②配偶者（内縁関係を含む）
　③子（実子又は養子）
　④孫
　⑤兄弟姉妹

(2) 主として被保険者により生計を維持していて、さらに被保険者と同一世帯に属している被保険者の——
　①三親等内の親族（(1)に該当する者は除く）
　②内縁関係にある配偶者の父母及び子
　③内縁関係にある配偶者の死亡後におけるその父母及び子

(2)は、(1)より対象者がひろがっていますが、「同一

世帯に属している」(同じ屋根の下に住んでいる場合が典型)という要件が追加されています。たとえば、夫を被保険者とした場合、妻の連れ子で、夫との間で生計維持関係はあってもまだ養子縁組をしていなければ (1)の③の「子」には該当しませんが、3親等内の親族には該当する (姻族一親等)ので、同一世帯に属していれば (2)の①に該当し被扶養者とされます。生計維持関係と同一世帯にあることを前提に、伯父、従兄弟、甥などが被扶養者になるかどうかといった問題が試験に出ることがあります (伯父と甥は3親等の親族なのでマル、従兄弟は4親等の親族なのでバツ)。

なお、「生計維持関係」の要件を見るに際しては、年間収入が130万円未満で被保険者の年間収入の2分の1未満であることが、原則として必要です。

夫婦共働きで共同して扶養する子については、年間収入の多い方の被扶養者とするのが原則です。

6 保険料は被保険者ごとに標準報酬を基礎に算定

報酬→標準報酬月額で保険料を算定
　原則.資格取得時決定&定時決定
　例外.随時改定、育児休業等終了時改定、産前産後休業終了時改定

健康保険では、個々の被保険者ごとに、事業主から受ける報酬の額および賞与の額をもとに月単位で保険料を算定し、それを事業主と被保険者が折半で負担して、事業主が、全被保険者の保険料をまとめて納付します（事業主は、被保険者が負担すべき保険料を報酬から控除することができます）。次世代育成支援の観点から、育児休業期間中や産前産後休業期間中は、保険料を免除する制度も定められています。

なお、被保険者が実際に受ける報酬はその形態も額もまちまちであり、毎月その報酬をそのまま保険料算定の基礎とするのは事務処理上困難です。そこで「**標準報酬月額**」を用いることにしています。これは、計算のしやすい仮定的な報酬を等級（1級［58,000円］から50級［1,390,000円］）ごとに区分して標準報酬月額とし、これに各被保険者の報酬をあてはめ、その被保険者の標準報酬月額とするものです。実際の報酬額とは若干の相違があっても、その標準報酬月額を原則として1年間固定し、これを基礎に保険料を計算します。

標準報酬月額の決定は、入社して被保険者の資格を取得したときに行われる**資格取得時決定**と、その後毎年1回定期的に見直しを行う**定時決定**があります。なお、**定時決定**前に報酬額が大幅に変動したり、育児休業や産前産後休業後の報酬が下がったりした場合には、標準報酬月額の改定が行われることがあります。

賞与（ボーナスなど3か月を超える期間ごとに受けるもの）も「標準賞与額」として保険料算定の対象となります。

7 保険給付の種類

保険給付
- 現物給付(医療給付):ex. 療養の給付、家族療養費
- 現金給付:ex. 傷病手当金、出産育児一時金、家族出産育児一時金

健康保険が行う保険給付の種類としては、被保険者に関するものと被扶養者に関するものと大きく2つに分けられます。また、現物で行う現物給付と、現金で行う現金給付に分けられます。以下、主な保険給付について簡単に説明していきます。

8 保険給付の中心は「療養の給付」

療養の給付の範囲
- ・診察
- ・薬剤又は治療材料の支給
- ・処置、手術その他の治療　等

被保険者が病気やケガをし、健康保険を取り扱っている病院など（**保険医療機関等**といいます）に行って診療を受けたときは、被保険者が負担する**一部負担金**を支払えば、残りの費用は健康保険制度がまかないます。これが**療養の給付**です。療養の給付は、もともとは10割給付で自己負担を伴わなかったのですが、昭和59年に自己負担1割の一部負担金が導入され、この一部負担金が平成9年に2割となり、平成15年に3割となり現在に至っています。た

だし、70歳以上の被保険者については、一定の場合を除いて、2割の負担となっています（一定以上の所得があれば3割負担）。

なお、入院中に療養の給付と併せて受けた食事療養に要した費用については、その一部を食事代として被保険者が定額で負担し（この負担する額を**食事療養標準負担額**といいます）、その残りの費用が**入院時食事療養費**という保険給付でまかなわれます。食事療養といえども**一般の食事代**に相当する部分は、**医療保険**の対象にはなじまないという考え方から定額で負担させることにしたのです。

療養の給付は、被保険者の資格取得が適正であれば、その資格取得前からの疾病や負傷に対しても行われます。

9 保険外併用療養費?!

原則. 保険診療 ＋ 保険外診療 ➡ 併せて保険外診療

例外. 保険診療 ＋（評価療養、患者申出療養 or 選定療養）
➡ 保険外併用療養費

被保険者が保険医療機関等で、健康保険の対象になる保険診療と対象にならない保険外診療を併せて受けたときは、**全体で保険外診療**となり、保険給付は行われないのが原則です。しかし、例外として、それ自体が保険外診療である「**評価療養**」（高度の医療技術を用いた療養などで厚生労働大臣が定める療養）、「**患者申出療養**」（高度の医療技術を用いた療養であって、当該療養を受けようとする者の申出に基づき、厚生労働大臣が定める療養）又は「**選定療養**」（特別の病室の提供などで厚生労働大臣が定める療養）と保険診療の対象となる療養を併せて受けたときは、保険診療に相当する部分の保険給付が行われます。これが**保険外併用療養費**です。

10 被扶養者に関する保険給付はまとめて「家族療養費」!!

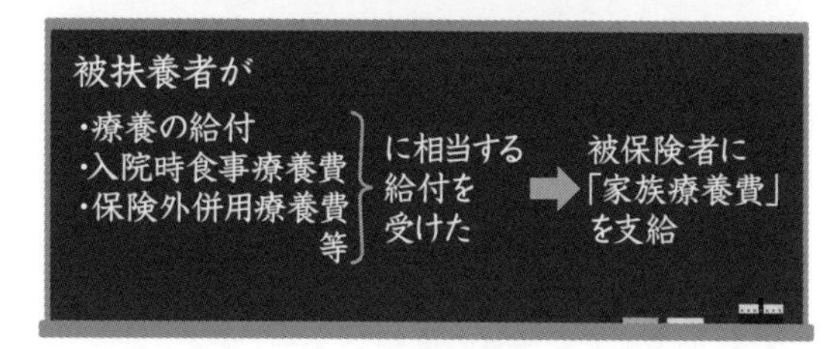

「療養の給付」「入院時食事療養費」「保険外併用療養費」など、保険給付が被保険者についてなされる場合は、それぞれ異なる保険給付として扱われていますが、これらに相当するものが被扶養者についてなされる場合は、1つの保険給付「**家族療養費**」として扱われます。

家族療養費の額は、もともとは療養に要した費用の5割でしたが、昭和48年に7割とされ現在に至っています。なお、被扶養者が小学校に入る前であったり、70歳以上であるときは、8割給付とされています。ただし、70歳以上であっても一定以上の所得がある場合は、7割給付です。

「家族療養費」は、被保険者に対して支給される点に注意!!

11 自己負担額が高額になったときは

同一の月（1暦月）において

一部負担金等の自己負担額 ＞ 自己負担限度額

⬇

差額＝「高額療養費」として支給

長期の療養や入院、高度な手術などが行われたときは、療養の給付などを受けても、結果的にはかなり高額の自己負担となる場合があります。そこで被保険者の経済的負担を軽減するために、**自己負担額が一定限度額を超えたとき**は、原則として被保険者の請求により、その超えた分を払い戻すという扱いをしています。これが**高額療養費**という保険給付です。

「食事療養標準負担額」や「評価療養」「選定療養」に要した費用の額などは、高額療養費の対象とはしません。

12 休業中の生活保障―傷病手当金

傷病手当金は―
①療養のため
②労務に服することができないとき
③第4日目から（継続した3日の待期経過後）
―支給される

たとえばケガや病気の療養で、入院することになり、会社を休むことになって収入の喪失や減少をきたした場合には、これをある程度補って生活保障を行うことが必要です。この生活保障を行うのが**傷病手当金**という保険給付です。会社を休み始めて４日目から支給される現金給付です。最初の３日は虚病防止の観点から支給されません。支給額は１日単位で、原則として、傷病手当金の支給を始める日の属する月以前の直近の継続した12月間の各月の標準報酬月額を平均した額の30分の１に相当する額の３分の２に相当する金額です。支給期間は、支給を始めた日から通算して１年６月とされています。

傷病手当金は、報酬を受けることができる期間には、原則として支給されません。

13 出産費用の負担軽減―出産育児一時金

妊娠4月以上の出産 ➡ 出産育児一時金（家族出産育児一時金）
└生産、死産、早産、流産いずれかを問わず
cf.妊娠4月未満の出産 ➡ 療養の給付のみの対象

被保険者が出産したときは**出産育児一時金**が、被扶養者が出産したときは**家族出産育児一時金**が、被保険者に胎児数に応じて支給されます。また、産科医療補償制度に加入する医療機関等による医学的管理の下における出産であるときは、一定額が加算されて支給されます。

産科医療補償制度とは、分娩に関連して発症した重度脳性麻痺児に対する補償の機能を持つ制度です。

14 休業中の生活保障―出産手当金

出産手当金は―
①出産の日以前42日（多胎妊娠の場合は98日）から出産の日後56日までの間において
②労務に服さなかった期間
―支給される

労働基準法では、母体保護の観点から産前６週間は労働者本人の請求により、産後８週間は請求の有無を問わず休業させなければならないと規定しています。しかし、この休業期間中に賃金の支払は義務づけていません。そこで健康保険がこの休業期間中の生活保障を行う目的で、産前42日と産後56日について、１日単位で、傷病手当金と同じ方法で算定した金額を支給します。これが**出産手当金**という保険給付です。

出産手当金は、報酬を受けることができる期間には、原則として支給されません。

15 お葬式代―埋葬料、家族埋葬料

業務災害以外の事由で
被保険者が死亡 → 埋葬料
被扶養者が死亡 → 家族埋葬料

被保険者が業務災害以外の事由で死亡した場合には、その被保険者により生計を維持していた者で埋葬を行うものに対して、**埋葬料**が支給されます。また、被扶養者が死亡したときは、被保険者に対して**家族埋葬料**が支給されます。いずれも支給額は５万円で、埋葬費用の負担をある程度軽減させようとするものです。

埋葬料を受けるべき者がいないときは、実際に埋葬を行った者（知人や近隣者など）に対し、埋葬料の金額の範囲内で実費が支給されます。

7. 国民年金法

Q1 2つの年金制度、「国民年金」と「厚生年金保険」って?
➡ A. 1～3

Q2 保険料、払えない場合は?
➡ A. 4 5

Q3 老齢年金だけじゃない?
➡ A. 6

Q4 老齢年金はどうしたらもらえるの?
➡ A. 7～10

Q5 障害年金はどうしたらもらえるの?
➡ A. 11～13

Q6 遺族年金はどうしたらもらえるの?
➡ A. 14～17

はじめに、年金制度とこれまでの経緯について触れ、それから国民年金法について説明していきます。

1 年金制度とは?

年金制度とは、毎年、年単位で定められた一定の金額を定期的に給付する制度です。**老齢、障害、死亡**という事態により一般に長期間にわたって喪失または減少する所得の保障を行うには、まとまった金額を一時金で支給するよりも、必要な期間、必要な額を年金で支給する方が合理的であると考えられます。国民年金法も厚生年金保険法も、これらの事態が生じたときに年金を支給することで、「**生活の安定**」を図ることを目的として制定されたものです(国年法1条、厚年法1条)。

2 現在の年金制度に至る経緯

まずは、対象を工場等で働く男子労働者に限定した「**労働者年金保険法**」が昭和16年(1941年)に制定されました(施行は昭和17年(1942年))。そして昭和19年(1944年)に、女性および一般職員も対象とする被用者年金制度として、「**厚生年金保険法**」に改正されました。

自営業者など、被用者(会社などに雇われている者)以外の者を対象とする年金制度は、昭和34年(1959年)に「**国民年金法**」として制定施行されました。これは、保険料の納付を要しない無拠出制の福祉年金でしたが、昭和36年(1961年)には保険料の納付を前提とする拠出制の年金制度が始まりました。ここに至って、すべての国民(被用者も被用者以外も)がいずれかの公的年金制度に加入するという**国民皆年金体制**が整いました。

その後、会社員などは厚生年金保険、自営業者等は国民年金というように二分された制度体制のままでは、加入する制度により年金給付や保険料負担に不公平が生じるおそれが問題となりました。そこで**昭和60年に年金制度の抜本的な大改正**が行われました。

まず、被用者も含めすべての国民が国民年金の対象とされ、この国民年金から全国民共通の定額の

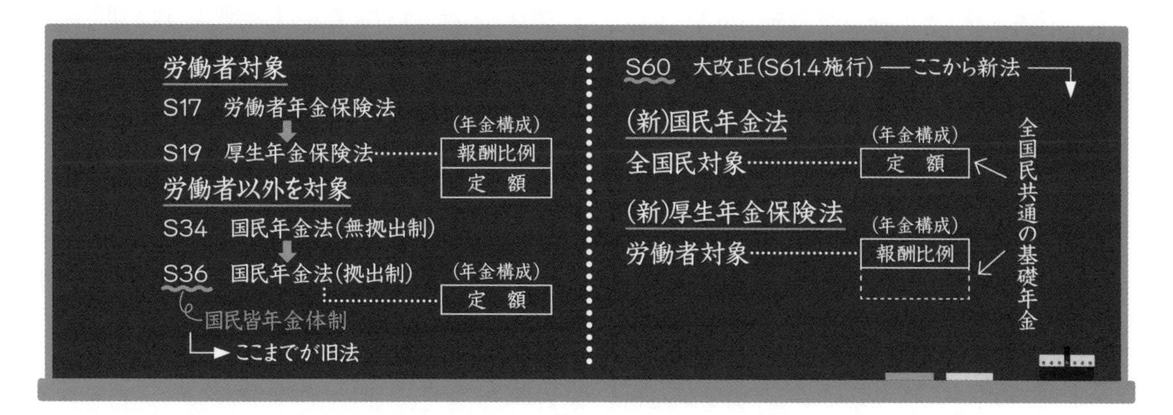

「**基礎年金**」が支給されることになりました。厚生年金保険は、対象はこれまで通り民間企業の労働者としながらも、年金給付の内容が変わりました。これまでの給付内容は定額部分と報酬比例部分から構成されていましたが、定額部分は国民年金から「基礎年金」が支給されることになったので、厚生年金保険からはこの「基礎年金」に上乗せする「**報酬比例の年金**」だけが支給されることになりました。

一般に、昭和60年改正前の年金法を「旧法」、改正以後の年金法を「新法」と呼んでいます。そして現在の年金制度は、新法を土台としていく度かの改正が施されたものです（平成27年10月からは、公務員などが加入している共済組合の年金制度が、厚生年金保険制度に吸収合併されました）。なお、国民年金制度も厚生年金保険制度も、政府が管掌しています。

3 国民年金の被保険者とは?

国民年金の対象者すなわち被保険者は次のようになっています。

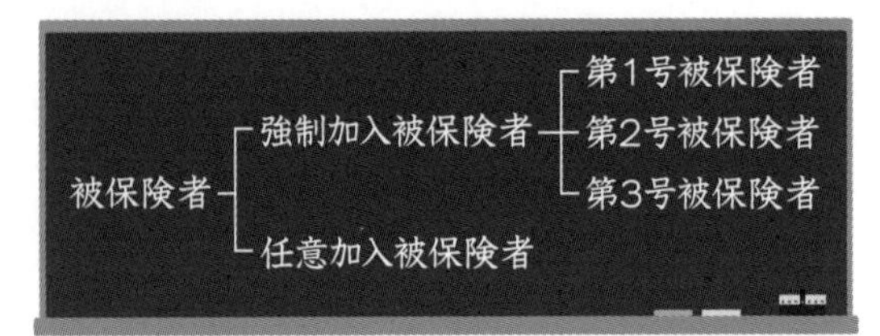

第1号被保険者には、日本国内に住所を有している20歳以上60歳未満の自営業者、大学生などが該当します。ただし、かつて労働者として厚生年金保険に入っていたことなどにより老齢厚生年金等を受け取ることができる者は除かれます。

第2号被保険者には、民間企業の会社員等、公務員などの厚生年金保険に加入している者が該当します（第２号被保険者は、同時に厚生年金保険の被保険者でもあるわけです）。ただし、65歳以上の者にあっては、老齢厚生年金等の受給権を有しない者に限ります。

第3号被保険者には、第２号被保険者に扶養されている配偶者（専業主婦である会社員の妻など）であって、原則として日本国内に住所を有している20歳以上60歳未満の者が該当します。

上記の者は、本人の意思に関係なく要件に該当すれば当然に被保険者となる強制加入被保険者です。この強制加入被保険者に該当しない者でも、一定の要件に該当すれば厚生労働大臣に申し出ることによって被保険者となることができます。この申出によって被保険者となった者を**任意加入被保険者**といいます。

なお、被保険者の種類にかかわらず、国民年金の**被保険者期間**は、**月を単位**として計算されます。被保険者の**資格を取得したその日の属する月**から、その**資格を喪失したその日の属する月の前月**までが被保険者期間となります。第１号被保険者を例にとれば、たとえば４月１日生まれの人は３月31日に20歳になる（法律上は原則として誕生日の前日に歳を取ることになっています）ので３月31日に資格を取得し、同じく３月31日に60歳になるので３月31日に資格を喪失します。したがって被保険者期間は、法律上20歳になる３月から同じく60歳になる３月の前月の２月までの480月（12か月×40年）となります。

第1号被保険者及び第3号被保険者については、その資格の取得・喪失等に関する事項に関して所定の届出をしなければなりません。

4 保険料の納付について—基礎年金拠出金?

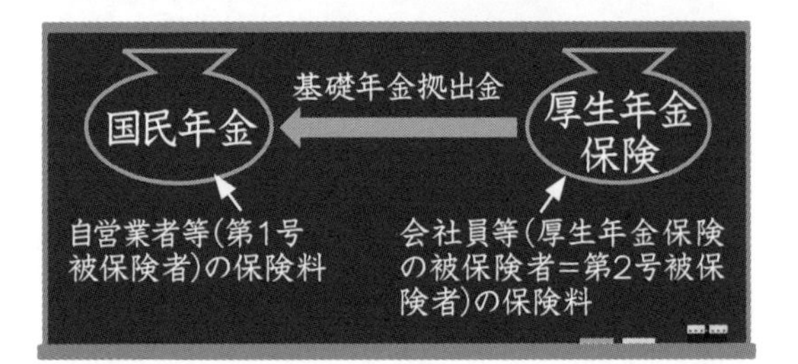

国民年金の保険料は、所得などに関係なく定額制（令和６年度は月額16,980円）で、**被保険者期間**の計算の基礎となる各月につき納付することになります。納期限は翌月末日ですが、まとめて前払いできる**前納**という制度もあります。しかし、実際にこの保険料を納付するのは第１号被保険者と任意加入被保険者だけです。第２号被保険者と第３号被保険者については、厚生年金保険制度において納付した保険料の一部が国民年金の給付（基礎年金）に充てるための費用として国民年金制度に回される（これに充てられるものを「**基礎年金拠出金**」といいます）ので、あらためて国民年金の保険料を納付する必要がないのです。いわば間接的に国民年金の保険料を納付しているわけです。第３号被保険者は厚生年金保険制度に加入しているわけではないので保険料を払っていないのですが、配偶者である第２号被保険者

に、言い方は悪いのですが便乗して保険料を納付しているものとみなされています。

口座振替による納付や前納には、保険料額の一定の割引制度があります。

5 免除制度、そして追納制度

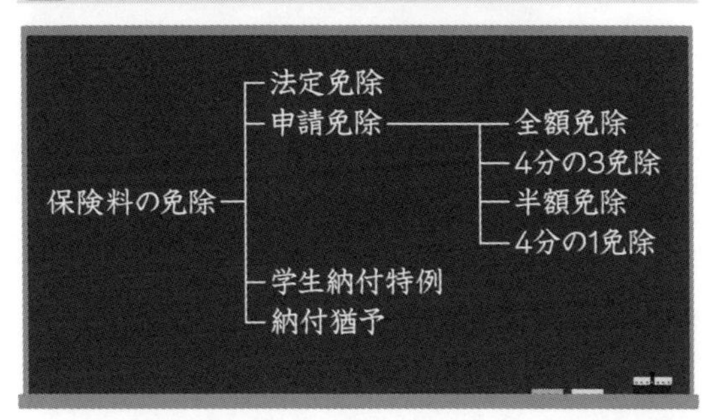

国民年金の保険料の納付が唯一強制されている**第1号被保険者**の中には、所得が低いなどの理由で納付することが事実上困難な人もいます。そこで国民年金制度では保険料の免除制度を設けることで、これらの人を適用除外とすることなく被保険者資格を維持させて、国民年金制度内にとどめておきます。一般に年金制度は、現役世代の間に被保険者であったことを前提に、老後の生活保障として年金を支給するものです。適用除外として年金制度の外に追いやってしまうと、老後に無年金になってしまうわけです。

免除制度には、主に次の2つのケースがあります。

①被保険者が障害基礎年金の受給権者である場合など、一定の要件に該当するときは**法律上当然に**保険料の全部が免除される**法定免除**

②所得が一定額以下の者などが厚生労働大臣に**申請することにより**、保険料の全部又は一部が免除される**申請免除**

また、学生で第1号被保険者となっている場合、収入のない本人に代わって親が納付するというケースも現実には多いので、学生で所得が一定額以下の場合には就労後の追納（後述）を期待して、申請により免除される**学生納付特例**もあります。

上記のほか、厚生年金保険に加入できない非正規労働者などを考慮して、暫定的な免除制度として50歳未満の者に対する納付猶予があります。

さらに、次世代育成支援の観点から産前産後期間（出産予定日の前月から4か月間）の保険料も免除されます。この期間は年金額の計算上は納付済期間と同じに扱われ、下記のように年金の減額にはつながりません。

保険料の免除を受けた期間があれば、老後の年金は当然その期間分減額されます。そこで、後日資力を回復し、又は有するに至ったときは、厚生労働大臣の承認を受けて過去10年以内の免除期間について後から納付する**追納**を認めています。これにより年金の減額を減らし、定額（満額）に近づけることができます。

追納する額は、原則として、免除を受けた当時の保険料の額に一定の額を加算した額となります。

6 給付の種類と年金の支給期間

国民年金の給付は、原則として全国民（第1号被保険者、第2号被保険者、第3号被保険者）共通の**基礎年金**と、第1号被保険者としての被保険者期間に基づいてのみ支給される給付（独自給付）があります。また、短期在留外国人の保険料の掛け捨てに配慮した「脱退一時金」の制度があります。

支給事由	基礎年金	独自給付
老齢	老齢基礎年金	付加年金
障害	障害基礎年金	―
死亡	遺族基礎年金	寡婦年金 死亡一時金

年金給付の支給は、これを支給すべき事由が生じた日すなわち**受給権発生日**の属する月の翌月から始め、その権利が消滅した日の属する月で終わるものとされています。また年金給付は原則として、毎年2月、4月、6月、8月、10月、及び12月の6期に分けて、それぞれの前月までの分が支払われます。たとえば支払期月の8月に、6月分と7月分が併せて支払われます。

年金給付の支給は、その受給権発生日の属する月には行われません。

以下、「基礎年金」について説明します。

―老齢に関する給付―

7 老後の生活を支える 老齢基礎年金の支給要件 ―受給資格期間10年以上?!

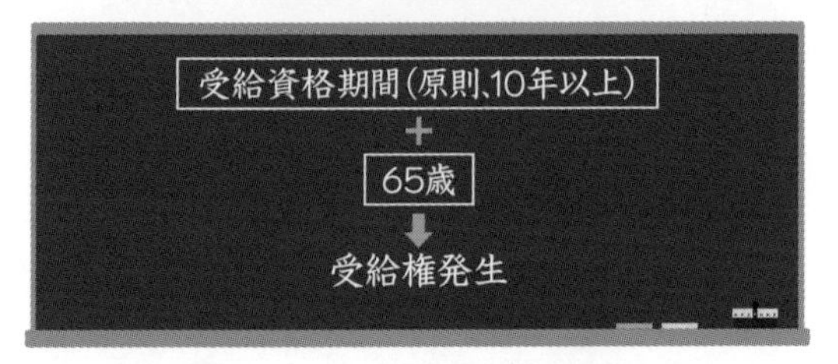

老齢基礎年金は、「**保険料納付済期間**」又は「**保険料免除期間**」を有する者が**65歳**に達したときに支給されます(受給権が発生します)。ただし、原則として「保険料納付済期間」と「保険料免除期間」とを合算した期間が**10年**(**受給資格期間**といいます)に満たない場合は支給されません。

「**保険料納付済期間**」とは、第1号被保険者又は任意加入被保険者にあっては保険料の全額を納付した期間、第2号被保険者にあっては20歳以上60歳未満の期間、第3号被保険者にあってはその期間のすべてが、それぞれ該当します。「**保険料免除期間**」とは、前に書いた第1号被保険者の免除期間のことです。なお、追納が行われた「保険料免除期間」は「保険料納付済期間」となります。

現行の制度では、「未納・滞納」といったいわば違法な期間を有する者であっても、「保険料納付済期間」と「保険料免除期間」で受給資格期間の10年を満たしている限りは、65歳で老齢基礎年金の受給権は発生します。

受給資格期間は、原則として、保険料納付済期間と保険料免除期間で算定します。

8 老齢基礎年金は定額、しかし…

老齢基礎年金の年金額は、**"780,900円×改定率"**の定額です。ただし、これは20歳から60歳までの国民年金の**被保険者期間40年(480月)のすべてが保険料納付済期間である場合の満額**です。保険料免除期間がある場合など保険料納付済期間が40年(480月)に満たないときは、減額されます。

$$(780,900円×改定率^{※1}) × \frac{保険料納付済期間等^{※2}の月数}{480月(40年)}$$

※1 改定率とは、賃金や物価の変動を年金額に反映するために乗ずる率で、毎年改定されます。
※2 保険料免除期間も一定の割合で年金額の算定の基礎に入れる場合があります。

老齢基礎年金の受給権自体は、少なくとも受給資格期間を満たせば65歳に達したときに発生しますが、これと満額の年金が支給されることとは別の話です。

9 支給開始は65歳、ただし繰上げ、繰下げあり

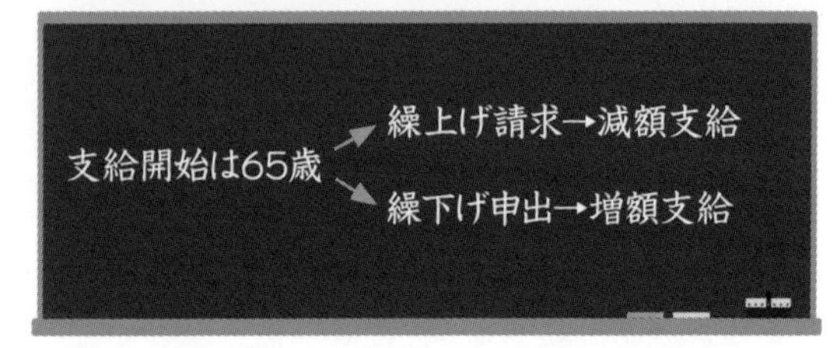

老齢基礎年金は、原則として受給権が発生する**65歳**から支給が開始されますが(正確には65歳に達した日の属する月の翌月から支給開始)、本人の希望により支給開始を65歳より前に繰り上げたり、逆に66歳以降に繰り下げたりすることができる場合があります。

60歳以上65歳未満の者であって**受給資格期間を満たしているもの**は、**65歳に達する前**に厚生労働大臣に**支給繰上げの請求**をすることができます。ただし、その請求をした時期に応じて年金額は**減額**されたものとなり、65歳以降も改定されることなく一生減額された額での支給となります。

老齢基礎年金の**受給権を有する者**であって、**66歳に達する前**にその請求をせず支給が開始されていなかったものは、原則として厚生労働大臣に**支給繰下げ**(上限年齢は75歳)**の申出**をすることができます。この場合には、その申出をした時期に応じて年金額は**増額**され、生涯その増額された額での支給となります。

10 老齢基礎年金の受給権はいつ消滅するか?

老齢基礎年金の受給権は、受給権者が**死亡したとき**に限り消滅します。受給権者が死亡するまで、毎

年一定の金額が支給される終身年金なのです。

老齢基礎年金の受給権は、受給権者の死亡以外の事由によって消滅することはありません。

―障害に関する給付―

11 障害を有する者の生活を支える障害基礎年金の支給要件―6種類

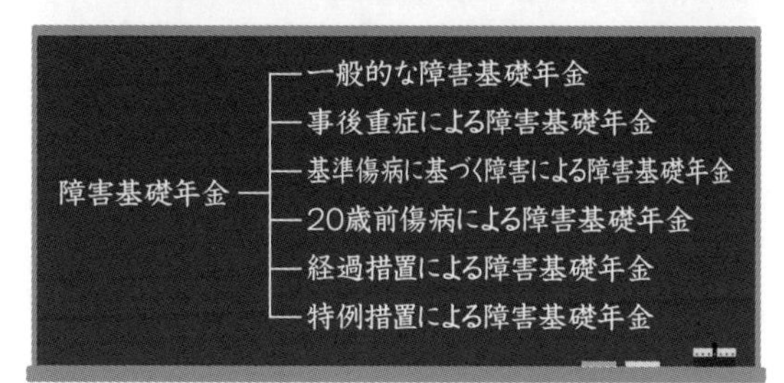

20歳になる前に発生した傷病による障害（先天性の障害を含む）に関するものなど、支給要件を異にする６種類の障害基礎年金がありますが、ここではそのうちの１つ、一般的な障害基礎年金（法30条）について説明します。

障害の原因となった傷病の**初診日**において次の①又は②のいずれかに該当した者が、この**初診日から起算して1年6月**を経過した日（その前に傷病が治った場合にはその治った日とし、これを**障害認定日**といいます）において、障害等級（重い順に１級、２級と定められています）に該当する程度の障害の状態にあるときに、その者に支給されます（受給権が発生します）。ただし、**初診日の前日**において、初診日の属する月の前々月までに被保険者期間があるときは、そのうちの３分の２以上が、保険料納付済期間と保険料免除期間でなければ支給されません（つまり、**保険料の滞納期間がある場合**、それは全体の３分の１以下でなければならないということです）。

①被保険者であること
②被保険者であった者で、日本国内に住所を有し、かつ、60歳以上65歳未満であること

なお、当面は初診日が令和８年４月１日前にある傷病による障害については、初診日の前日において、初診日の属する月の前々月までの１年間に滞納がなければ障害基礎年金を支給することにしています（初診日に65歳以上の者については、この特例は適用されません）。

若くして障害を有することもあるので、障害基礎年金では、老齢基礎年金のようにいわば量的な要件（受給資格期間10年以上）を設けることなく、保険料の納付割合（納付済期間と免除期間で被保険者期間の３分の２以上を満たしていること）を要件としている点に注意してください。

身体の障害だけでなく精神の障害も、障害基礎年金の対象となります。

12 障害基礎年金の年金額は？

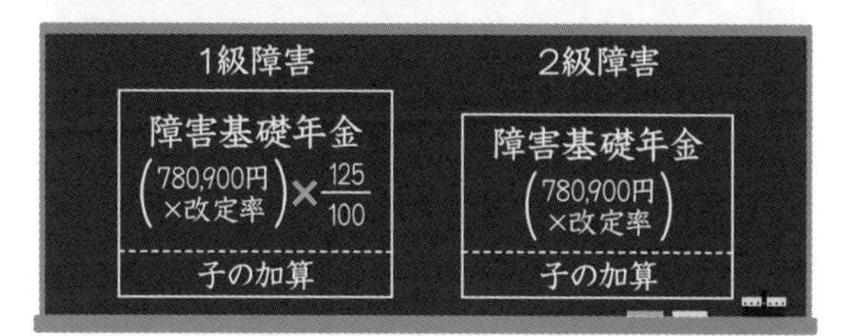

障害基礎年金の年金額は、**2級が「780,900円×改定率」**、すなわち老齢基礎年金の満額と同額で、**1級**がその**1.25倍**と規定されています。なお、障害基礎年金の受給権者に生計を維持される子ども（高校卒業前の子どもなど）がいるときは、その子どもの数に応じて一定額が加算されます。

障害の程度が2級から1級に増進したときは、障害基礎年金の額の改定を請求することができます。

13 障害が軽くなったときは？

障害の状態が２級の状態より軽くなったときは、障害基礎年金は支給が停止されます。なお、厚生年金保険法で定める**3級**の状態よりも軽くなって３年が経過し、年齢も65歳以上になったときは、障害基礎年金の受給権は消滅します。

「消滅?!」でも、大丈夫です。老齢基礎年金が支給されますから。

―死亡に関する給付―

14 遺族の生活を支える遺族基礎年金の支給要件―対象は配偶者と子

遺族基礎年金は、次の①から④のいずれかに該当する者が死亡したときに、その者の**配偶者**または**子**に支給されます。ただし、**死亡日の前日**において、死亡日の属する月の前々月までに被保険者期間があるときは、そのうちの３分の２以上が、保険料納付済期間と保険料免除期間でなければ支給されません（この保険料納付要件については「障害基礎年金」と同様です）。

①被保険者
②被保険者であった者であって、日本国内に住所を有し、かつ、60歳以上65歳未満の者
③老齢基礎年金の受給権者（保険料納付済期間と保険料免除期間とを合算した期間が25年以上である者に限る）
④保険料納付済期間と保険料免除期間とを合算した期間が25年以上である者で、65歳に達していないもの

15 受給権者となる配偶者と子の要件とは?

遺族基礎年金を受けることができる遺族は、被保険者または被保険者であった者の死亡当時、その者により生計を維持し、かつ、次の要件に該当する**配偶者**または**子**です。

遺族	要件	
配偶者	下記の**子と生計を同じくすること**（子のない配偶者は遺族基礎年金を受けることができません）	
子	①**18歳に達する日以後の最初の3月31日**までの間にあること または ②**20歳未満**であって**障害等級**に該当する障害の状態にあること	**現に婚姻をしていないこと**

なお、上記に該当する配偶者と子がいるときは、ともに受給権者となりますが、遺族基礎年金は**配偶者に支給**され、**子は支給停止**とされます。

子のない配偶者に遺族基礎年金が支給されることはありません。

16 遺族基礎年金の年金額は?

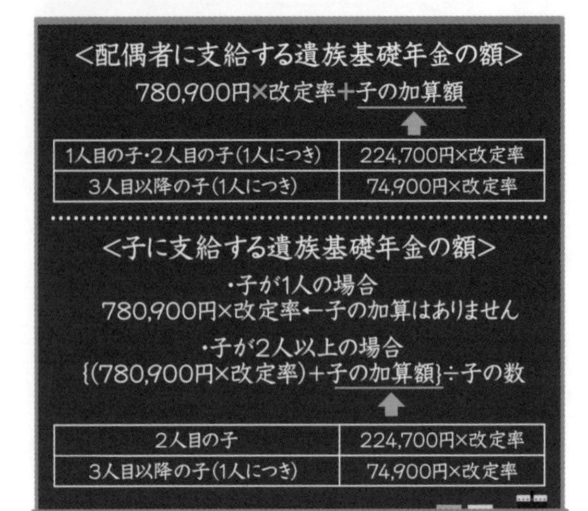

遺族基礎年金の年金額は、「**780,900円×改定率**」です。つまり、老齢基礎年金も障害基礎年金も、そして遺族基礎年金も、その基本となる額は同じなのです。

なお、配偶者に支給される遺族基礎年金の額には、子の数に応じて所定の額が加算されます。また、受給権者が子だけの場合、その子が１人のときは上記の額ですが、２人以上いるときはこの額に所定の額を加算した合計額を子の数で除して得た額が、それぞれの子に支給されます。

子のない配偶者には遺族基礎年金が支給されないので、配偶者に支給される遺族基礎年金には必ず子の加算が行われます。

17 遺族基礎年金はいつまで支給されるのか?

遺族基礎年金の受給権は、前記の要件に該当した配偶者または子が、**その要件に該当しなくなれば消滅**します。たとえば、子が18歳に達した日以後の最初の３月31日が終了したとき（高校を卒業したときなど）は、障害等級に該当する障害の状態になければ、その受給権は消滅します。また、この子と生計を同じくすることで受給権者となっていた配偶者も同時にその受給権は消滅します。

受給権者が配偶者であれ子であれ、その者が婚姻したときも受給権は消滅します。

8. 厚生年金保険法

Q1 国民年金とのちがいは? ➡ A. 1～5

Q2 老齢年金はどうしたらもらえるの? ➡ A. 6～18

Q3 障害年金はどうしたらもらえるの? ➡ A. 19～21

Q4 遺族年金はどうしたらもらえるの? ➡ A. 22～25

Q5 ところで国民年金といっしょにもらえるの? ➡ A. 26

1 目的、そして保険給付の中心は？

厚生年金保険は、民間企業で働く会社員等、**労働者**の**老齢**、**障害**または**死亡**について保険給付を行い、労働者やその遺族の生活の安定に寄与することなどを目的とする制度です。

保険給付の中心は、国民年金が支給する**定額の基礎年金**の上乗せとして、**報酬比例の年金**（収入に応じた額の保険料を納め、収入の額と期間に応じて年金額が決まる年金）を支給することです。

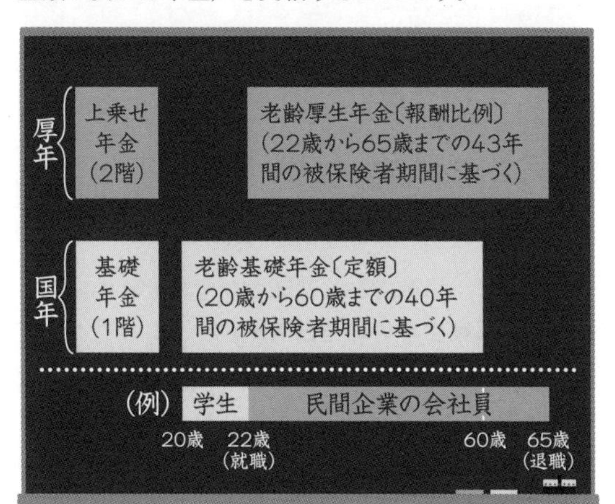

たとえば（例）のような人生を歩んだ方には、このように国民年金及び厚生年金保険からそれぞれ老齢年金が支給されることになります。これを一般に「2階建ての年金」といっているのです。

厚生年金保険の被保険者は、原則として、同時に国民年金の第2号被保険者でもあることを忘れないでください。

2 厚生年金保険の被保険者とは？

厚生年金保険の被保険者を区分すると、次のようになります。

被保険者
- 当然被保険者
- 任意加入被保険者
  - 任意単独被保険者
  - 高齢任意加入被保険者

・**当然被保険者**とは、本人の意思にかかわらず、法律の規定により当然に被保険者となる者をいいます。**適用事業所**（国、地方公共団体又は会社等の法人の事業所など）に使用される**70歳未満**の者は、適用除外の規定に該当する者（使用される期間が短い者など）を除き、すべて当然被保険者となります。なお、平成27年の被用者年金一元化にともない、被保険者の種別ができました。

第1号厚生年金被保険者	下記以外の厚生年金保険の被保険者〔民間被用者等（従来の厚生年金保険の被保険者）〕
第2号厚生年金被保険者	国家公務員共済組合の組合員たる厚生年金保険の被保険者
第3号厚生年金被保険者	地方公務員共済組合の組合員たる厚生年金保険の被保険者
第4号厚生年金被保険者	私学教職員共済制度の加入者たる厚生年金保険の被保険者

・適用事業所**以外**の事業所（従業員が常時5人未満の個人の事業所など）に使用される者は当然被保険者になることはありませんが、70歳未満の者であって、**事業主の同意**を得て**厚生労働大臣の認可**を受けたものは、被保険者となることができます。これを**任**

意単独被保険者といいます。あくまでも事業主の同意を得た者だけが任意単独被保険者となるのであって、他の従業員までも一斉に被保険者となるわけではありません。なお、同意した事業主には、適用事業所で当然被保険者を使用する事業主と同様に、任意単独被保険者の保険料の**半額負担**と**全額の納付**をする義務が生じます。

・当然被保険者及び任意単独被保険者は、いずれも70歳に達したときは、その日に被保険者の資格を喪失します。しかし、70歳に達したときに老齢厚生年金等（老齢または退職を支給事由とする一定の年金）の受給権を有しない者は、その受給権を取得するまでの間に限り、任意に被保険者となることができます。これを**高齢任意加入被保険者**といいます。この高齢任意加入被保険者となるための要件は、適用事業所と適用事業所以外の事業所では異なる点があります（下図参照）。

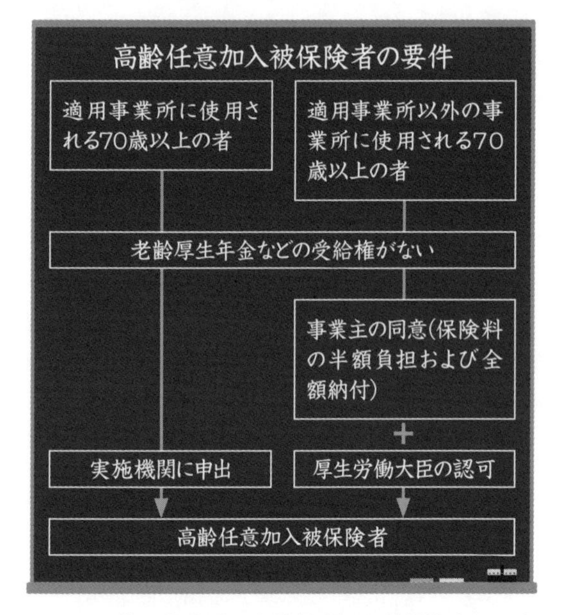

なお、適用事業所の高齢任意加入被保険者は、事業主の同意が要件とされていないので、本人が保険料の全額を負担し、納付することになります。ただし、**事業主が同意してくれたときは**事業主が半額を負担し、全額を納付することになります。

高齢任意加入被保険者は、目的である老齢厚生年金等の受給権を取得したときは、その翌日に被保険者の資格を喪失します。

3 保険料の額も保険給付の額も標準報酬で

厚生年金保険においても、保険料の額の計算や保険給付の額の決定には、**標準報酬**を用います。標準報酬月額の決定や改定は、健康保険法と同じ方法で行われますが、等級区分が**第1級**［88,000円］から**第32級**［650,000円］（2024年7月現在）とされている点は異なります。また、厚生年金保険法では、**標準賞与額**の上限額は、賞与の支給1回につき150万円とされています。

標準報酬月額が、健康保険では50等級に区分されているのに対し、厚生年金保険では32等級(2024年7月現在)に区分されています。また、標準賞与額の上限額の定め方も異なります。

4 保険料額の計算や納付方法は？

保険料は、原則として被保険者の資格を取得した月から被保険者の資格を喪失した月の前月までの各月について、以下の方法で計算した額を、その月の翌月末日までに納付します。

標準報酬月額に係る保険料の額 ＝ 標準報酬月額×保険料率

標準賞与額に係る保険料の額 ＝ 標準賞与額×保険料率

＊賞与支給月がある場合、上記2つの保険料をその翌月末日までに納付することになります。
＊保険料率は、原則として1000分の183.00です(平成29年9月～)。

保険料は、**事業主と被保険者がそれぞれ半額ずつ負担**し、**事業主がその全額を納付**することになっていますが、高齢任意加入被保険者のうち、事業主の同意を得なかった者は、前に述べたように本人が保険料の全額を負担し、納付することになります。

なお、保険料の納付義務を負う事業主は、被保険者に通貨で支払う報酬から、被保険者の負担すべき前月分の保険料を控除することができます。

原則として、保険料の折半負担と事業主の納付義務や保険料の免除については、健康保険と同様です。

5 保険給付の種類と年金の支給期間

厚生年金保険の保険給付は次の通りですが、このほかに、国民年金と同様に短期在留外国人の保険料の掛け捨てに配慮した「脱退一時金」の制度があります。

支給事由	年金	一時金
老齢	老齢厚生年金	―
障害	障害厚生年金	障害手当金
死亡	遺族厚生年金	―

なお、年金の支給期間及び支払期月は、国民年金と共通になっています。

―老齢に関する保険給付―

6 2つの老齢厚生年金?!

国民年金が支給する老齢基礎年金が**全国民**の老後の基礎的な生活保障を行うものであるのに対し、厚生年金保険が支給する老齢厚生年金は、これを前提に労働者（被保険者）の老後の所得を一定程度保障することを目的としています。

現在、支給要件も支給内容も異なる２つの老齢厚生年金が定められています。65歳から支給される、いわゆる**本来の老齢厚生年金**と、65歳未満の者に支給される、**特別支給の老齢厚生年金**です。

7 本来の老齢厚生年金（65歳以降の老齢厚生年金）の支給要件 ―老齢基礎年金の上乗せ

本来の老齢厚生年金は、**老齢基礎年金の受給資格期間**を満たした者のうち、厚生年金保険の被保険者期間が**１月以上**あるものに対して、**65歳から**、**老齢基礎年金に上乗せ**する形で支給されます。

本来の老齢厚生年金は、厚生年金保険の被保険者期間が1月であっても、老齢基礎年金に上乗せして支給されます。

8 報酬比例の年金額とは？

本来の老齢厚生年金の額は、**在職中の報酬（標準報酬）に比例した額**で、計算式は次の通りです。平成15年４月より報酬だけでなく賞与の額も年金額に反映されることになったため、年金額の計算方法が平成15年３月までと平成15年４月以降とでは異なっています。被保険者期間が両方にあるときは、それぞれで計算した額の合計額が支給額となります。

①平成15年3月までの被保険者期間分

$$平均標準報酬月額 \times \frac{7.125}{1000} \times 被保険者期間の月数$$

②平成15年4月以降の被保険者期間分

$$平均標準報酬額 \times \frac{5.481}{1000} \times 被保険者期間の月数$$

*「平均標準報酬月額」とは、平成15年3月までの被保険者期間の計算の基礎となる各月の標準報酬月額を平均した額をいいます。
*「平均標準報酬額」とは、平成15年4月以降の被保険者期間の計算の基礎となる各月の標準報酬月額と標準賞与額の総額を、被保険者期間の月数で除して得た額をいいます。

また、本来の老齢厚生年金の額には、その受給権者が次の①と②の要件を満たす場合には、**加給年金額**が加算されます。

①老齢厚生年金の年金額の計算の基礎となる被保険者期間が、原則として20年(240月)以上あること

②老齢厚生年金の受給権者がその受給権を取得したときにおいて、その者によって生計を維持していた次のいずれかに該当する者がいること

・65歳未満の配偶者
・18歳に達する日以後の最初の3月31日までの間にある子
・20歳未満で障害等級1級または2級の障害状態にある子

加給年金額の額は次の通りです。

配偶者	224,700円×改定率※
1人目の子・2人目の子（1人につき）	224,700円×改定率※
3人目の子以降（1人につき）	74,900円×改定率※

※「改定率」は、国民年金法の「改定率」と同じものです。
（この後に記載されている「改定率」も同様です）

上記の要件を満たせば配偶者も子も、同時に加給年金額の対象となります。

9 在職定時改定、退職改定とは?

老齢厚生年金の額は、まず、その受給権を取得した月の前月までの被保険者期間に基づいて算定されます。そうすると、受給権取得月以後にまた、被保険者期間を有することになったときは、その間は保険料を負担しているわけですから、その分が年金額に反映されないのはおかしいですよね。そこで、在職中、すなわち**被保険者である期間中**は、**毎年9月1日を基準日**として、その前月までの被保険者期間に基づいて改めて額を算定して、その**翌月から改定された額**が支給されることになっています。また、退職などして被保険者資格を喪失したときは、喪失月の前月までの被保険者期間に基づいて改めて額を算定して、以後その改定された額が支給されることになっています。一般に、前者を在職定時改定、後者を退職改定と呼んでいます。

10 本来の老齢厚生年金にも繰上げ、繰下げあり

本来の老齢厚生年金は、受給権が発生する65歳から、老齢基礎年金と併せて支給が開始されますが、老齢基礎年金と同じように、本人の希望により支給開始を65歳より前に**繰り上げ**たり、66歳以降（上限年齢75歳）に**繰り下げ**たりすることができる場合があります。支給繰上げの請求は、老齢基礎年金の支給繰上げの請求を行うことができる者にあっては、その請求と同時に行わなければならないとされています。

支給額はもちろん、老齢基礎年金と同じように、繰り上げた場合は減額、繰り下げた場合は増額されます。

繰上げ支給の老齢厚生年金を請求した場合であっても、加給年金額は65歳から加算されます。

11 在職老齢年金?!

老齢厚生年金は、本来、現役を退いた後の老後の所得保障として支給されるものです。そこで、本来の老齢厚生年金の受給権者が在職中で収入があるときは、その者の標準報酬月額と、標準賞与額を12で割った額との合計額に応じて、老齢厚生年金の一部または全部の支給を停止することにしています。これを**在職老齢年金**といいます。

在職老齢年金の規定により老齢厚生年金の一部または全部の支給が停止されても、老齢基礎年金は全額支給されます。

12 本来の老齢厚生年金の受給権はいつ消滅するか?

本来の老齢厚生年金の受給権は、**受給権者が死亡したとき**に限り消滅します。老齢基礎年金と同じように、終身年金です。

13 特別支給の老齢厚生年金（65歳未満の老齢厚生年金）—これまでの経緯

昭和61年4月1日から、**新法**により**65歳**から老齢基礎年金と本来の老齢厚生年金を支給することとなりましたが、それまでは**旧厚生年金保険法**により**60歳**から報酬比例部分と定額部分を合わせた老齢年金が支給されていました。そこで、支給開始年齢が60歳から65歳に突然引き上げられることにより生じる国民の大きな不利益を避けるため、当分の間、旧法の老齢年金に相当する年金（**「報酬比例部分」と「定額部分」を合わせた年金**）を**60歳から65歳**に達するまでの間支給するという経過的な措置をとることにしました。これが**特別支給の老齢厚生年金**です。

その後、**平成6年の年金制度改正**で、この特別支給の老齢厚生年金のうち、「定額部分」の支給開始年齢を生年月日に応じて段階的に引き上げていき、最終的には「報酬比例部分」の額のみの年金とすることにしました。

さらに、**平成12年の年金制度改正**で、この特別支給の老齢厚生年金の「報酬比例部分」についても支給開始年齢を生年月日に応じて段階的に引き上げていき、最終的には、特別支給の老齢厚生年金そのものを廃止することにしました。

現在は、上記の平成12年の改正に基づいて、特別支給の老齢厚生年金は生年月日に応じて次のように支給開始年齢および給付内容が定められています。

※生年月日は男子及び第2号～第4号女子(カッコ内は第1号女子)

特別支給の老齢厚生年金 ←→ 本来の老齢厚生年金　生年月日※

	60歳～65歳(特別支給の老齢厚生年金)	65歳～(本来の老齢厚生年金)	生年月日※
①	61歳から 報酬比例部分	老齢厚生年金 / 老齢基礎年金	s28.4.2～s30.4.1 (s33.4.2～s35.4.1)
②	62歳から 報酬比例部分	老齢厚生年金 / 老齢基礎年金	s30.4.2～s32.4.1 (s35.4.2～s37.4.1)
③	63歳から 報酬比例部分	老齢厚生年金 / 老齢基礎年金	s32.4.2～s34.4.1 (s37.4.2～s39.4.1)
④	64歳から 報酬比例部分	老齢厚生年金 / 老齢基礎年金	s34.4.2～s36.4.1 (s39.4.2～s41.4.1)
⑤		老齢厚生年金 / 老齢基礎年金	s36.4.2以後 (s41.4.2以後)

14 特別支給の老齢厚生年金(65歳未満の老齢厚生年金)の支給要件

特別支給の老齢厚生年金は、**老齢基礎年金の受給資格期間**を満たした者のうち、厚生年金保険の被保険者期間が**1年以上**あるものに対して、**60歳ないし64歳から**支給されます。本来の老齢厚生年金とは異なり、老齢基礎年金と併せて支給されることはありません。

> 特別支給の老齢厚生年金は、厚生年金保険の被保険者期間が1年以上なければ支給されません。

15 年金額は生年月日に応じて

特別支給の老齢厚生年金の額は、前述したように、受給権者の生年月日に応じて、**報酬比例部分と定額部分を合わせた額**となるか、又は**報酬比例部分だけの額**となります。

報酬比例部分の額は、本来の老齢厚生年金と同じ計算式で算出します。

定額部分の計算方法は次の通りです。

(1,628円×改定率)×被保険者期間の月数(上限あり)

また、特別支給の老齢厚生年金の額にも、本来の老齢厚生年金と同じように**加給年金額**が加算されます。ただし、報酬比例部分と定額部分を合わせた額が支給されているときに限ります。

> 報酬比例部分の額しか支給されていない期間に、加給年金額が加算して支給されることはありません。

16 在職老齢年金?!

特別支給の老齢厚生年金の受給権者も、本来の老齢厚生年金の受給権者と同じように在職老齢年金により、その年金の一部又は全部の支給を停止されることがあります。

17 雇用保険法の失業等給付との併給調整?!

雇用保険法の基本手当は、労働の意思及び能力を有するにもかかわらず職業に就くことができない状態(失業状態)にある者の生活保障を目的として支給されるものです。一方、老齢厚生年金は、現役を退いた労働者の老後の所得保障を目的として支給されるものです。

このように目的を異にする基本手当と老齢厚生年金が同時に支給されるのは合理的ではないとの理由から、**基本手当が支給されるときは特別支給の老齢厚生年金の支給は停止**されます。

また、**雇用保険法の高年齢雇用継続給付**の支給を受けることができるときにも、特別支給の老齢厚生年金は**減額されるなどの支給調整**が行われます。

> 雇用保険法の失業等給付との併給調整は、本来の老齢厚生年金については原則として行われません。

18 特別支給の老齢厚生年金はいつ消滅するか?

特別支給の老齢厚生年金の受給権は、**受給権者が死亡したとき**のほか、**受給権者が65歳に達したとき**にも**消滅**します。つまり、65歳に達したときは、特別支給の老齢厚生年金の受給権が消滅するとともに本来の老齢厚生年金の受給権が発生するわけです。

> 特別支給の老齢厚生年金の受給権は、死亡以外の事由(65歳に達したとき)でも消滅する点に注意!

―障害に関する保険給付―

19 障害厚生年金の支給要件

厚生年金保険には、障害等級が**1級から3級**まであり、障害等級１級または２級に該当するときは、原則として障害基礎年金に上乗せする形で**障害厚生年金**が支給され、３級に該当するときは、障害厚生年金が単独で支給されます。また、障害等級３級にも該当しない障害であっても、一時金として**障害手当金**が支給される場合があります。

厚生年金保険にも支給要件を異にする数種類の障害厚生年金がありますが、ここではそのうちの１つ、一般的な障害厚生年金（法47条）について説明します。

障害厚生年金は、次の①～③のすべての要件を満たしたときに支給されます。

①障害の原因となった**傷病の初診日**において、**厚生年金保険の被保険者**であること

②**障害認定日**において、障害等級の１級、２級又は３級のいずれかの状態であること

③障害基礎年金と同じ保険料納付要件を満たしていること

障害厚生年金は、障害基礎年金と異なり、その初診日において厚生年金保険の被保険者でないときは、支給されることはありません。

障害の原因は、業務上であると業務外であるとを問いません（障害基礎年金も同様）。

20 障害厚生年金の年金額は？

障害厚生年金の年金額は、次の通りです。

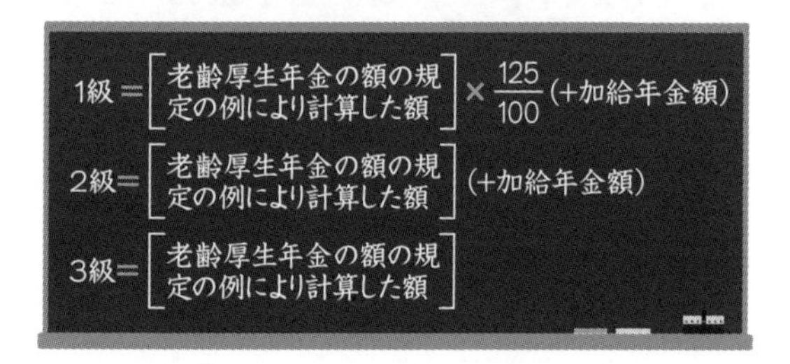

「老齢厚生年金の額の規定の例により計算した額」は、次の①と②を合計した額です。

①平成15年3月までの被保険者期間分

$$平均標準報酬月額 \times \frac{7.125}{1000} \times 被保険者期間の月数$$

②平成15年4月以後の被保険者期間分

$$平均標準報酬額 \times \frac{5.481}{1000} \times 被保険者期間の月数$$

障害認定日の属する月後における被保険者期間は、年金額の計算の基礎には入れません。また、計算の基礎となる**被保険者期間の月数が300に満たないときは、これを300として**計算します（受給権者が若い場合など）。なお、同一の障害について障害基礎年金の支給を受けることができない場合（障害等級３級に該当する場合など）には、**最低保障額**が設けられています。

障害の程度が障害等級１級又は２級に該当する者に支給する障害厚生年金の額には、受給権者によって生計を維持しているその者の**65歳未満の配偶者**があるときは、**加給年金額**が加算されます。

配偶者加給年金額＝224,700円×改定率

障害厚生年金では、「子」は加給年金額の対象とはされていません（障害基礎年金で加算対象とされています）。

21 障害が軽くなったときは？

障害の状態が３級の状態より軽くなったときは、障害厚生年金は支給が停止されます。なお、**3級の状態よりも軽くなって3年が経過**し、年齢も**65歳以上**になったときは、障害厚生年金の**受給権は消滅**します。

障害の程度が従前の等級よりも増進したときは、障害厚生年金の額の改定を請求することができます。

—死亡に関する保険給付—

22 遺族厚生年金の支給要件 —死亡した者の要件

遺族厚生年金は、被保険者又は被保険者であった者が次の①～④のいずれかに該当する場合に、その者によって生計を維持していた一定の遺族に支給されます。

<table>
<tr><td rowspan="2">短期要件</td><td>①被保険者が死亡したとき
②被保険者であった者が、資格喪失後、被保険者であった期間中に初診日がある傷病で初診日から起算して5年を経過する日前に死亡したとき</td><td>保険料納付要件必要</td></tr>
<tr><td>③障害等級1級または2級の障害厚生年金の受給権者が死亡したとき</td><td rowspan="2">保険料納付要件不要</td></tr>
<tr><td>長期要件</td><td>④老齢厚生年金の受給権者（保険料納付済期間と保険料免除期間とを合算した期間が25年以上である者に限る）または保険料納付済期間と保険料免除期間とを合算した期間が25年以上である者が死亡したとき</td></tr>
</table>

短期要件①または②に該当する場合には、遺族基礎年金と同じ保険料納付要件が問われます。長期要件④に該当する場合には、国民年金の保険料納付済期間と免除期間の合計が25年以上あることが必要です。

23 受給権者となる遺族の範囲・順位は？

遺族厚生年金の受給権者となる遺族の範囲と順位は次の通りです。

<table>
<tr><td rowspan="2">遺族の順位</td><td colspan="3">被保険者または被保険者であった者の死亡の当時の要件</td></tr>
<tr><td>続柄</td><td>生計維持</td><td>年齢・障害等</td></tr>
<tr><td rowspan="3">第1順位
(配偶者と子)</td><td>妻</td><td rowspan="6">生計を維持していた</td><td>——</td></tr>
<tr><td>夫</td><td>55歳以上であること</td></tr>
<tr><td>子</td><td>18歳に達する日以後の最初の3月31日までの間にあるか、20歳未満で障害等級1級または2級に該当すること
かつ
現に婚姻していないこと</td></tr>
<tr><td>第2順位</td><td>父母</td><td>55歳以上であること</td></tr>
<tr><td>第3順位</td><td>孫</td><td>18歳に達する日以後の最初の3月31日までの間にあるか、20歳未満で障害等級1級または2級に該当すること
かつ
現に婚姻していないこと</td></tr>
<tr><td>第4順位</td><td>祖父母</td><td>55歳以上であること</td></tr>
</table>

この要件に該当する**最先順位の者だけが受給権者**となります。配偶者（妻または夫）と子は同順位となりますが、配偶者と子が受給権者のときは、配偶者が受給権者である間、原則として**子の遺族厚生年金は支給停止**とされます。

なお、妻については、他の遺族と異なり、被保険者又は被保険者であった夫の死亡当時、一定の年齢又は障害状態にあるという要件は設けられていません。また、**夫**（同一の支給事由による遺族基礎年金の受給権を有する者を除く）、**父母又は祖父母**で、55歳以上60歳未満の者が受給権者となったときは、**60歳になるまで遺族厚生年金の支給は停止**されます。

遺族厚生年金には、労災保険の遺族（補償）等年金にある「転給」のような制度はありません。

24 遺族厚生年金の年金額は？

遺族厚生年金の年金額は、原則として、次の通りです。

「死亡した者について老齢厚生年金の額の規定の例により計算した額」は、次の①と②を合計した額です。

①平成15年3月までの被保険者期間分

平均標準報酬月額×$\frac{7.125}{1000}$×被保険者期間の月数

②平成15年4月以降の被保険者期間分

平均標準報酬額×$\frac{5.481}{1000}$×被保険者期間の月数

なお、**短期要件**に該当する場合には、計算の基礎となる**被保険者期間の月数が300に満たないときは、これを300として**計算します（死亡した被保険者または被保険者であった者が若い場合など）。また、受給権者が２人以上であるとき（父母が受給権者となった場合など）は、それぞれの遺族厚生年金の額は、上記により算定した額を受給権者の数で除して得た額となります。

25 中高齢の寡婦加算とは？

40歳以上65歳未満の妻で、併せて**遺族基礎年金が支給されない**ものに支給される遺族厚生年金の額には、一定額が加算される場合があります。これを**中高齢の寡婦加算**といいます。

原則として、中高齢の寡婦加算が行われていたことを前提に、さらに65歳以降に「経過的寡婦加算」が行われることがあります。

26 併給調整？！

最後に、国民年金、厚生年金保険に共通の併給調整について触れておきます。

・原則

同一人が２以上の年金の受給権を取得した場合で、それぞれ**支給事由が異なるとき**は、いったんすべての年金の支給が停止され、そして**受給権者が選択する１つの年金**について停止が解除されて支給されることになります。

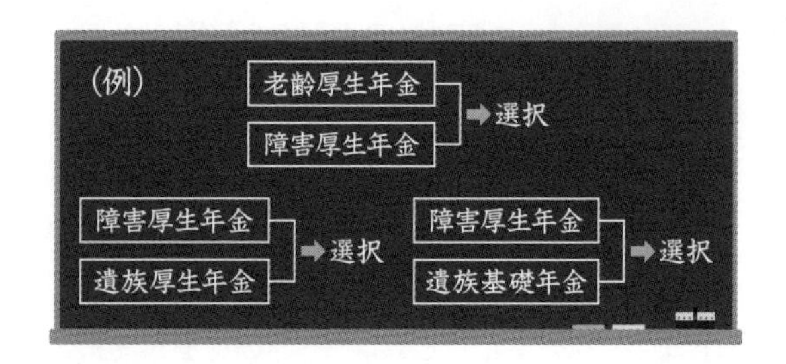

・例外―その１

老齢基礎年金と老齢厚生年金のように**同一の支給事由**により支給される年金については、**両方の年金が併せて支給**されます。これを併給といいます。

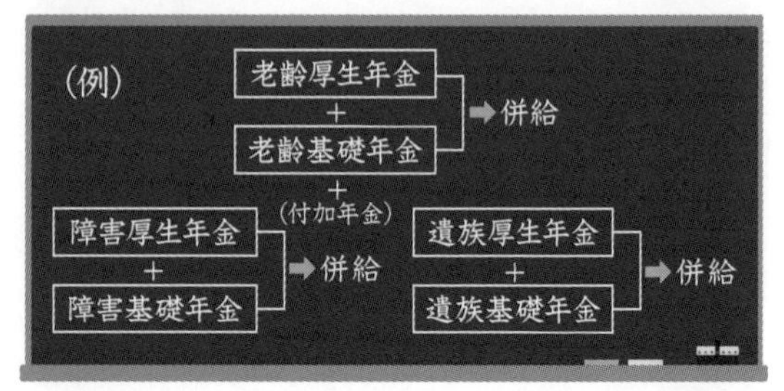

・例外―その２

特例的に支給事由が異なる２つの年金が併給される場合があります。いずれも、受給権者が65歳以上であることが前提となります。

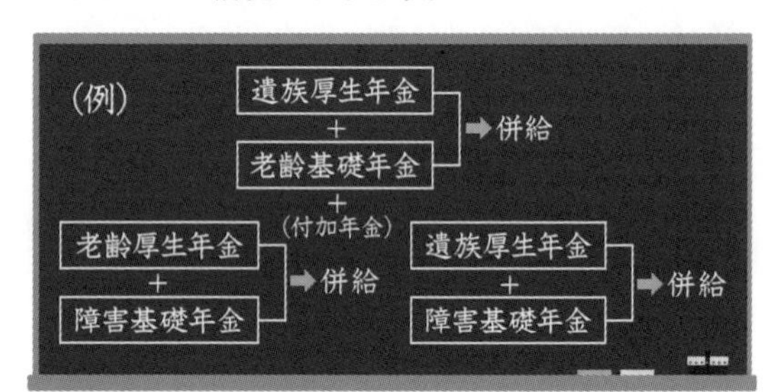

Column

「国民年金法も厚生年金保険法も、複雑で細かい規定がいっぱい出てくるから苦手！」という受験生も少なくありません。そういう印象をもつ気持ちはよくわかりますが、その制度の仕組みをよくみると、結構システマチックに作られているので、それこそ暗記ではなく理解を心がけて勉強していくと、思いのほか頭に入ってくる内容でもあるのです。決して易しくはありませんが、あせらず、我慢強く勉強してみてください。そうすれば、ある時、視界がすーっと開けて、年金の勉強が楽しくなってくるはずです。

9. 一般常識（労一・社一）

Q 「一般常識」って、どんな内容？

1 社労士試験における「一般常識」とは?!

「クイズの一般常識は得意なんだよね！」という方、くれぐれもカン違いしないように。社労士試験における「一般常識」は、テレビのそれとは別モノです。正式な試験科目名が「労務管理その他の労働に関する一般常識」（以下「労一」という）と「社会保険に関する一般常識」（以下「社一」という）となっているように、あくまでも、**社労士実務における**一般常識です。具体的には、以下のような出題項目に集約されます。

〈労一〉
・労働経済
・労働法規
・労務管理

〈社一〉
・社会保険関係法規
・社会保険の沿革

「**労働経済**」では、雇用・失業の動向（有効求人倍率や完全失業率など）をはじめとする労働市場の現状や傾向が直近のデータに基づいて問われます。

「**労務管理**」は、生産性の向上を目的とした諸々の施策（たとえば教育訓練など）の総称です。社労士は、顧問先の社長から労務管理について相談をもちかけられることもあります。それに応えられるようにあらかじめ基礎的な知識を身につけておく必要があるので、出題範囲とされています。

「**社会保険の沿革**」では、現在の制度に至るまでの主要な改正について問われます。

「**労働法規**」と「**社会保険関係法規**」は、試験科目名としては挙がっていませんが、実務において社労士が扱うことのある法律から出題されます。

ここでは、この「**労働法規**」と「**社会保険関係法規**」の中からいくつかピックアップして、簡単な説明を加えておきます。

2 非正規雇用の問題の顕在化！

非正規雇用
- パート → パート・有期法
- 有期雇用 → 労働契約法、パート・有期法
- 派遣 → 労働者派遣法

近年、**派遣**や**パート**、**有期雇用**（期間の定めがある雇用契約）といった非正規雇用の急速な増加・多様化傾向のなかで、**「非正規雇用」問題**が顕在化してきました。主な問題点は、非正規労働者の**雇用の不安定さ**、正規労働者との**賃金などの処遇格差**です。そこで、個別の立法での対策としては、**パート・有期法**（令和２年４月１日施行）、**労働契約法**（その第４章「期間の定めのある労働契約」）、**労働者派遣法**が、非正規労働者の保護等を図る規定を定めています。

たとえば、**パート・有期法**では、事業主は、その雇用する短時間・有期雇用労働者の基本給、賞与その他の待遇のそれぞれについて、当該待遇に対応する通常の労働者の待遇との間において、当該短時間・有期雇用労働者及び通常の労働者の業務の内容及び当該業務に伴う責任の程度（以下「職務の内容」という）、当該職務の内容及び配置の変更の範囲その他の事情のうち、当該待遇の性質及び当該待遇を行う目的に照らして適切と認められるものを考慮して、不合理と認められる相違を設けてはならないと規定しています。**労働契約法**では、同一の使用者の下で有期労働契約が更新されて通算契約期間が５年を超える場合に、労働者が無期労働契約への転換の申込みをすれば、使用者がその申込みを承諾したものとみなされ、期間の定めのない労働契約が成立することになる旨が定められています。また、**労働者派遣**

法では、有期雇用派遣労働者が派遣先の同一の組織単位の業務に３年間従事した場合、派遣元は、この有期雇用派遣労働者に対し、派遣先への直接雇用の依頼、新たな派遣先での就業機会の提供、派遣元での無期雇用の機会の提供、その他教育訓練であって雇用の安定に特に資すると認められる措置のいずれかを講じなければならないとされています。

3 賃金の最低額を保障する、その名も「最低賃金法」！

最低賃金の額>契約上の賃金の額
→ 無効➡最低賃金の額に!!

「**最低賃金法**」は、労働者の生活の安定や、企業間の公正な競争の確保が図られるように、**賃金の最低額を保障**することを定めています。

最低賃金の額は、最低賃金審議会の調査審議に基づいて、**時間単位**で定めるものとされています。最低賃金には、都道府県ごとの〝**地域別最低賃金**〟と、特定の産業について地域別最低賃金を上回る最低賃金を定める〝**特定最低賃金**〟があります。

地域別最低賃金は、地域における**労働者の生計費および賃金ならびに通常の事業の賃金支払能力**を考慮して定められなければならないとされています。地域別最低賃金はすべての労働者の賃金の最低限を保障する安全網（セーフティネット）として位置づけられており、使用者がこの最低賃金額に満たない賃金しか支払わないときは、50万円以下の**罰金**に処せられます。また、労働者と使用者との間の労働契約で最低賃金額に達しない賃金を定めた場合、その部分を**無効**とし、無効となった部分は**最低賃金と同様の定め**をしたものとみなされます。

なお、最低賃金法における「**労働者**」とは**労働基準法の「労働者**」とイコールなので、この法律に基づく最低賃金は、正社員だけではなく、パートタイム労働者、アルバイト、臨時雇用者であっても適用されます。したがって、使用者はこれらの者に対しても、最低賃金額以上の額を支払わなければなりません。

4 性別による差別の禁止、母性の尊重 ―男女雇用機会均等法

雇用の分野において
男性⟷女性
― 均等な機会・待遇の確保
― 性別による差別の禁止
母性の尊重　等

「**男女雇用機会均等法**」（以下「均等法」という）は、雇用の分野における男女の均等な機会および待遇の確保を図るとともに、女性労働者の就業に関して妊娠中および出産後の健康の確保を図るなどの措置を推進することを目的としています。

まず、事業主は、労働者の**募集・採用**について、**性別にかかわりなく均等な機会**を与えなければなりません。たとえば、募集・採用の基準を男女で異なるものにしたり、男女別の人数枠を設けたりすることは禁じられています。また、事業主は、①**労働者の配置・昇進・降格・教育訓練**、②住宅資金貸付けなどの**福利厚生措置**、③**労働者の職種・雇用形態の変更**、④**退職勧奨・定年・解雇・契約更新**について、**性別を理由とした**差別的取扱いをしてはいけません。

たとえば①について、一定の役職に昇進するための試験の合格基準を男女別々に用意することは、たとえ男女双方のそれぞれの適性を適切に生かすうえで効果的な工夫であったとしても、均等法違反となります。**男女で異なる適性**を想定すること自体が、均等法の精神に反するわけです。さらに、事業主は、**性別以外の事由**を要件とする募集・採用などの一定の措置のうち、男女の比率などを勘案し、**実質的に性別を理由とした差別**となるおそれがある措置については、業務遂行上や雇用管理上の特段の必要性など合理的な理由がない限り、これを講じてはならないとされています。いわゆる**間接差別**についても規制の対象として定めているのです。

女性労働者については、①**婚姻、妊娠、出産を退職理由とする定め**、②**婚姻を理由とする解雇**、③**妊娠、出産、産前産後休業の請求・取得などを理由とした解雇等の不利益取扱い**、④**妊娠中および出産後１年以内の解雇は原則として無効**とされています。

以上述べてきた規定に**違反する行為は無効**とされ、また**民事損害賠償請求の対象**になります。

5 家庭生活と職業生活の両立を図るための休業制度—育児・介護休業法

育児休業制度&介護休業制度等
↓
雇用の継続・再就職の促進
↓
職業生活と家庭生活との両立

「**育児・介護休業法**」は、子の養育または家族の介護を行う労働者の**雇用の継続**と再就職の促進を図ることにより、これらの者の**職業生活と家庭生活との両立**に寄与することなどを目的としています。

子を養育する労働者は、男女を問わず、子が1歳に達するまでの期間、事業主に申し出ることにより育児休業を取ることができます。また、同一の子について労働者である父母の両方が育児休業を取るとき(たとえば途中で交代する場合など)は、子が1歳2か月に達するまで育児休業を取ることができます(「パパ・ママ育休プラス」)。なお、子が1歳(または1歳2か月)に達するまで保育所に入れない等の場合には、例外的に子が1歳6か月に達するまで育児休業を延長することができます。さらに、1歳6か月に達した時点で保育所に入れない等の場合には、再度申出することにより、最長2歳まで延長することができます。

さらに、令和4年10月1日からは男性の育児休業の取得促進を図るため、子の出生後8週間に分割して2回、合計して28日間の出生時育児休業の制度が始まりました(いわゆる「産後パパ育休」)。出生時育児休業では、労使協定を締結した場合、労働者が個別に合意した範囲で休業期間中の就業が可能となるなど、柔軟な休業の設計ができるようになっています。

要介護状態の家族をもつ労働者は、男女を問わず、**事業主に申し出ることにより**、93日を限度として、対象家族1人につき3回まで**介護休業**をすることができます。

事業主は、育児休業期間中や介護休業期間中は、賃金を支払う義務はありません。そこで、雇用保険法に雇用継続給付として介護休業給付金の制度及び育児休業給付の制度が定められているのです。

事業主は、労働者が育児休業や介護休業の申出をしたり取得したことを理由に、解雇その他不利益な取扱いをしてはならないとされています。

6 労働者以外の者を対象とする医療保険—国民健康保険法

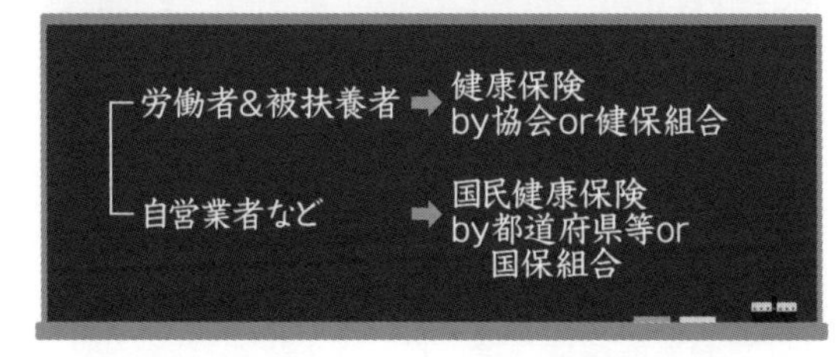

国民健康保険は、主に、農林水産業などに従事する自営業者を対象とし、その者の**疾病**、**負傷**、**出産**または**死亡**に関して**必要な保険給付**を行う医療保険です。

都道府県は、当該都道府県内の市町村(特別区を含む。以下同じ)とともに、国民健康保険を行うものとされています。また、これとは別に医師、弁護士、土木建築、理美容など同業種で国民健康保険組合をつくって、国民健康保険事業を独自に運営しているものもあります。ここでは、都道府県が当該都道府県内の市町村とともに行う国民健康保険(以下「都道府県等が行う国民健康保険」という)について、簡単に説明します。

都道府県の区域内に住所を有する者は、適用除外に該当する者(健康保険の被保険者や被扶養者など)を除いて、すべて都道府県等が行う国民健康保険の被保険者となります。国民健康保険は**世帯単位**で適用されるので、世帯主もその家族も一様に被保険者となります。被扶養者という概念はありません。ただし、**保険料**や療養の給付を受けたときの**一部負担金の支払義務**は、すべて**世帯主**が負うことになります。

保険給付の中心は健康保険と同様、療養の給付です。一部負担金の負担割合は、年齢区分などにより、次のようになっています。

	区分	負担割合
a	6歳の年度末過ぎ70歳未満	10分の3
b	6歳の年度末まで	10分の2
c	70歳以上(d、eの場合を除く)	10分の1
d	70歳以上の一定以上の所得者	10分の2
e	70歳以上の現役並み所得者	10分の3

7 前期高齢者、後期高齢者とは？ —高齢者医療確保法

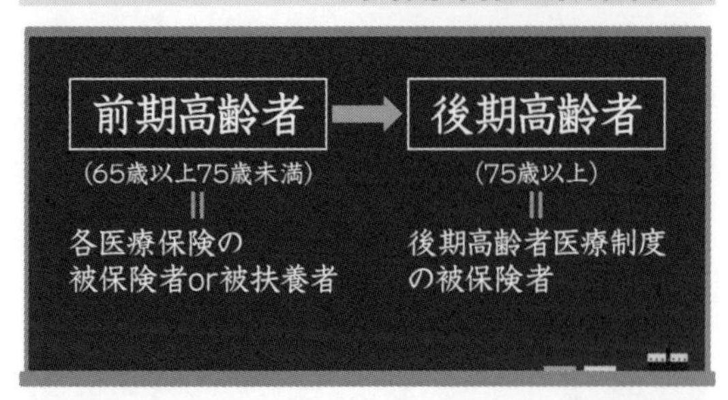

「**高齢者医療確保法**」は、高齢者の医療について、国民の共同連帯の理念などに基づいて、①**前期高齢者**（原則として、65歳以上75歳未満の者）に係る保険者間の費用負担の調整や、②**後期高齢者**（原則として、75歳以上の者）に対する適切な医療の給付などを行うために必要な制度を設けるなどして、国民保健の向上および高齢者の福祉の増進を図ることを目的とするものです。

上記①は、前期高齢者の加入割合の違いにより生じる保険者間の費用負担の不均衡を調整する制度です。具体的には、前期高齢者の加入割合が低い健康保険などの保険者から、前期高齢者納付金等を徴収し、前期高齢者の加入割合が高い国民健康保険などの保険者に、前期高齢者交付金として交付するものです。

上記②は、後期高齢者を被保険者とする独立した医療制度です。健康保険や国民健康保険に加入していた者が75歳になると、後期高齢者医療制度に移り、ここで被保険者として保険料を負担し、医療給付を受けることになります。医療給付の中心となる療養の給付の一部負担金の負担割合は原則として１割とし、一定以上の所得者にあっては２割、現役並み所得者は３割とされています。

この法律が作られた大きな要因としては、産業構造の変化や少子高齢化により、国民健康保険の実態が、その制定時とは様変わりし、もはや高齢の年金受給権者の医療保険となってしまったことが挙げられます。

8 要介護高齢者へ居宅サービスや施設サービスを提供する—介護保険法

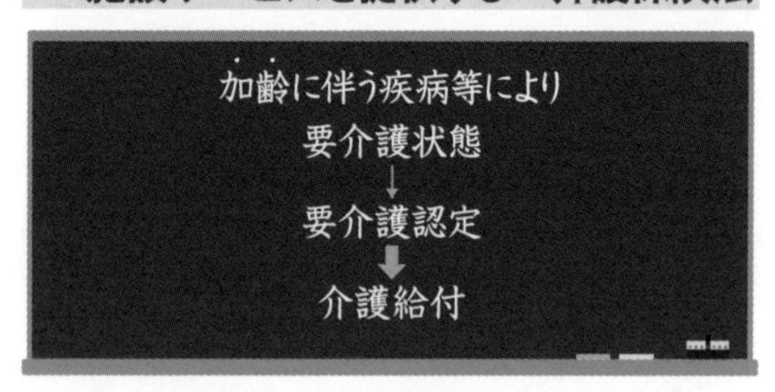

「**介護保険法**」とは、**加齢**に伴って生じる心身の変化による疾病などで**要介護状態**となった者が、その有する能力に応じて自立した日常生活を営むことができるように、必要な**保健医療サービス**や**福祉サービス**を提供することを定めた法律です。

介護保険の保険者は、**市町村**および**特別区**（以下「市町村」という）です。そして保険給付の要件の範囲や保険料設定の相違から、市町村の区域内に住所を有する65歳以上の者を**第1号被保険者**、40歳以上65歳未満の医療保険加入者を**第2号被保険者**としています。

介護給付を受けようとする被保険者は、要介護者に該当することおよびその該当する要介護状態区分について、**市町村の認定**を受けなければなりません。

保険給付として、居宅サービスや施設サービスを受けるのに要した費用の原則100分の90に相当する額が、原則として支給されます。

おしまいに、ひと言

まずは、この入門編を最後までお読みいただき、ありがとうございます。読み終わって、どんな感想をもたれましたか。冒頭にも書いたように、社労士の試験範囲となっている法律が「ひとりひとりの人間を大切にする、大事にする」ことを目的としたものだということを、少しでも感じていただけたなら幸いです。「面白そうだから、本腰入れて勉強してみよう」って思っていただけたら、なお嬉しいです。そして、その時は、受験勉強を独学でやるにせよ、予備校を利用してやるにせよ、無料で観られるTACの動画チャンネルで、私がしゃべっているセミナーを聴いていただけたら有り難いです。誌面とはまたちがった印象で、社労士試験の勉強がとらえられるかもしれません。

みなさんが、新たな一歩を踏み出されることを期待して、この入門編での筆をおかせていただきます。

TAC動画チャンネルへのアクセスは
TACホームページ （https://www.tac-school.co.jp/）より

Note

知って得する"労働法のはなし"

TAC社会保険労務士講座
専任講師 **貫場 恵子**

★法律をもっと身近に

皆さんは、「法律」という言葉を聞いてどのようなイメージを持ちますか？　「法律は専門的な言葉が多くて難しい」あるいは「日常生活とはあまり関係ない世界」と感じる人も多いのではないでしょうか。そのため、社労士を目指したいけれど、勉強は難しいのではないか、また、法律の知識が全くなくて、はたして１年で合格できるのだろうか、といった不安を持つ人もいます。

確かに、民法や会社法などを勉強するとなると、条文数も多いですし、理解するだけでも相当な時間がかかってしまいます。しかし、社労士試験に出題される法律は、大きく分けて労働法と社会保険関係の法律になります。比較的、条文数も少なく、しかも日常生活と関連づけて理解できる法律です。

毎年、法律知識ゼロの人がＴＡＣで勉強し、１回の受験で多くの人が合格を手にしています。もし、社労士に興味があるのなら、思い切って法律の扉を開いてみませんか。新しい世界を見つけることができるはずです。

★労働法って何？

今回は、労働法に興味をもっていただけるよう知って得する労働法の話をしていきます。ところで、「労働法」とは、どのような法律かご存知ですか？

実は、「労働法」という名称がついた法律は存在しないのです。労働法とは、労働者と使用者の関係から生じる労働問題に関するたくさんの法律をひとまとめにして「労働法」と呼んでいるのです。

その中には、労働基準法をはじめ、労働安全衛生法、男女雇用機会均等法、労働契約法、労災保険法、雇用保険法、最低賃金法、労働組合法などさまざまな法律があります。

労働法の役割は、労働者と使用者の関係が対等でないため、社会的に弱い立場にある労働者を保護するための法律です。

労働法を知ることは、労働者自身の権利を守ることにもつながります。

また、労働法を守ることは、企業側にとっても大変重要なことです。法律を守ることにより、従業員が心身ともに健康で、モチベーションを維持しながら長く働ける環境を整えることができるのです。つまり、労働法を知り遵守することは労使双方にとって大切なことなのです。

労働法知っ得話編

❶ 賃金に対する保護規定

賃金は、労働者にとって最も重要な労働条件の１つです。そのため、労働基準法では、賃金とはどういうものであるかを定義し、賃金の支払いに関してさまざまな保護規定を置いています。

●賃金の定義

「賃金」とは、賃金、給料、手当、賞与その他名称の如何を問わず、労働の対償として使用者が労働者に支払うすべてのものをいいます。

したがって、月々の給与や通勤手当、賞与なども賃金になります。逆に社宅などは労働の対償ではなく福利厚生施設となるため、原則賃金には当たりません。

●賃金の支払方法に関する保護規定

労働者に賃金が確実に支払われるように、賃金の支払方法について５つの原則を規定しています。

①通貨で支払う

賃金は、原則通貨（お金）で支払わなければなりません。ただし、労働者の同意を得れば以下のア～ウの方法で支払っても構いません。

ア　銀行や郵便局の口座への振込み

イ　証券会社の総合口座への払込み

ウ　資金移動業者の口座への資金移動

ウは一般に賃金のデジタル払いといわれるもので、キャッシュレス決済の普及や送金サービスの多様化が進む中で、資金移動業者の口座への資金移動を給与受取に活用するニーズも一定程度見られることを踏まえて、令和５年４月１日より認められました。

また、通勤手当などをお金でなく定期券で支給する会社もあります（これを現物給付といいます。）。このような場合は、労働組合と書面による協定（労働協約といいます。）を結べば現物で支給しても構いません。

②直接労働者に支払う

賃金は、直接労働者に支払わなければなりません。いくら労働者本人の委任状があっても、親などの法定代理人であっても支払うことはできません。ただし、例外として労働者の使者（病気で本人が受け取りに来られないような場合に家族が受け取るなど）に支払う場合は、労働基準法に違反しません。また、賃金を銀行振込で支払う場合でも、労働者本人の名義の口座でなければなりません。

③全額を支払う

賃金はその全額を支払わなければなりません。ただし、他の法律に定めがある場合や、労使協定(労働者の過半数が加入している労働組合があればその労働組合、ない場合は労働者の過半数を代表する者との間で結んだ書面による協定のことです。)があれば、賃金の一部を控除して支払っても構いません。給与明細をみると、税金や社会保険料などが控除されていますが、これは法律に定めがあるので、労働基準法違反にはなりません。

④毎月1回以上支払う

賃金は毎月1回以上支払わなければなりません。ただし、賞与等については、毎月1回以上支払う必要はありません。また、年俸制であっても毎月1回以上支払う必要があります。

⑤一定の期日に支払う

賃金は臨時に支払われるものや賞与等を除いて、一定の期日に支払わなければなりません。例えば、毎月25日支払いや月末支払いにするなどです。ただし、毎月第2金曜日とするなどの支払方法は支払日が変動するので、認められません。

❷ 労働時間の決まりごと(労働基準法)

皆さんの周りには、毎朝早くに出勤し、帰りは終電というような生活を送っている会社員はいませんか?

当然、このような長時間労働が続けば心身ともに大きな負担となり、最悪の場合、過労死を招きかねません。そのため、労働基準法では、労働者が長時間労働にならないように労働時間について、いくつかの決まりごとを定めています。

●1日の労働時間、1週間の労働時間

労働基準法では、1日の労働時間は休憩時間を除いて原則8時間以内、1週間の労働時間は休憩時間を除いて原則40時間以内と定められています。これを法定労働時間といいます。会社が1日、1週間の労働時間(これを所定労働時間といいます。)を決めるにあたっては、この法定労働時間を守らなければなりません。

しかし、例えば臨時の受注が入ってしまった、納期が迫っている、決算時期であるなど、会社の事情によっては、どうしても、法定労働時間を超えて労働者を労働させなければならない場合(これを時間外労働といいます。)も出てきます。

このような場合は、あらかじめ労働者の過半数で組織する労働組合がある場合はその労働組合、ない場合は労働者の過半数代表者との間で「時間外労働・休日労働に関する協定」を締結し、労働基準監督署に届け出れば、法定労働時間を超えて労働させることができます。この協定は労働基準法36条に規定されているため、一般に「36協定(サブロク協定)」と呼ばれています。

通常、使用者が労働者に対して時間外労働や休日労働をさせることができるのは、この36協定が締結・届出されているためです。

●働き方改革　～長時間労働の是正に向けて～

36協定を締結し、労働基準監督署に届け出れば、何時間でも時間外労働や休日労働ができるとなってしまうと、労働者の心身の健康を害してしまいます。そこで、労働基準法では36協定を締結する際に、以下の上限時間を守らなければならないとしています。

① 時間外労働の限度時間　　　　原則：1か月　45時間／1年　360時間
② 1年を通して常に、時間外労働と休日労働の合計は1か月100時間未満
③ 時間外労働と休日労働の合計について、「2か月平均」「3か月平均」「4か月平均」「5か月平均」「6か月平均」がすべて1か月当たり80時間以内

業務量の大幅な増加などで、臨時的に上記①の限度時間を超えて時間外労働を行わなければならない場合があります。この場合には特別条項付きの36協定を結べば上記①の限度時間を超えることができます。具体的には、1か月の時間外労働は休日労働の時間を含め100時間未満、かつ1年の時間外労働は720時間以内、月45時間を超えることができるのは年6か月までとなります。

適用猶予業種の時間外労働の上限規制

「工作物の建設の事業」「自動車運転の業務」「医業に従事する医師」「鹿児島県及び沖縄県における砂糖を製造する事業」については、業務の性質上から時間外労働・休日労働の上限時間の規制が猶予されていました。令和6年4月1日より猶予がなくなり、以下の表の上限規制となります。

工作物の建設の事業	・一般の上限規制と同じ。ただし、災害時における復旧及び復興の事業には、時間外労働と休日労働の合計について、月100時間未満、2～6か月平均80時間以内とする規制は適用しない。
自動車運転の業務	・特別条項付き36協定を締結する場合、年間の時間外労働の上限は960時間 ・時間外労働と休日労働の合計について、月100時間未満、2～6か月平均80時間以内とする規制は適用しない。 ・時間外労働が月45時間を超えることができるのは年6か月までとする規制は適用しない。
医業に従事する医師	・特別条項付き36協定を締結する場合、年間の時間外労働（休日労働を含む）の上限は最大1860時間 ・時間外労働と休日労働の合計について、月100時間未満、2～6か月平均80時間以内とする規制は適用しない。 ・時間外労働が月45時間を超えることができるのは年6か月までとする規制は適用しない。

※鹿児島県及び沖縄県における砂糖を製造する事業は、一般の上限規制と同じになります。

❸ 働く男女を応援します（育児・介護休業法、健康保険法）

皆さんは「ワーク・ライフ・バランス」という言葉を聞いたことがありますか？

これは、「仕事と家庭の調和」という意味です。子育てや親の介護などをしながら、働き続けることができるようにするため、労働基準法や、育児・介護休業法、男女雇用機会均等法ではさまざまな規定を置いています。

今回は、育児休業を中心に、産休・育休制度について説明していきましょう。

●育児休業制度について

育児・介護休業法では、労働者が事業主に申出をすることにより、1歳未満の子を養育するため、休業することが認められています。これを育児休業といいます。

子が1歳に達した時点で保育所に空きがない場合には、子が1歳6か月になるまで、1歳6か月に達した時点でも保育所に空きがない場合には、子が2歳になるまで育児休業が取得できます。

●出生時育児休業（産後パパ育休）の創設

男性の育児休業取得を促進するとともに、職場全体の雇用環境整備を進めるため、育児・介護休業法が改正され、子の出生直後の時期における柔軟な育児休業の枠組みとして出生時育児休業（産後パパ育休）が創設されました（令和4年10月から施行）。

産後パパ育休の対象者は原則男性で、配偶者が専業主婦でも取得できます。ただし、有期契約労働者は、申出時点で、出生後8週間を経過する日の翌日から6か月を経過する日までに労働契約期間が満了し、更新されないことが明らかでない場合に取得できます。

ポイント!

①産後パパ育休の期間は、子の出生後8週間以内で、1回あたり4週間までの労働者が希望する期間です。

②分割して2回に分けて取得可能です。ただし、まとめて申し出ることが必要です。

●育児休業の分割取得

出生時育児休業に加え、通常の育児休業についても分割して2回まで取得が可能となるほか、保育所に入れないため、1歳以降に育児休業を延長する場合の休業開始日も柔軟化されます。具体的には1歳6か月（2歳）までの間で、夫婦交替で休業することもできるようになります（改正前は、1歳到達日（1歳6か月到達日）の翌日を休業開始日とする必要があるため、交替ができるのは1歳又は1歳6か月時点のみでした。）。

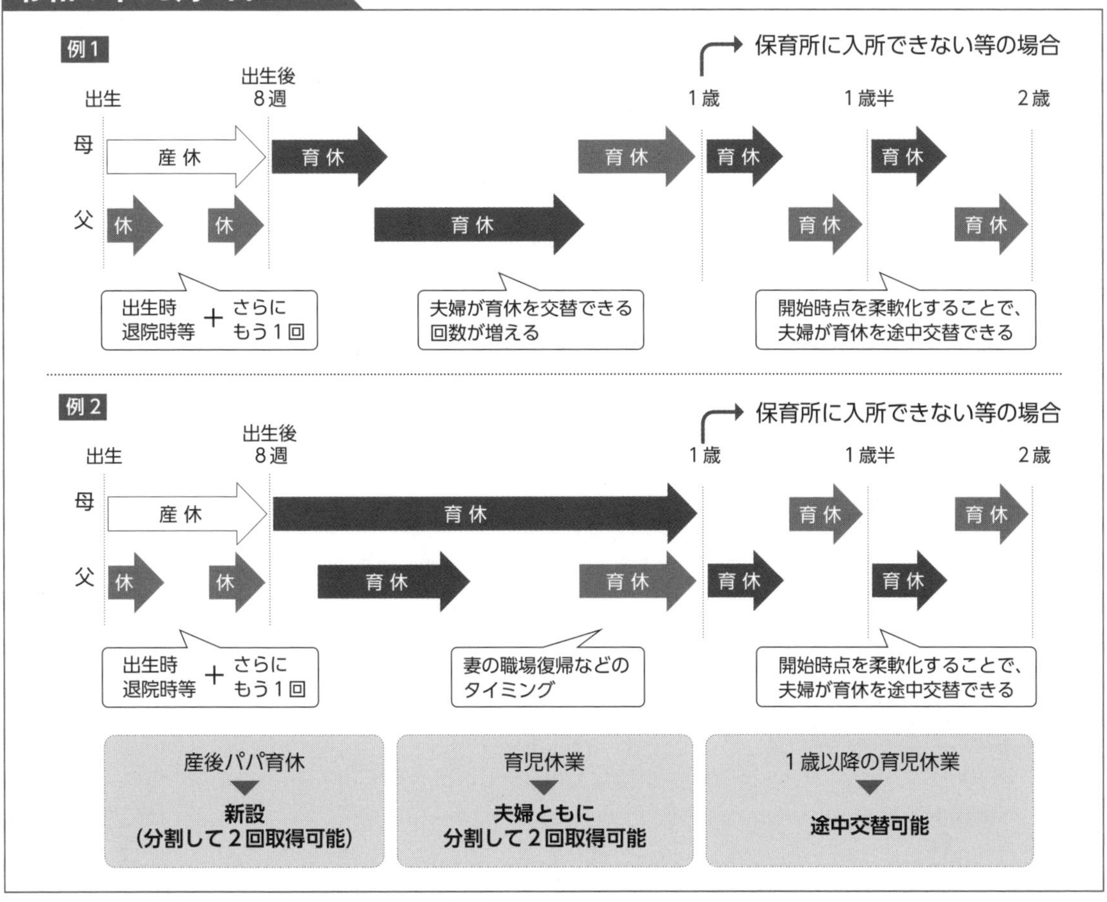

厚生労働省ホームページ掲載の資料をもとに作成

●産休・育休中の生活保障

産休中や育休中の賃金は、有給でも無給でも構いません。もし、賃金が支払われない場合、産休中は健康保険から出産手当金が、育休中は雇用保険から育児休業給付金が支給されます。

また、産休中、育休中は健康保険や厚生年金保険の保険料（社会保険料といいます。）は免除となります。

支給額のイメージ　※産前産後休業終了後、引き続き子が1歳になるまで育児休業を取得した女性のケース

産前産後休業
育児休業
出産
育児休業開始
1歳
6週間
8週間
180日
給付率$\frac{2}{3}$
給付率$\frac{2}{3}$
給付率67%
給付率50%
健康保険より出産手当金
雇用保険より育児休業給付金
健康保険料・厚生年金保険料免除

●出生後休業支援給付金の創設

両親ともに育児休業を取得することを促進するため、次の①と②の要件を満たす場合に、最大28日間、休業開始前賃金の13%相当額を出生後休業支援給付として給付し、育児休業給付とあわせて給付率を80%（手取りで10割相当）とする出生後休業支援給付金の支給が令和７年４月１日よりスタートします。

①子の出生直後の一定期間以内（男性は子の出生後８週間以内、女性は産後休業後８週間以内）に育児休業を取得すること

②雇用保険の被保険者とその配偶者の両方が14日以上の育児休業を取得すること

●育休中の社会保険料免除の要件が改正されました

①毎月の報酬にかかる保険料の免除

社会保険料の免除期間は育児休業等の開始日の属する月から終了日の翌日が属する月の前月までです。改正前は、開始日の属する月と終了日の属する月が同じ月の場合は、終了日が同月の末日である場合を除き免除の対象となりませんでしたが、令和４年10月１日以降に開始した育児休業等については、開始月と終了月が同じであっても、育児休業等開始日が含まれる月に14日以上育児休業等を取得した場合には免除の対象となりました。

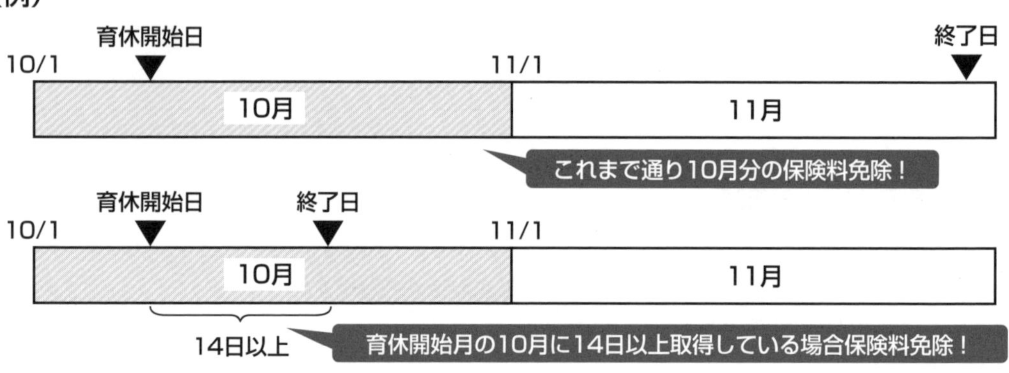

日本年金機構ＨＰより

②賞与にかかる保険料の免除

改正前は、育児休業等期間に月末が含まれる月に支給された賞与にかかる保険料が免除の対象でした。令和４年10月１日以降に開始した育児休業等については、当該賞与月の末日を含んだ連続した１か月を超える育児休業等を取得した場合に限り、免除の対象となります。なお、１か月を超えるかは暦日で判断し、土日等の休日も期間に含みます。

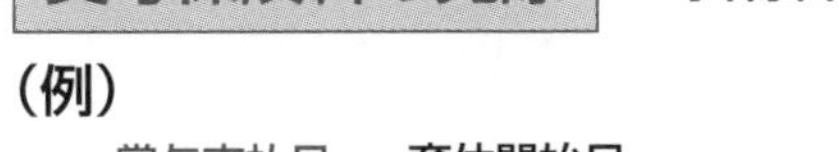

※斜線部分が保険料免除月

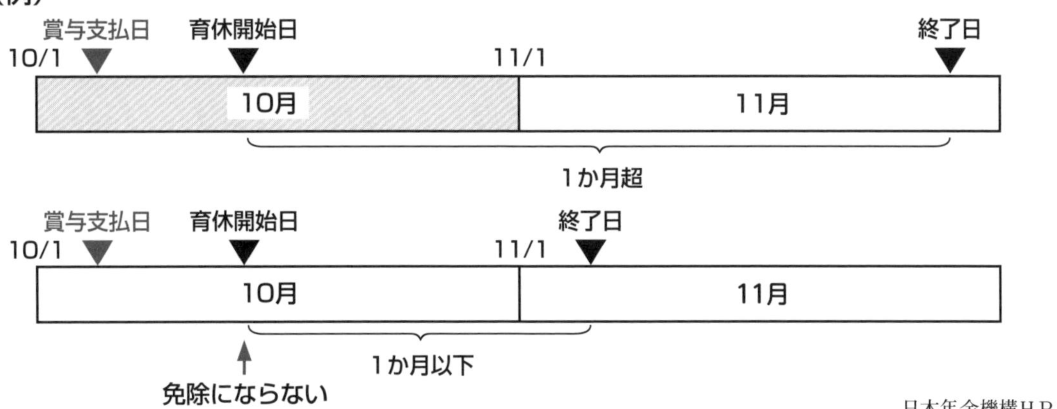

日本年金機構HPより

4 アルバイトだって年休は取れる(労働基準法)

年休とは、正しくは年次有給休暇といい、労働基準法で規定されています。

年休は、所定の休日以外に毎年一定の休暇を賃金を支払って与える制度で、労働者の心身の疲労を回復させ、仕事と家庭生活の調和を図る上で重要な休暇です。

ところが、労働者の中には「アルバイトやパートなので年休はもらえません」と考えている人がいます。

年休は労働者に権利として与えられているものです。アルバイトやパート、契約社員であっても労働者であることには変わりはありません。年休の要件を満たす限り、当然年休は取得できるのです。

注意! 出勤率の悪い従業員は年休がもらえない!!

年休を取得するためには、次の２つの要件を満たす必要があります。

①雇入れの日から６か月間継続して勤務していること(６か月間在籍しているという意味です)

②その６か月間(６か月経過日以降は１年間)の全労働日の８割以上出勤していること

■年休の付与日数(一般の労働者)

勤続年数	6か月	1年 6か月	2年 6か月	3年 6か月	4年 6か月	5年 6か月	6年 6か月以上
付与日数	10日	11日	12日	14日	16日	18日	20日

注意! アルバイトやパートは年休の日数が少なくなる可能性がある!!

アルバイトやパートであっても、週５日以上働いていたり、１週間の所定労働時間が30時間以上の場合は、正社員と同じだけの年休を与えなければなりません。

ただし、１週間の所定労働時間が30時間未満で、かつ週４日*以下の勤務であれば、正社員と同じだけの年休は与える必要はないのです。これを比例付与といいます。

■年休の付与日数（1週間の所定労働時間が30時間未満の労働者）

	勤続年数						
週の所定労働日数	6か月	1年6か月	2年6か月	3年6か月	4年6か月	5年6か月	6年6か月
4日	7日	8日	9日	10日	12日	13日	15日
3日	5日	6日	6日	8日	9日	10日	11日
2日	3日	4日	4日	5日	6日	6日	7日
1日	1日	2日	2日	2日	3日	3日	3日

＊週以外の期間によって所定労働日数が定められている場合は、1年間の所定労働日数が216日以下の場合、比例付与の対象となります（その場合の付与日数は、省略します）。

年5日の年休の確実な取得が義務づけられています。

年休は、原則として、労働者が請求する時季に与えなければなりません。しかし、同僚への気兼ねや職場の雰囲気などから、取得率が低調な現状にあります。このため、労働基準法では、すべての企業において、**年10日以上**の年休が付与されている労働者に対して、年休の日数のうち**年5日**については、使用者が時季を指定して取得させることが義務づけられています。

時季指定の流れ

1．使用者が労働者に取得時季の意見を聴取

（面談や年次有給休暇取得計画表、メール、システムを利用した意見聴取等、任意の方法による）

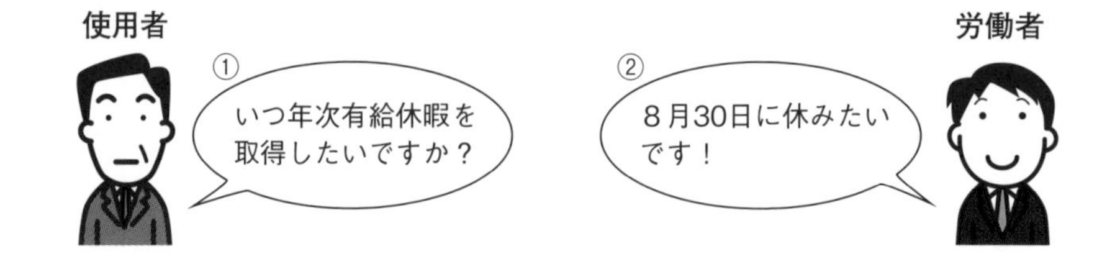

2．労働者の意見を尊重し、使用者が取得時季を指定

5 非正規労働者の待遇を改善します(パートタイム・有期雇用労働法)

パートタイマーや契約社員などいわゆる非正規労働者といわれる人は、賃金などの待遇が正社員と比べて悪く、その結果、生活が不安定になったり、働く意欲をなくしてしまいます。我が国では雇用者の4割弱が非正規労働者です。この人たちの待遇を改善し、仕事ぶりや能力が適正に評価され、意欲をもって働けるような仕組みが必要です。その中心になる法律が、パートタイム・有期雇用労働法なのです。

●不合理な待遇差の禁止

パートタイム・有期雇用労働法では、正規労働者と非正規労働者との間に待遇の差がある場合、その差が職務内容、人材活用の仕組みや運用などを考慮して不合理な相違を設けてはならないと規定しています。

私たちも正社員と同じ通勤手当をもらっています

非正規で働く労働者は正社員との待遇差に納得ができない場合、事業主に対して「なぜ差があるのかを説明してほしい」と求めることができます。求められた事業主は待遇差の内容や理由を説明しなければなりません。また、説明を求めたことを理由に非正規労働者に対して解雇などの不利益な取扱いをしてはなりません。

6 仕事中のケガは、無料で治療を受けられます(労災保険法)

実際に相談を受けた事例です。男子大学生が飲食店でアルバイトをしていました。調理の最中に揚げもの油を手に浴びてしまい、やけどを負いました。大学生はすぐに病院へ駆け込んだのですが、健康保険で治療を受けようとしたのです。

病院側がこれは労災事故ではないですかと聞いたため、彼は初めて労災保険という法律の存在を知ったのです。

彼自身、この事故は自分の不注意で起こしてしまったという思いから、職場の上司にも状況を説明せず、自分の判断で病院に行っていました。

1．仕事が原因で病気やケガをした場合、労災保険から治療を受けることができます。

労災病院か、労災指定となっている病院であれば、病気やケガが治るまで、無料で治療を受けられます。もちろん、会社を退職した後も、治るまでは治療を受けることができます。

また、通勤途中の事故でケガをしたような場合も、健康保険ではなく、労災保険から治療を受けることができます（通勤の場合は、自己負担として200円を取られる場合があります。）。

2．労災保険はアルバイトやパートであっても加入できます。

労災保険は正社員だけが加入する保険ではありません。日雇、アルバイト、パートタイマー、契約社員、正社員登用前の試用期間中の人など、雇用形態に関係なく労災保険に加入できます。また、派遣労働者の場合は、派遣会社が加入します（派遣先の会社が加入するものではありません。）。

給与明細書を見ると、労災保険料が天引きされていないため、自分は労災保険に加入していないものだと勘違いしている人もいますが、労働者であれば、当然労災保険には加入しています。そして、労災の保険料については、会社が全額負担しているのです。

3．複数の会社で働く人を労災保険では、「複数事業労働者」といい、業務災害や通勤災害の保険給付の対象となります。さらに、複数の会社での業務が要因となって事故や病気が生じた場合、「複数業務要因災害」として保険給付を受けることもできます。

Ａ社での１か月の時間外労働：50時間
Ｂ社での１か月の時間外労働：60時間
} 合計１か月の時間外労働が110時間

Ａ社とＢ社の時間外労働は通算されます。
労災認定では、脳・心臓疾患の発症前１か月の時間外労働が100時間を超える場合、業務と発症との因果関係が強いと評価します。

4．労災保険には、治療以外にも、療養のため会社を休み、給与が支払われない間の所得を補償する制度や、障害になった場合の補償、万が一、死亡した場合には遺族に対する補償などさまざまな保険給付があります。

❼ パワハラ対策は事業主の義務です（労働施策総合推進法）

パワーハラスメント（以下「パワハラ」といいます。）は、労働者が能力を十分に発揮することの妨げになることはもちろん、心身にも影響を及ぼします。また、個人としての尊厳や人格を不当に傷つける等の人権に関わる許されない行為です。企業にとっても、職場秩序の乱れや業務への支障が生じたり、貴重な人材の損失につながるなど企業経営に悪影響を与えかねない大きな問題です。

そのため、労働施策総合推進法において、全ての企業にパワハラ防止対策が義務づけられています。

職場におけるパワハラとは

職場において行われる、①優越的な関係を背景とした言動であって、②業務上必要かつ相当な範囲を超えたものにより、③労働者の就業環境が害されるものであり、①から③までの３つの要素を全て満たすものをいいます。

なお、客観的にみて、業務上必要かつ相当な範囲で行われる適正な業務指示や指導については、職場におけるパワーハラスメントには該当しません。

●セクハラ対策も事業主の義務です（男女雇用機会均等法）

セクシュアルハラスメントについても、事業主は労働者からの相談に応じ、適切に対応するために必要な体制の整備等、雇用管理上必要な措置を講じなければなりません。

職場におけるセクハラには、同性に対するものも含まれます。また、被害を受けた者の性的指向又は性自認にかかわらず、その労働者に対する職場におけるセクハラも対象となります。

性的指向とは、恋愛又は性愛がいずれの性別を対象とするかをいい、性自認とは、自己の性別についての認識のことをいいます。

生物学的・身体的な性、出生時の戸籍上の性と、性自認が一致しない人をトランスジェンダーといいます。

性的指向（sexual orientation）と性自認（gender identity）の頭文字をとった略称を「ＳＯＧＩ」（ソジ）といい、ＳＯＧＩハラスメントもセクハラに該当します。

労働法は、就職のとき、働くとき、失業したときなど、それぞれの場面で、労働者を助けてくれる心強い法律です。知っていれば、救われる規定もたくさんあります。

今回の話で、少しでも労働法や社労士に興味をもっていただければ嬉しい限りです。

絵で見る 業務災害・通勤災害の事例集

TAC社会保険労務士講座　教材開発講師　**如月 時子**

ねぇ、ねぇ、本試験で労災保険の業務災害や通勤災害の事例問題がよく出題されているよね。どういう場合が業務災害や通勤災害になるのか、具体例で見ておいた方がいいと思うけど…。

そうだね。実は業務災害や通勤災害の事例問題はずいぶん前から本試験に出ているんだよ。これからも繰り返し出題されるかもしれないから、まずは、業務災害から出題された事例を一緒に見ていこうよ。

◆業務災害に関する事例

事例① H5出題

小型パイプが資材置場に乱雑に荷下ろしされているのを整理する作業に従事していた労働者が、材料が小型のため草むらに投げ込まれていないかと探し入ったところ、この地に多く棲息するハブに噛まれ負傷した。

認定結果

業務上と認められる。(法7条1項1号、昭和27.9.6基災収3026号)

あっ、事例①は、平成27年の本試験(問３Ｃ)にも出題されていたよ！　これは作業中の災害だから業務上となるんだよね。

そうだよ。業務災害は、その大部分が作業中に発生し、また、作業中に発生した災害は、大部分が業務災害であるといわれているよ。それに、同じような事例(作業中に土蜂に刺された労働者が死亡した場合)が平成29年(問１Ｅ)に出題されているよ。

事例② H26出題

自動車運転手が、長距離定期貨物便の運送業務の途上、会社が利用を認めている食堂前に至ったので、食事のために停車し食堂へ向かおうとして道路を横断中に、折から進行してきた自動車にはねられて死亡した。

認定結果

業務上と認められる。トイレや飲水等の生理的必要な行為（本件の場合、食事）によって一時的に業務から離れ、作業が中断される場合であっても、その行為は業務行為に付随する行為であり、その間も作業からの離脱はなかったものとみるのが相当であるから、このような行為に起因して発生した災害については、一般に業務上とされる。（法7条1項1号、昭和32.7.19基収4390号）

事例③ H29出題

A会社の大型トラックを運転して会社の荷物を運んでいた労働者Bは、Cの運転するD会社のトラックと出会ったが、道路の幅が狭くトラックの擦れ違いが不可能であったため、D会社のトラックはその後方の待避所へ後退するため約20メートルバックしたところで停止し、徐行に相当困難な様子であった。これを見かねたBがCに代わって運転台に乗り、後退しようとしたが運転を誤り、道路から断崖を墜落し即死した。

認定結果

業務上と認められる。Bによる本件の行為（D会社のトラックの運転）は、Bの本来の業務ではないが、Bの本来の業務（A会社の大型トラックの運転）を遂行するために必要な行為であり、業務上として取り扱われる。（法7条1項1号、昭和31.3.31　30基収5597号）

＊事例⑧と比べてみよう。

事例④ R4出題

工場に勤務する労働者が、作業終了後に更衣を済ませ、班長に挨拶して職場を出て、工場の階段を降りる途中に足を踏み外して転落して負傷した。

認定結果

業務上と認められる。本件のように、事業場施設内における業務を終えた後の退勤で「業務」と接続しているものは、業務行為そのものではないが、業務に通常付随する準備後始末行為と認められるので、業務災害と認められる。（法7条1項1号、昭和50.12.25基収1724号）

事例⑤ H19出題

自動車の整備に従事する者が事業場の施設内で休憩時間中に喫煙しようとしたところガソリンの染み込んだ作業衣に引火して火傷した。

認定結果

業務上と認められる。(法7条1項1号、昭和30.5.12基発298号)　＊事例⑨と比べてみよう。

事例⑥ H26出題

明日午前８時から午後１時までの間に、下請業者の実施する隣町での作業を指導監督するよう出張命令を受け、翌日、午前７時すぎ、自転車で自宅を出発し、列車に乗車すべく進行中、踏切で列車に衝突し死亡した。なお、同人が乗車しようとしていた列車は、通常の通勤の場合にも利用していたものである。

認定結果

業務上と認められる。自宅から直接出張先・外出先へ向かう場合についても、積極的な私用・私的行為・恣意的行為等にわたるものを除き、それ以外は一般に出張に当然又は通常伴う行為とみて、業務遂行性が認められる。(法7条1項1号、昭和34.7.15基収2980号)

事例⑦ R3出題

業務上脊髄を損傷し入院加療中の労働者が、医師の指示に基づき療養の一環としての手動式自転車に乗車する機能回復訓練中に、第三者の運転する軽四輪貨物自動車に自転車を引っかけられ転倒し負傷した。

認定結果

業務上と認められる。本件は、入院療養中の労働者が、医師の指示に基づき療養の一環としての機能回復訓練中に発生したもので、当初の業務上の負傷との間に相当因果関係が認められるので、業務上の災害として取り扱うのが相当である。(法7条1項1号、昭和42.1.24 41基収7808号)　＊事例⑩と比べてみよう。

あのね、事例⑥の認定結果に「私用・私的行為・恣意的行為」ってあるけど、どういうことなの?

簡単に言うと個人的な理由(私的)や思いつきで勝手に(恣意的)行動するようなことかな。事例⑤は、令和４年(問４エ)にも出題されているし、事例⑥は、平成７年(問１C)や令和４年(問６A)にも出題されているよ。事例①と同様に同じ事

例が繰り返し出題されているね。あと、事例③に関連して、作業に必要な私物の眼鏡を工場の門まで受け取りに行く途中の事故（H27問３A）なども業務上の災害とされているよ。

事例⑧ H26出題

自動車運転手Aは、道路工事現場に砂利を運搬するよう命ぜられ、その作業に従事していた。砂利を敷き終わり、Aが立ち話をしていたところ、顔見知りのBが来て、ちょっと運転をやらせてくれと頼んで運転台に乗り、運転を続けたが、Aは黙認していた。Bが運転している際、Aは車のステップ台に乗っていたが、Bの不熟練のために電柱に衝突しそうになったので、とっさにAは飛び降りようとしたが、そのまま道路の外側にはね飛ばされて負傷した。

認定結果

業務外である。本件の災害は、業務逸脱行為（業務と関係のない行為）によるものであり、また、この業務外の原因が、業務と相まって発生したものではないため、業務外とされる。（法7条1項1号、昭和26.4.13基収1497号）

事例⑨ H28出題

炭鉱で採掘の仕事に従事している労働者が、作業中泥に混じっているのを見つけて拾った不発雷管を、休憩時間中に針金でつついて遊んでいるうちに爆発し、手の指を負傷した。

認定結果

業務外である。休憩時間中の災害が業務上の災害とされるのは、事業場施設（又はその管理）に起因して発生したもの及び業務付随行為とみるべき行為により発生したと認められるものである。本件のように、休憩時間中の積極的な私的行為（不発雷管を針金でつついて遊ぶ）による負傷は、業務上の負傷と認められない。（法7条1項1号、昭和27.12.1基災収3907号）

事例⑩ R３出題

業務上右大腿骨を骨折し入院治療を続けて骨折部のゆ合がほぼ完全となりマッサージのみを受けていた労働者が、見舞いに来た友人のモーターバイクに乗って運転中に車体と共に転倒し、右大腿部を再度骨折した。

認定結果

業務上と認められない。事業主の支配下にない労働者の私的行為に基づくものであるから、業務外である。（法7条1項1号、昭和32.12.25基収6636号）

いろいろな事例があるね。あれ？　事例⑨は事例⑤と同じ休憩時間中の災害だけど、業務外とされているし、事例⑧や事例⑩も、事例③や事例⑦とは反対に業務外となっているよ。

そうだよ。業務外とされる事例って、よく見ると、業務に関係がなかったり、職務から離れたものだね。

次は、通勤災害の事例を見ていこう！

◆通勤災害に関する事例

事例① R4出題

アパートの2階の一部屋に居住する労働者が、いつも会社に向かって自宅を出発する時刻に、出勤するべく靴を履いて自室のドアから出て1階に降りようとした時に、足が滑り転倒して負傷した。

認定結果

通勤災害と認められる。本件については、労働者が居住するアパートの外戸が住居と通勤経路との境界であるので、当該アパートの階段は通勤の経路と認められ、通勤災害に当たる。（法7条1項3号、法7条2項、昭和49.4.9基収314号）

事例② R3出題

3歳の子を養育している一人親世帯の労働者がその子をタクシーで託児所に預けに行く途中で追突事故に遭い、負傷した。その労働者は、通常、交通法規を遵守しつつ自転車で託児所に子を預けてから職場に行っていたが、この日は、大雨であったためタクシーに乗っていた。タクシーの経路は、自転車のときとは違っていたが、車であれば、よく利用される経路であった。

認定結果

通勤災害と認められる。通勤に係る移動は、合理的な経路により行うことを要するが、他に子を監護する者がいない労働者が、その子を託児所等に預けるためにとる経路などは、そのような立場にある労働者であれば、当然、就業のためにとらざるを得ない経路であるので、合理的な経路となる。（法7条1項3号、法7条2項、平成28.12.28基発1228第1号）

事例③ H6出題

所定の勤務を終えてバスで帰宅する際、親しい同僚と一緒になった労働者が、会社の隣の喫茶店に寄ってコーヒーを飲みながら雑談し、1時間程度過ごした後、同僚の乗用車で自宅まで送られ、車を降りようとした際に、乗用車に追突され負傷した。

認定結果

通勤災害と認められない。被災労働者が喫茶店に立ち寄って過ごした行為は、通常通勤の途中で行うような「ささいな行為」には該当せず、また、「日常生活上必要な行為であって厚生労働省令で定めるものをやむを得ない事由により行うための最小限度のもの」とも認められないので、中断後の災害に該当し、通勤災害と認められない。（法7条3項、則8条1号、昭和49.11.15基収1867号）

事例④ R3出題

腰痛の治療のため、帰宅途中に病院に寄った労働者が転倒して負傷した。病院はいつも利用している駅から自宅とは反対方向にあり、負傷した場所はその病院から駅に向かう途中の路上であった。

認定結果

通勤災害と認められない。本件の負傷は、通勤に係る移動の経路を逸脱している間に生じたものであり、通勤災害と認められない。（法7条3項）

事例①に対して、一戸建ての自宅の玄関先は「住居」とされるため、玄関先の石段で転倒し負傷した場合には、住居内の災害であるから、通勤災害に当たらない（令和４年問５Ｃに出題）とされているよ。要注意だね。それから、事例③は、平成28年（問３Ｄ）にも出題されているし、事例②も同じような事例が令和４年（問６Ｅ）に出題されているよ。

そういえば、今まで見てきたのは、負傷や死亡に関する事例だけど、業務上の疾病についてはどんな事例があるのかしら？

業務上の疾病は、認定基準があって、それに合っているかどうかとか、判断がなかなか難しいみたいだよ。

本試験に出題された問題を解いてみよう。

◆業務上の疾病に関する問題

問題①（H30-1A改題）

認定基準〔厚生労働省労働基準局長通知（「心理的負荷による精神障害の認定基準について」令和５年９月１日付け基発0901第２号）〕においては、次の①、②、③のいずれの要件も満たす対象疾病（認定基準で対象とする疾病）は、労働基準法施行規則別表第１の２第９号に規定する精神及び行動の障害又はこれに付随する疾病に該当する業務上の疾病として取り扱うこととされている。

① 対象疾病を発病していること。

② 対象疾病の発病前おおむね６か月の間に、業務による強い心理的負荷が認められること。

③ 業務以外の心理的負荷及び個体側要因により対象疾病を発病したとは認められないこと。

解答

○ 設問の通り正しい。なお、評価期間の「発病前おおむね6か月」については、ハラスメントやいじめのように出来事が繰り返されるものについては、繰り返される出来事を一体のものとして評価することとなるので、発病の6か月よりも前にそれが開始されている場合でも、発病前おおむね6か月の期間にも継続しているときは、開始時からのすべての行為を評価の対象とすることとされている。（令和5.9.1基発0901第2号）

問題②（R3-4C改題）

心理的負荷による精神障害の認定基準（令和５年９月１日付け基発0901第２号）の業務による心理的負荷評価表の「平均的な心理的負荷の強度」の「具体的出来事」の１つである「上司等から身体的攻撃、精神的攻撃等のパワーハラスメントを受けた」の、「心理的負荷の強度を『弱』『中』『強』と判断する具体例」に関して、他の労働者の面前における威圧的な叱責など、態様や手段が社会通念に照らして許容される範囲を超える精神的攻撃が行われたが、その行為が反復・継続していない場合、他に会社に相談しても適切な対応がなく改善されなかった等の事情がなければ、心理的負荷の程度は「中」になるとされている。

解答

○ 設問の通り正しい。（令和5.9.1基発0901第2号）

問題③（R5-1E改題）

「心理的負荷による精神障害の認定基準について」（令和５年９月１日付け基発0901第２号）における「業務による心理的負荷の強度の判断」のうち、出来事が複数ある場合の全体評価に関して、単独の出来事の心理的負荷が「弱」である複数の出来事が関連なく生じている場合、原則として全体評価は「中」又は「弱」となる。

解答

×「単独の出来事の心理的負荷が「弱」である複数の出来事が関連なく生じている場合、原則として全体評価も「弱」となる。（令和5.9.1基発0901第2号）

問題④（R4-1D）

「血管病変等を著しく増悪させる業務による脳血管疾患及び虚血性心疾患等の認定基準（令和３年９月14日付け基発0914第１号）」において、急激な血圧変動や血管収縮等を引き起こすことが医学的にみて妥当と認められる「異常な出来事」と発症との関連性については、発症直前から１週間前までの間が評価期間とされている。

解答

×「異常な出来事」と発症との関連性については、通常、負荷を受けてから24時間以内に症状が出現するとされているので、発症直前から前日までの間を評価期間とする。（令和3.9.14基発0914第1号）

問題⑤（R5-3改題）

「血管病変等を著しく増悪させる業務による脳血管疾患及び虚血性心疾患等の認定基準について」（令和３年９月14日付け基発0914第１号）で取り扱われる対象疾病に含まれるものは、①狭心症、②心停止（心臓性突然死を含む。）、③重篤な心不全、④くも膜下出血、⑤大動脈解離などである。

解答

○設問の通り正しい。設問のほか、脳内出血（脳出血）、脳梗塞、高血圧性脳症、心筋梗塞も対象疾病に含まれる。（令和3.9.14基発0914第1号）

徴収法のトリセツ

TAC社会保険労務士講座　専任講師　**中村 翔太**

はじめに

労働関係科目を学習していく中で注目したいのが「労働保険の保険料の徴収等に関する法律(以下、「徴収法」という。)」です。労働安全衛生法と同様、日常生活で接することがないためとっつきにくく、実務未経験の受験生は苦手科目とされている方も多いのではないでしょうか。しかし、この科目、社労士試験の択一式攻略には非常に重要な得点源です！！

そこで、こちらのコーナーでは、徴収法の出題の特徴や重要論点を解説していきます。

1 徴収法の対策　徴収法は得点源

まず、徴収法が、本試験でどのように出題されるか見ていきましょう。選択式では出題のない旨が社会保険労務士試験受験案内で例年案内されています。択一式では、労働者災害補償保険法(以下、「労災保険法」という。)及び雇用保険法とともに各3問ずつ、**計6問出題**されます。

出題論点は基本的事項が多く、過去に出題された論点と同じ論点が出題される傾向にありますので、頻出論点も制度をしっかり理解してしまえば、一気に得点につながる科目です。また、他の労働関係科目と比較して、テキストも薄く学習内容が少ないにもかかわらず、択一式での配点は6点と比重が大きいのです。つまり、**非常にコスパに長けており**、労働関係科目の中でも**得意としてもらいたい科目**なのです。

労災保険法や雇用保険法は難易度が高い年もあるので、ここはセットで出題される徴収法で高得点を狙っていきましょう。しっかり勉強すれば、必ず得点につながります。

2 徴収法とはどんな法律？

徴収法の制定前は、労災保険と雇用保険は、適用事務や保険料徴収事務を別々に行っていました。しかし、各制度の適用範囲の拡大から事業主に大きな事務負担が掛かることになり、効率的な運営を図る必要性が高まりました。そこで、**行政事務の簡素化と事業主の事務負担の軽減を図る目的**から、これらの事務をまとめて(一元的に)処理することとし、昭和44年に「労働保険の保険料の徴収等に関する法律」が制定され、昭和47年4月から施行されました。

即ち、適用事務や保険料徴収事務の効率化を目的として制定された法律です。

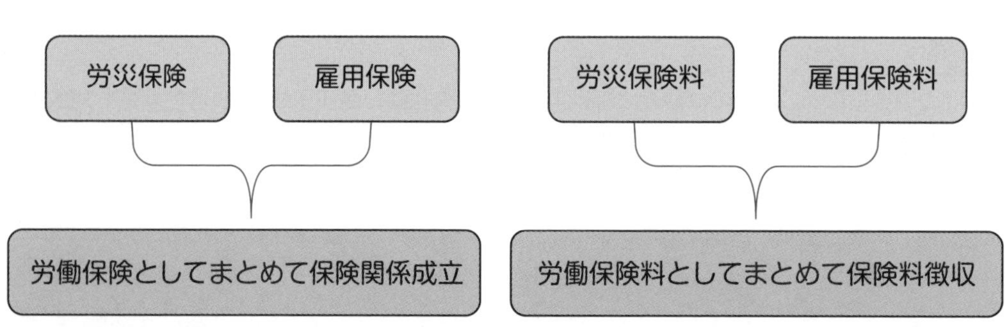

具体的には、労働保険の保険関係の成立及び消滅、労働保険料の納付の手続き等について定めています。このような経緯から、択一式で労災保険法、雇用保険法とセットで出題されます。どのように効率的に労働保険に関する事務を行うのかという点に注目しながら学習してみてください！

3 徴収法の事業

① 事業

徴収法の適用事務や保険料徴収事務等の手続きは、事業ごとに行っていきます。徴収法にいう事業とは、個々の本店、支店、工場、事務所のように**1つの経営組織として独立性をもった経営体**をいい、経営上一体をなす本店、支店、工場等を総合した企業そのものを指すのではありません。そしてこの**事業を単位として、労災保険及び雇用保険に係る保険関係が成立**していきます。

事業を単位として、労災保険及び雇用保険に係る保険関係が成立

例えば、東京に本社、大阪に支社を置くようなＴ株式会社があった場合、保険関係は東京本社、大阪支社それぞれ個別に成立します。当然、監督行政も東京本社なら東京の労働局等、大阪支社なら大阪の労働局等と変わってくるので、手続きの際の書類等の提出先も異なります。

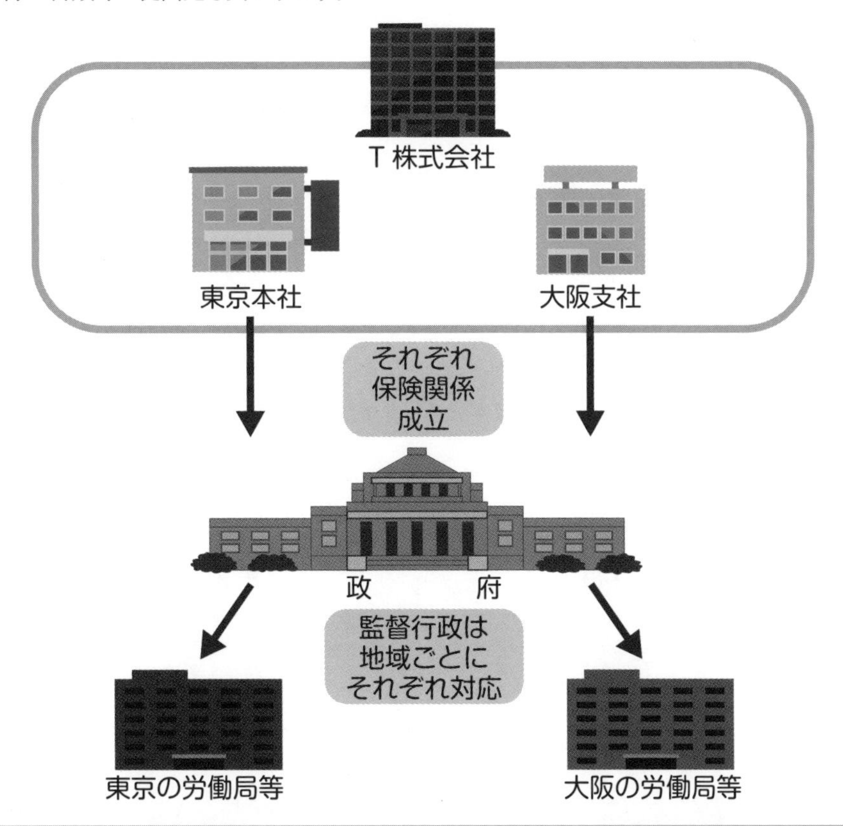

保険関係は、それぞれの事業単位で成立し、企業単位で成立するわけではない、という点は注意が必要ですね。

次に、事業は**継続事業と有期事業、一元適用事業と二元適用事業**に区分されます。

② 継続事業と有期事業

まずは、継続事業と有期事業から見ていきましょう。継続事業と有期事業は、雇用保険には関係なく、**労災保険の独自**の区分になります。この点は徴収法を理解する上で非常に大切なポイントになってきます。

継続事業とは、**事業の期間が予定されない事業**をいいます。簡単にいうと、事業が始まった時期から終わる時期が決まっていない事業です(ex.一般の工場や商店、事務所など)。

有期事業は、事業の期間が予定される事業、すなわち事業の性質上、**一定の予定期間に所定の事業目的を達成して終了する事業**をいいます(ex.建設工事、道路工事等の建設の事業、立木の伐採等の林業の事業)。

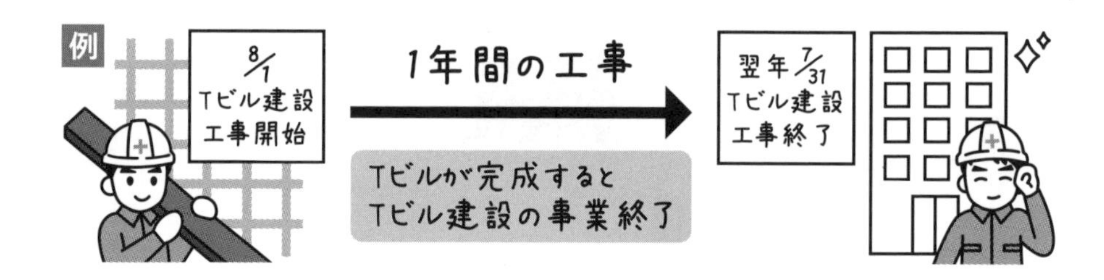

この継続事業と有期事業とでは、保険料の申告納付の対象期間が、その事業の**年度**単位で行われるか、**期間**単位で行われるかという違いがあります。

継続事業については、事業が続く限り各保険年度が終了する都度、保険料を精算していきます。

【継続事業⇨年度単位で保険料を精算】

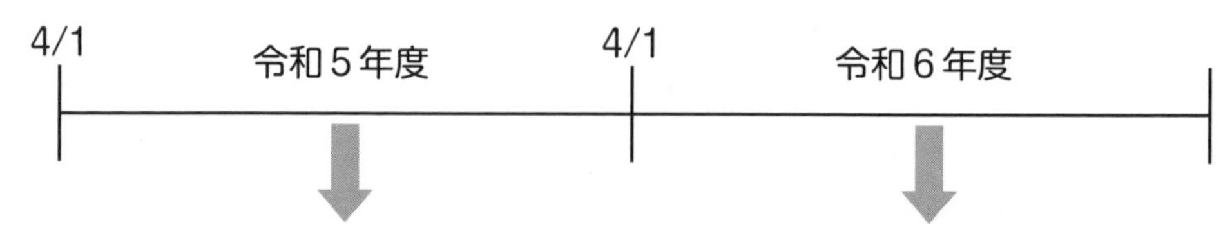

一方、有期事業の場合は、事業の開始から終了までの期間が保険料の申告納付の対象期間となります。

例えば、最初から期間が決まっているビルの建設現場であれば、建設現場ごとに保険関係が成立し、工事の終了に伴って保険関係が消滅すれば、その事業に関する保険料の精算を行います。

【有期事業⇨事業の期間単位で保険料を精算】

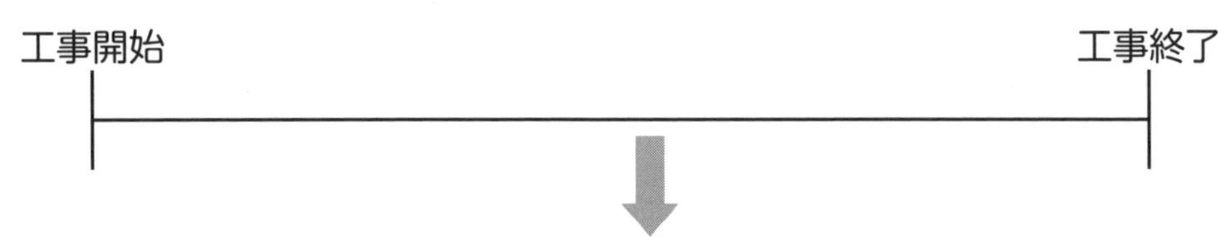

③ 一元適用事業と二元適用事業

今度はもうひとつの区分である、一元適用事業と二元適用事業を見ていきましょう。

徴収法は前述の通り、労災保険及び雇用保険の適用事務及び保険料徴収事務の一元化を目的としています。このように**両保険の事務を一元的に処理する事業を一元適用事業**といい、大部分の事業はこれに当たります。

【一元適用事業(社労士事務所)】

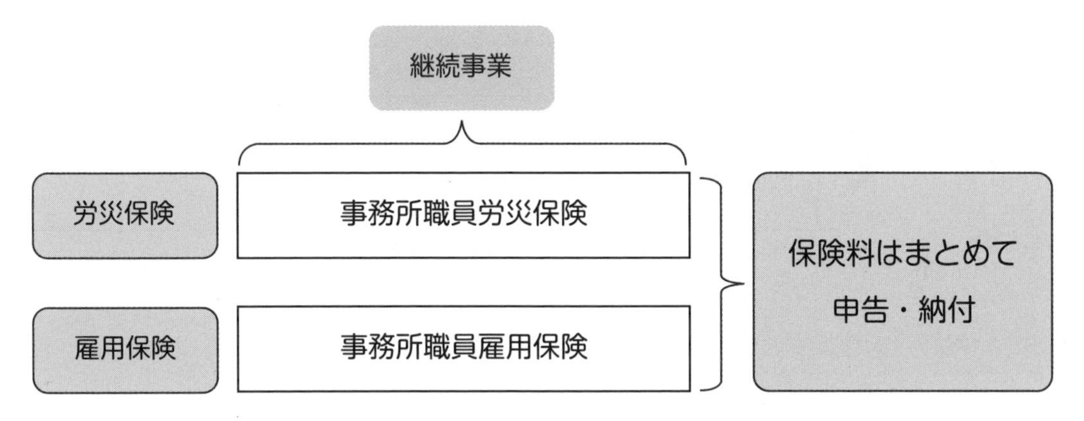

一元適用事業に対して、都道府県及び市町村の行う事業のように、両保険で適用を受ける労働者の範囲が異なったり、建設の事業のように、両保険で事業の適用単位が異なったりと、適用徴収を一元化することが難しい事業は、労災保険に係る保険関係と雇用保険に係る保険関係をそれぞれ別個の事業とみなして徴収法を適用します。このような事業を二元適用事業といいます。

例えば、建設の事業を行う会社においては、労災保険に係る保険関係はそれぞれ建設現場(有期事業)や事務所(継続事業)ごとに成立し、建設現場(有期事業)の工事の労災保険に係る保険関係は、工事が終了すれば消滅します。一方、この会社の事務所に雇用されている労働者については、個々の建設現場の工事の終了とは関係なく、雇用関係は存続するため、事務所(継続事業)の労災保険に係る保険関係及び雇用保険に係る保険関係は継続します。したがって、各保険関係を別個の事業として取り扱う二元適用事業となります。

【二元適用事業(建設業)】

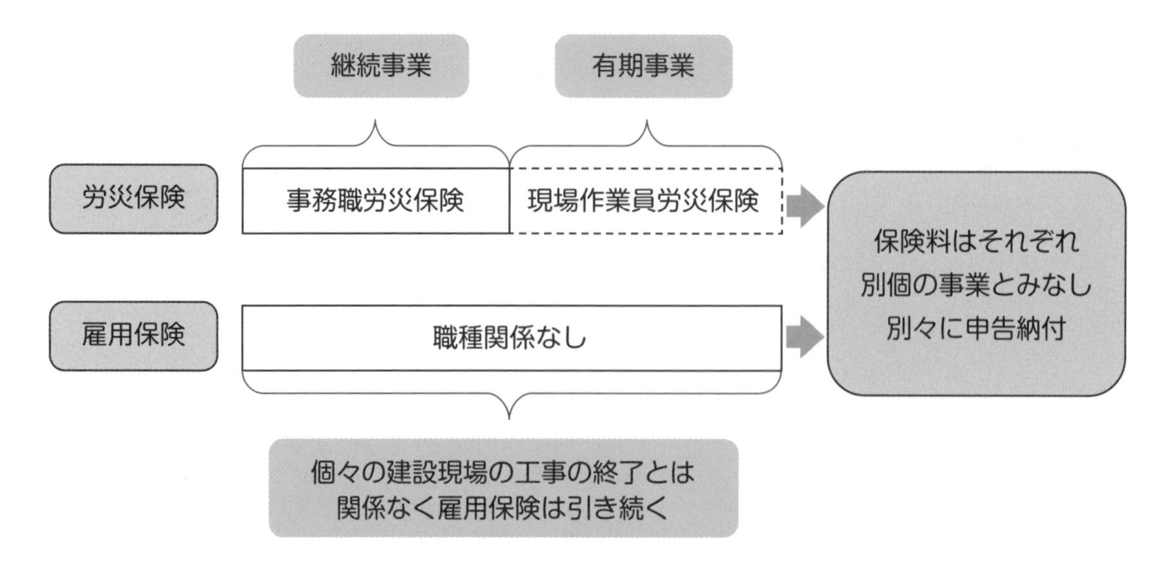

このように、建設現場は労災保険と雇用保険の適用単位が異なる二元適用事業であり、建設現場の労災保険の申告納付については各工事ごとに行い、雇用保険の申告納付については保険年度ごとに行うこととなります。

なお、建設の事業を行う会社における事務所(継続事業)については、労災保険についても、保険年度ごとに申告納付を行うこととなります。

ほとんどの事業が一元適用事業ですが、適用徴収の一元化になじまない事業に限り、特例的に二元適用事業になるということですね!

4 労災保険、雇用保険の保険料率の算定と保険料の徴収

徴収法では、労災保険、雇用保険の保険料の徴収は、労働保険料として一括して徴収の事務を行いますが、具体的にはどのように保険料を徴収するのか見ていきましょう。

まず、労災保険の保険料、雇用保険の保険料は労働保険料の一般保険料として徴収されます。その一般保険料ですが、下記の計算式で算定が行われます。

賃金総額×一般保険料率=一般保険料の額

この計算式に出てくる**一般保険料率**は、保険関係によってそれぞれ次の通りとなります。

【労災保険及び雇用保険に係る保険関係が成立している事業】

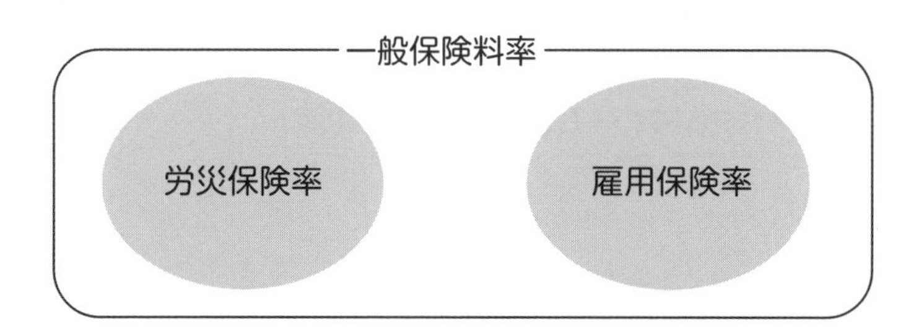

→それぞれの保険関係が成立しているためそれぞれの保険率を足したものが一般保険料率

【労災保険又は雇用保険に係る保険関係のみが成立している事業】

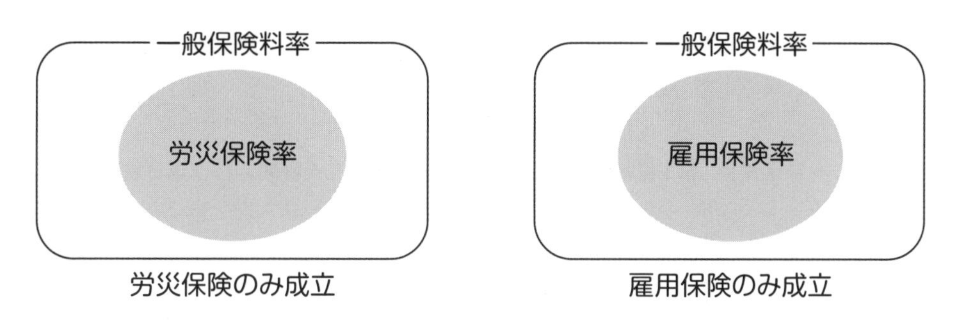

→一方の保険関係しか成立していないため成立している保険に係る保険率が一般保険料率

労災保険、雇用保険の両保険関係が成立している事業であれば、**労災保険率と雇用保険率を足したものを、一般保険料率とすることにより徴収事務を一元的に行っています。**

続いて、**賃金総額**とは、**事業主がその事業に使用するすべての労働者に支払う賃金の総額**をいいます。

徴収法の賃金総額の算定に当たり、**恩恵的なもの、福利厚生的なもの、実費弁償的なもの**として支給される金品は、事業主が労働者に支払うものであっても、労働の対償として支払うものではないため、原則として賃金総額に算入しません。

また、**支給基準が労働協約、就業規則等によりあらかじめ明確に定められている退職金、慶弔見舞金などの額も、原則として賃金総額には算入しないことに注意**しましょう。

では、具体例を見ていきましょう。

【具体例】

令和6年度の賃金総額1,000万円

労災保険率3/1000、雇用保険率15.5/1000

一般保険料率は、3/1000＋15.5/1000＝**18.5/1000**となります。

よって一般保険料は、1,000万円×18.5/1000＝**185,000円**ということになります。

また、両保険制度上の労働者の範囲が異なることから、同じ労働者の賃金総額が労災保険と雇用保険とで一致しないこともあります。例えば、学生さんや週の所定労働時間が20時間未満のパートさんがいらっしゃるような事業ですね。これらの方々は、労災保険の適用は受けますが、雇用保険の適用は受けません。このような場合は、個々の賃金総額にそれぞれの保険料率を乗じて得た額の合計金額を一般保険料とする算定の特例もありますので、押さえておきましょう。計算式で表すと下記の通りです。

一般保険料の額＝(賃金総額×労災保険率)＋(賃金総額×雇用保険率)

5 継続事業の概算保険料･確定保険料の申告納付

最後に労働保険料の実際の申告納付の流れを見ていきましょう。

〈用語の定義〉

概算保険料…保険料の算定の対象となる期間の初めに概算額として納付する保険料
その期間の見込み保険料額

確定保険料…保険料の算定の対象となる期間の終了後に確定額として納付する保険料
その期間に実際に必要だった保険料額

労働保険料のうち、**一般保険料**、**第１種特別加入保険料**、**第２種特別加入保険料**及び**第３種特別加入保険料**については、まず概算保険料を申告･納付します。その後、確定保険料を申告し、概算額と確定額の過不足を精算するしくみをとっています。

継続事業は、前年度の確定保険料の申告は当年度の概算保険料の申告と同時に行うことになっており、この流れを**年度更新の手続き**といいます。前年度の確定保険料の申告と当年度の概算保険料の申告を同時に行うことにより、徴収事務の簡素化、効率化が図られているんですね。概算保険料、確定保険料の申告、納付の流れは**セットで押さえることが理解のためには重要**です。

では、継続事業で具体例を見ていきましょう。

【具体例】

- **令和４年７月１日に保険関係成立**
- **令和４年度　概算保険料80万円**
- **令和４年度　確定保険料100万円**
- **令和５年度　概算保険料100万円**
- **令和５年度　確定保険料90万円**
- **令和６年度　概算保険料90万円**

【令和４年７月１日に保険関係成立】

⇒保険年度の中途に保険関係が成立した場合は、保険関係が成立した日から**50日以内**に概算保険料を納付する必要があるため、令和４年８月20日までに概算保険料を納付します。

令和４年度(令和４年７月１日～令和５年３月31日)の見込みの保険料額は80万円ですので、**令和４年８月20日までに80万円概算保険料を納付**します。

【令和４年度の確定保険料、令和５年度の概算保険料】

⇒令和４年度の確定保険料は100万円なので事前に納付している概算保険料から保険料の不足が20万円生じます。つまり、20万円納付しないといけないんですね。また、令和５年度の概算保険料は100万円でした。したがって、**追加で令和４年度の不足保険料20万円**、**令和５年度の概算保険料100万円**の**計120万円**を**令和５年６月１日から40日以内**(令和５年７月10日) **に納付**します。この流れが**年度更新の手続き**です。令和４年度の不足保険料、令和５年度の概算保険料を同時に申告するため、合わせて１枚の申告書で申告できてしまいます。

【令和５年度の確定保険料、令和６年度の概算保険料】

⇒令和５年度の確定保険料は90万円なので、事前に納付している概算保険料から保険料の超過が10万円生じます。つまり、10万円納付しすぎたんですよね。これの帳尻をあわせるために、令和６年度の概算保険料90万円から先程の**令和５年度の超過保険料10万円**を精算した**計80万円**を**令和６年６月１日から40日以内**(令和６年７月10日)**に納付**することになるのです。

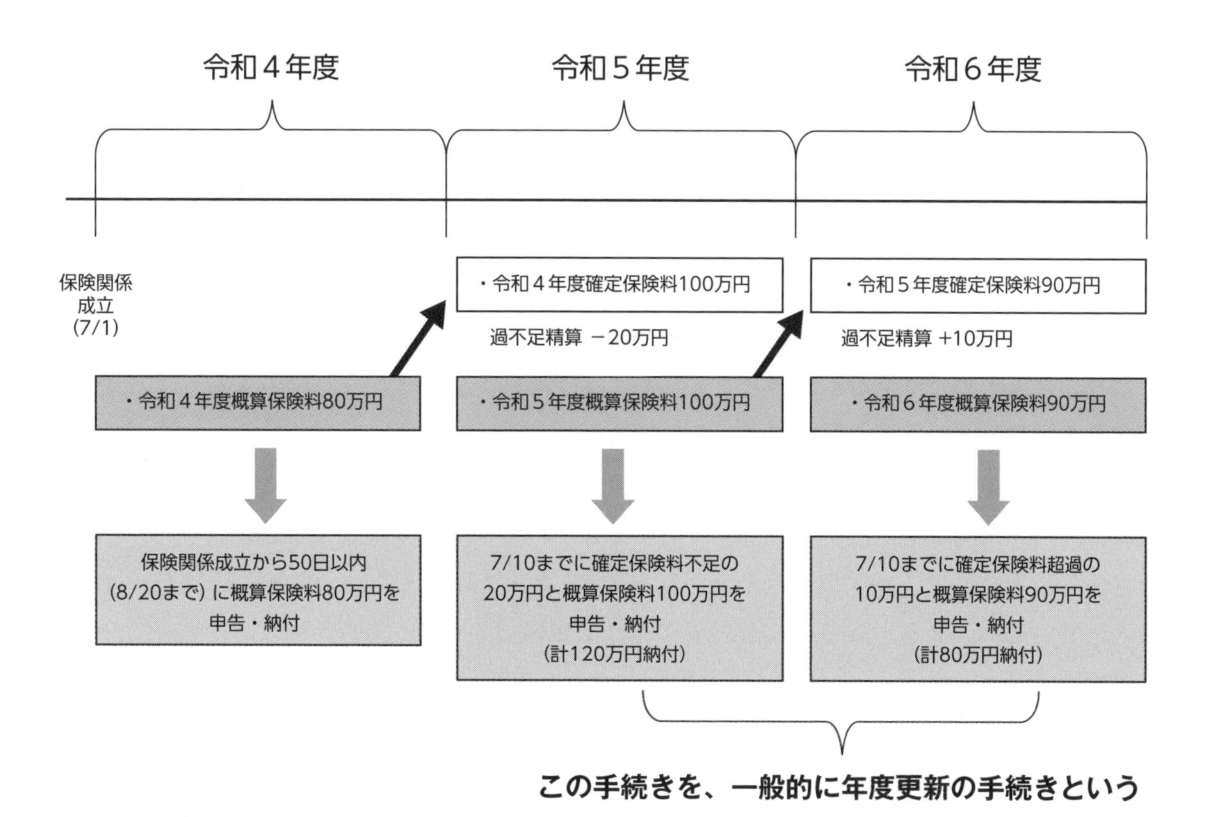

さいごに

最後まで読んでいただきまして誠にありがとうございます。今回記載の内容は試験対策上、非常に重要な論点になりますので、徴収法の学習の際は今回学習した論点を思い出し学習に励んでください。苦手科目とされている方も多い徴収法ですが、大事な得点源ですので、得意科目になるようにがんばってください！

書類に注目！ 雇用保険の受給手続き

TAC社会保険労務士講座　専任講師　**下野 恵江**

受験勉強はかどっていますか？　広島校の速修講座を担当している下野です。

いきなりですが、私の受験生時代の得意科目は雇用保険でした。なぜかって？　それは私自身が基本手当を２回受給したことがあり、自分の経験と照らし合わせてスムーズに知識を定着させることができたからです。

受講生の方から雇用保険が苦手という声をよく聞きます。理由としては「条文から手続きのイメージが湧かない」「書類の名前がややこしい」など。そんなときは冗談交じりで「基本手当の受給手続きは１回失業するとわかりますよ」なんて言ってみたりするのですが……社労士試験のために仕事を辞めるなんて現実的には無理ですよね。今回、私のコーナーでは雇用保険被保険者の離職時、再就職時等の受給手続きを事例になぞり、実際に使う書類を確認してみることで、雇用保険の苦手克服につなげたいと思います。わざわざ仕事を辞めなくても、受給手続きの流れが理解できますよ。文中に登場する豆知識は試験には直接関係ないかもしれませんが、受給手続きのおまけポイントとして読んでくださいね。では、さっそく事例を見てみましょう。まずは、今回の登場人物、太郎さんを紹介します。

太郎さん　33歳

６年間正社員として勤めた会社を先月、自己都合退職（正当な理由によるものではない）。まだ転職先は決まっていません。
被保険者期間６年、障害者等の就職困難者ではありません。

①　会社を辞めるともらえる書類

太郎さんが辞めた会社から郵送でこんなものが届きました。

雇用保険の書類のようですよ。中身を確認すると離職票が２枚入っていました。

雇用保険被保険者離職票1（様式6号(1)）

（ハローワークインターネットサービスより）

退職した会社名や太郎さんの名前等が印字されています。

マイナンバーは印字されませんので太郎さん自身が記入します。

様式第6号(1)
交付番号 （　　）
交付年月日 041005

雇用保険被保険者 離職票－1
資格喪失確認通知書（被保険者通知用）

再交付 GEE.MM.DD
99-99999999
（短）

帳票種別 16200

1. 被保険者番号 4800-010566-2
2. 資格取得年月日 4-000401
3. 離職年月日 5-040930
4. 被保険者種類 1（1又は9 一般／4又は5 高年齢／2又は3 短期／11 高年齢(65歳以上)）
5. 再交付表示（1 再交付）

離職者氏名 コヨウ タロウ
性別 1（1 男　2 女）
生年月日（元号－年月日） 4 010416（2 大正　3 昭和　4 平成　5 令和）
喪失原因 2（1 離職以外の理由　2 3以外の離職　3 事業主の都合による離職）
離職票交付希望 1（1 有　2 無）

事業所番号 4801-001186-9
管轄区分 0
事業所名略称 労働市場センター株式会社
産業分類 37 通信業

6. 個人番号
7. 番号複数取得チェック不要（チェック・リストが出力されたが、調査の結果、同一人でなかった場合に「1」を記入。）
8. 住居所管轄安定所
10. 認定日（一般）

個人番号はハローワークに来所してから、窓口で申請者本人が記入してください。

※9. 求職申込年月日　元号　年　月　日
受給資格等決定年月日　元号
12. 賃金日額（区分－日額又は総額）　区分（1 日額　2 総額）　円

11. 認定予定日（高年齢・短期）　月　日
14. 離職理由
17. 金融機関・店舗コード　口座番号

13. 所定給付日数の決定に係る対象者区分（1～6）
15. 求職番号
16. 特殊表示区分又は激甚指定期限年月日（特殊表示区分の場合は左から3桁目に記入。激甚指定期限年月日の場合は、元号－年月日の形式で記入。）

18. 支払区分（0 抹消　1 安定所現金払　2 安定所送金払　3 労働局送金払）
19. 区分－氏名（ｶﾅ）　区分（空欄 分かち書き　1 氏名変更）

（なるべく折り曲げないようにし、やむをえない場合には折り曲げマーク（▶）の所で折り曲げてください。）

（この用紙は、このまま機械で処理しますので、汚さないようにしてください。）

備考　離職時年齢 33 歳
支払方法は未登録です。

公共職業安定所長　公共職業安定所長印

※ 所属長　次長　課長　係長　係　操作者

基本手当日額（　　）円
所定給付日数（　　）日
支給番号（　　）

求職者給付等払渡希望金融機関指定届　（切り取らないでください。）

届出者	フリガナ	コヨウ タロウ			
	1 氏名	雇用 太郎			
	2 住所又は居所	富士吉田市竜ヶ丘２－４－３			
20. 払渡希望金融機関	フリガナ			金融機関コード	店舗コード
	3 名称	○○銀行	本店 支店		
	4 銀行等（ゆうちょ銀行以外）	口座番号	（普通）　1234567		
	5 ゆうちょ銀行	記号番号	（総合）　－		

基本手当等を振り込むための銀行口座を記入する欄があります。

雇用保険被保険者離職票２（様式６号（２））

（ハローワークインターネットサービスより）

実はもともとこの用紙は３枚複写になっていてその３枚目のみが太郎さん、つまり離職者に渡されます。

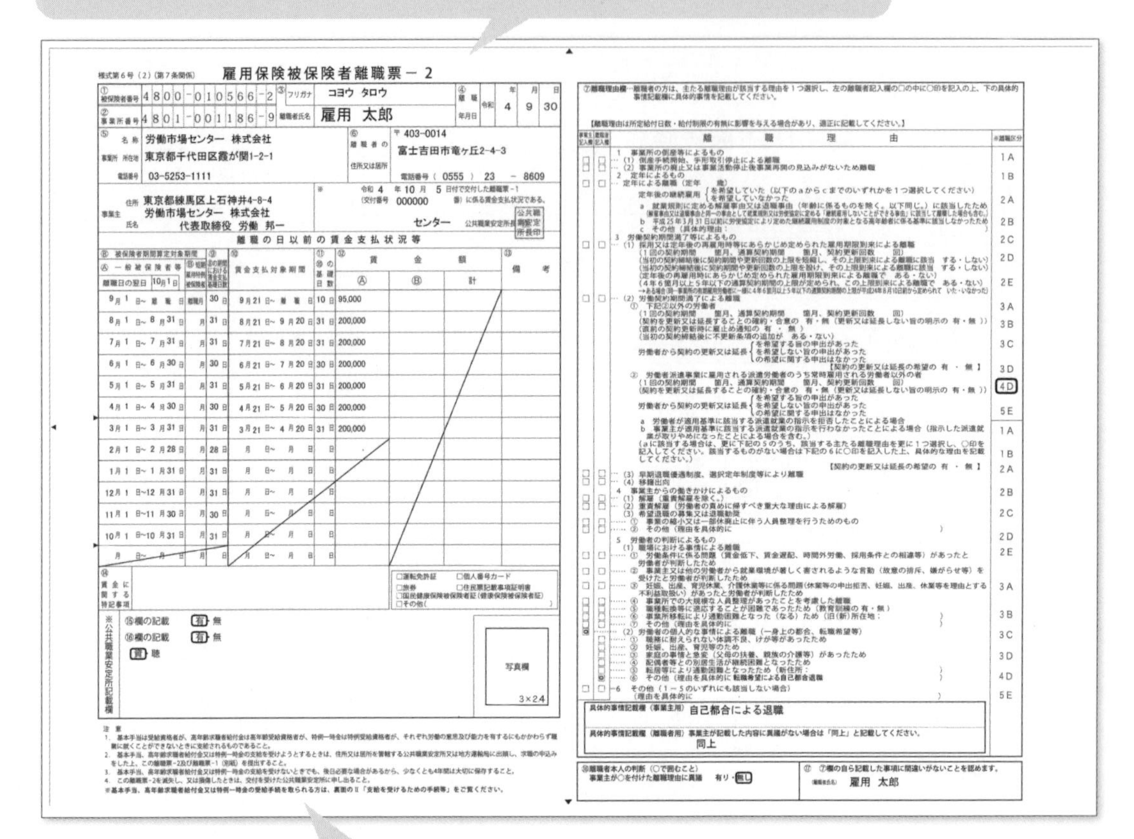

様式第６号（２）（第７条関係）

雇用保険被保険者離職票－２

①被保険者番号	4800-010566-2	③フリガナ	コヨウ タロウ	④離職年月日	令和 4年 9月 30日
②事業所番号	4801-001186-9	離職者氏名	雇用 太郎		
⑤事業所 名称	労働市場センター 株式会社	⑥離職者の住所又は居所	〒403-0014 富士吉田市竜ヶ丘2-4-3		
所在地	東京都千代田区霞が関1-2-1		電話番号（0555）23－8609		
電話番号	03-5253-1111				

事業主 住所 東京都練馬区上石神井4-8-4
氏名 労働市場センター 株式会社 代表取締役 労働 邦一

※ 令和 4 年 10 月 5 日付で交付した離職票－1（交付番号 000000 番）に係る賃金支払状況である。
センター 公共職業安定所長 公共職業安定所長印

離職の日以前の賃金支払状況等

⑧ 被保険者期間算定対象期間 Ⓐ 一般被保険者等（離職日の翌日 10月1日）	Ⓑ 短期雇用特例被保険者	⑨ ⑧の期間における賃金支払基礎日数	⑩ 賃金支払対象期間	⑪ ⑩の基礎日数	⑫ 賃金額 Ⓐ	Ⓑ	計	⑬ 備考
9月1日～離職日	離職月	30日	9月21日～離職日	10日	95,000			
8月1日～8月31日	月	31日	8月21日～9月20日	31日	200,000			
7月1日～7月31日	月	31日	7月21日～8月20日	31日	200,000			
6月1日～6月30日	月	30日	6月21日～7月20日	30日	200,000			
5月1日～5月31日	月	31日	5月21日～6月20日	31日	200,000			
4月1日～4月30日	月	30日	4月21日～5月20日	30日	200,000			
3月1日～3月31日	月	31日	3月21日～4月20日	31日	200,000			
2月1日～2月28日	月	28日	月 日～ 月 日	日				
1月1日～1月31日	月	31日	月 日～ 月 日	日				
12月1日～12月31日	月	31日	月 日～ 月 日	日				
11月1日～11月30日	月	30日	月 日～ 月 日	日				
10月1日～10月31日	月	31日	月 日～ 月 日	日				
月 日～ 月 日	月	日	月 日～ 月 日	日				

⑭ 賃金に関する特記事項

□運転免許証 □個人番号カード □旅券 □住民票記載事項証明書 □国民健康保険被保険者証（健康保険被保険者証） □その他（ ）

※公共職業安定所記載欄
⑮欄の記載 有・無
⑯欄の記載 有・無
資・聴

写真欄 3×2.4

注 意
1. 基本手当は受給資格者が、高年齢求職者給付金は高年齢受給資格者が、特例一時金は特例受給資格者が、それぞれ労働の意思及び能力を有するにもかかわらず職業に就くことができないときに支給されるものであること。
2. 基本手当、高年齢求職者給付金又は特例一時金の支給を受けようとするときは、住所又は居所を管轄する公共職業安定所又は地方運輸局に出頭し、求職の申込みをした上、この離職票－2及び離職票－1（別紙）を提出すること。
3. 基本手当、高年齢求職者給付金又は特例一時金の支給を受けないときでも、後日必要な場合があるから、少なくとも4年間は大切に保存すること。
4. この離職票－2を滅失し、又は損傷したときは、交付を受けた公共職業安定所に申し出ること。
※基本手当、高年齢求職者給付金又は特例一時金の受給手続を取られる方は、裏面のⅡ「支給を受けるための手続等」をご覧ください。

⑦離職理由欄…離職者の方は、主たる離職理由が該当する理由を１つ選択し、左の離職者記入欄の□の中に○印を記入の上、下の具体的事情記載欄に具体的事情を記載してください。

【離職理由は所定給付日数・給付制限の有無に影響を与える場合があり、適正に記載してください。】

事業主記入欄 / 離職者記入欄 / 離職理由 / ※離職区分

1 事業所の倒産等によるもの
□□…（1）倒産手続開始、手形取引停止による離職 — 1A
□□…（2）事業所の廃止又は事業活動停止後事業再開の見込みがないため離職 — 1B
2 定年によるもの
□□…定年による離職（定年 歳）— 2A
定年後の継続雇用｛を希望していた（以下のaからcまでのいずれかを１つ選択してください）／を希望していなかった
a 就業規則に定める解雇事由又は退職事由（年齢に係るものを除く。以下同じ。）に該当したため（解雇事由又は退職事由と同一の事由として就業規則又は労使協定に定める「継続雇用しないことができる事由」に該当して離職した場合も含む。）— 2B
b 平成25年3月31日以前に労使協定により定めた継続雇用制度の対象となる高年齢者に係る基準に該当しなかったため — 2C
c その他（具体的理由： ）
3 労働契約期間満了等によるもの
□□…（1）採用又は定年後の再雇用時等にあらかじめ定められた雇用期限到来による離職 — 2D
（1回の契約期間 箇月、通算契約期間 箇月、契約更新回数 回）
（当初の契約締結後に契約期間や更新回数の上限を短縮し、その上限到来による離職に該当 する・しない）
（当初の契約締結後に契約期間や更新回数の上限を設け、その上限到来による離職に該当 する・しない）— 2E
（定年後の再雇用時にあらかじめ定められた雇用期限到来による離職で ある・ない）
（4年6箇月以上5年以下の通算契約期間の上限が定められ、この上限到来による離職で ある・ない）
→ある場合（同一事業所の有期雇用労働者に一様に4年6箇月以上5年以下の通算契約期間の上限が平成24年8月10日前から定められて いた・いなかった）
□□…（2）労働契約期間満了による離職 — 3A
① 下記②以外の労働者
（1回の契約期間 箇月、通算契約期間 箇月、契約更新回数 回）— 3B
（契約を更新又は延長することの確約・合意の 有・無（更新又は延長しない旨の明示の 有・無））
（直前の契約更新時に雇止め通知の 有・無）— 3C
（当初の契約締結後に不更新条項の追加が ある・ない）
労働者から契約の更新又は延長｛を希望する旨の申出があった／を希望しない旨の申出があった／の希望に関する申出はなかった — 3D
【契約の更新又は延長の希望の 有・無】
② 労働者派遣事業に雇用される派遣労働者のうち常時雇用される労働者以外の者 — 4D（○囲み）
（1回の契約期間 箇月、通算契約期間 箇月、契約更新回数 回）
（契約を更新又は延長することの確約・合意の 有・無（更新又は延長しない旨の明示の 有・無））— 5E
労働者から契約の更新又は延長｛を希望する旨の申出があった／を希望しない旨の申出があった／の希望に関する申出はなかった
a 労働者が適用基準に該当する派遣就業の指示を拒否したことによる場合 — 1A
b 事業主が適用基準に該当する派遣就業の指示を行わなかったことによる場合（指示した派遣就業が取りやめになったことによる場合を含む。）— 1B
（aに該当する場合は、更に下記の５のうち、該当する主たる離職理由を更に１つ選択し、○印を記入してください。該当するものがない場合は下記の６に○印を記入した上、具体的な理由を記載してください。）
【契約の更新又は延長の希望の 有・無】— 2A
□□…（3）早期退職優遇制度、選択定年制度等により離職
□□…（4）移籍出向 — 2B
4 事業主からの働きかけによるもの
□□…（1）解雇（重責解雇を除く。）— 2C
□□…（2）重責解雇（労働者の責めに帰すべき重大な理由による解雇）
（3）希望退職の募集又は退職勧奨
□□……① 事業の縮小又は一部休廃止に伴う人員整理を行うためのもの — 2D
□□……② その他（理由を具体的に ）
5 労働者の判断によるもの — 2E
（1）職場における事情による離職
□□……① 労働条件に係る問題（賃金低下、賃金遅配、時間外労働、採用条件との相違等）があったと労働者が判断したため
□□……② 事業主又は他の労働者から就業環境が著しく害されるような言動（故意の排斥、嫌がらせ等）を受けたと労働者が判断したため — 3A
□□……③ 妊娠、出産、育児休業、介護休業等に係る問題（休業等の申出拒否、妊娠、出産、休業等を理由とする不利益取扱い）があったと労働者が判断したため
□□……④ 事業所での大規模な人員整理があったことを考慮した離職 — 3B
□□……⑤ 職種転換等に適応することが困難であったため（教育訓練の 有・無）
□□……⑥ 事業所移転により通勤困難となった（なる）ため（旧（新）所在地： ）
□□……⑦ その他（理由を具体的に ）— 3C
☑……（2）労働者の個人的な事情による離職（一身上の都合、転職希望等）
□……① 職務に耐えられない体調不良、けが等があったため — 3D
□……② 妊娠、出産、育児等のため
□……③ 家庭の事情と急変（父母の扶養、親族の介護等）があったため — 4D
□……④ 配偶者等との別居生活が継続困難となったため
□……⑤ 転居等により通勤困難となったため（新住所： ）
☑……⑥ その他（理由を具体的に 転職希望による自己都合退職 ）— 5E
□□…6 その他（1－5のいずれにも該当しない場合）（理由を具体的に ）

具体的事情記載欄（事業主用） 自己都合による退職

具体的事情記載欄（離職者用） 事業主が記載した内容に異議がない場合は「同上」と記載してください。
同上

⑯離職者本人の判断（○で囲むこと）
事業主が○を付けた離職理由に異議 有り・無し

⑰ ⑦欄の自ら記載した事項に間違いがないことを認めます。
（離職者氏名） 雇用 太郎

ちなみに１枚目は雇用保険被保険者離職証明書事業主控、２枚目は離職証明書ハローワーク提出用です。

退職後に事業主がハローワーク（所轄公共職業安定所）で被保険者資格喪失届と離職証明書の手続きをすることで返ってくる書類が離職票２です。その際、離職票１が新たに発行され、事業主経由で離職者に渡されます。書類の流れを整理すると、次のようになります。

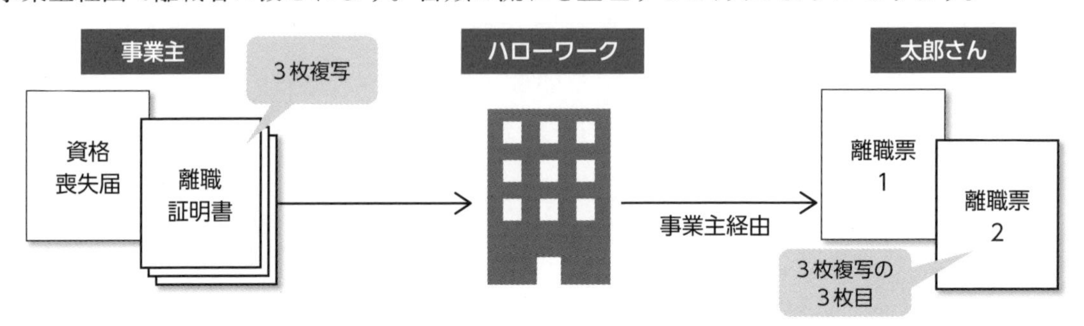

豆知識

「離職票１、２」は離職者に郵送されることが多いです。なぜなら、資格喪失届は退職後でないと届出ができませんので、すでに退職している離職者は会社に来ていないためです。離職票を待っている離職者のために、事業主は早く手続きをしなくちゃいけません。だから資格喪失届は被保険者でなくなった日の翌日から10日以内と決まっているのですね（ちなみに、資格の取得は被保険者になった日の属する月の翌月10日まででですよ！ちょっとのんびり？）。

まだ再就職決まらないなぁ。
書類はそろったし、基本手当を受給しようかなぁ。

② 求職の申込み～住所地のハローワークへ

太郎さんは基本手当をもらうために、自分の住所地のハローワーク（管轄公共職業安定所）へ行きました。

ハローワークで太郎さんは「求職の申込み」をして、離職票１と２を提出しました。この書類の内容によって「受給資格の決定」が行われます。

もし事業主が記入した離職理由に異議があれば、このときに記入することができます（離職票２に記入欄があります）。今回太郎さんは自己都合退職でしたから異議はありませんでした。

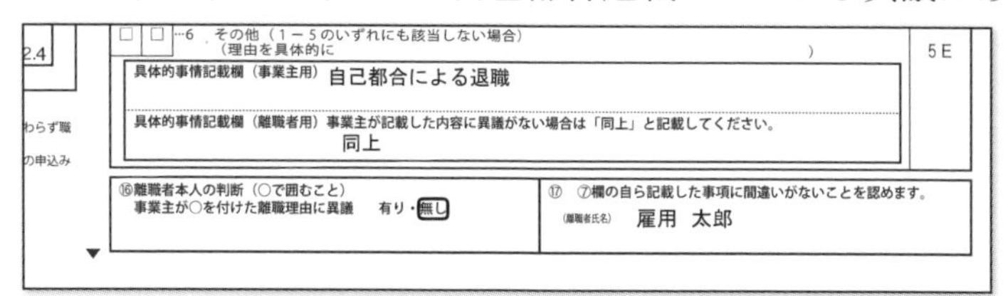
2.4
□ □ …6 その他（１－５のいずれにも該当しない場合）
（理由を具体的に　　　　）
5E
具体的事情記載欄（事業主用） 自己都合による退職
具体的事情記載欄（離職者用） 事業主が記載した内容に異議がない場合は「同上」と記載してください。
同上
わらず職
の申込み
⑯離職者本人の判断（○で囲むこと）
事業主が○を付けた離職理由に異議　有り・無し
⑰ ⑦欄の自ら記載した事項に間違いがないことを認めます。
（離職者氏名） 雇用 太郎

豆知識

初めてハローワークに行って、求職の申込みをした曜日がこれから先の失業認定日の曜日になります。失業の認定日は簡単に変えられないのはご存じですよね。だから、自分の予定があまり入っていない曜日にハローワークに行ったほうが良いですよ。例えば毎週月・木はTACに行く日！　なんて方は、月・木は避けたほうが良いでしょう。

手続きが完了したら、受給資格通知（全件版）もしくは受給資格者証〔様式第11号（第17条の２関係）〕がもらえます。

求職の申込みの際、ハローワークへマイナンバーカードを提出すれば、「受給資格通知（全件版）」、マイナンバーカードを提出しなければ、「受給資格者証」を受け取ることになります。太郎さんはマイナンバーカードを持っていなかったため、「受給資格者証」を受け取りました。

雇用保険受給資格者証〔様式11号（第17条の２関係）〕

（雇用保険に関する業務取扱要領より）

少し厚めの用紙です。これから毎回失業認定日に持っていく必要があるため、少しだけ丈夫な紙でできています。

おもて

マイナンバーカードを提出すれば、写真欄のない受給資格通知を受けとることになるので、写真の準備は不要です。この場合の本人確認はマイナンバーカードを利用します。

うら

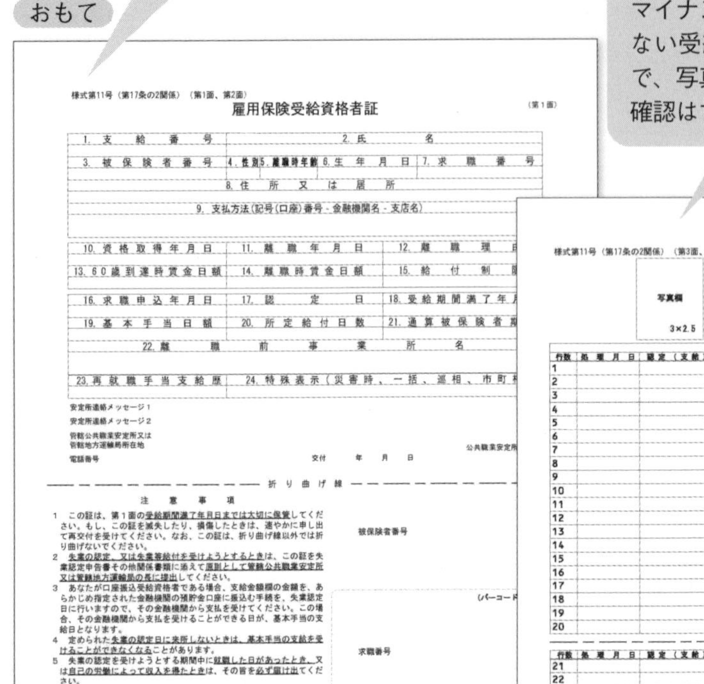

様式第11号（第17条の2関係）（第1面、第2面）

（第１面）

雇用保険受給資格者証

1. 支給番号	2. 氏名			
3. 被保険者番号	4. 性別	5. 離職時年齢	6. 生年月日	7. 求職番号
8. 住所又は居所				
9. 支払方法（記号（口座）番号 - 金融機関名 - 支店名）				

10. 資格取得年月日	11. 離職年月日	12. 離職理由
13. 60歳到達時賃金日額	14. 離職時賃金日額	15. 給付制限
16. 求職申込年月日	17. 認定日	18. 受給期間満了年月日
19. 基本手当日額	20. 所定給付日数	21. 通算被保険者期間
22. 離職前事業所名		
23. 再就職手当支給歴	24. 特殊表示（災害時、一括、巡相、市町村	

安定所連絡メッセージ１

安定所連絡メッセージ２

管轄公共職業安定所又は
管轄地方運輸局所在地

電話番号　　　交付　　年　　月　　日　　公共職業安定所

折り曲げ線

注意事項

1　この証は、第１面の受給期間満了年月日までは大切に保管してください。もし、この証を滅失したり、損傷したときは、速やかに申し出て再交付を受けてください。なお、この証は、折り曲げ線以外では折り曲げないでください。
2　失業の認定、又は失業等給付を受けようとするときは、この証を失業認定申告書その他関係書類に添えて原則として管轄公共職業安定所又は管轄地方運輸局の長に提出してください。
3　あなたが口座振込受給資格者である場合、支給金額欄の金額を、あらかじめ指定された金融機関の預貯金口座に振込む手続を、失業認定日に行いますので、その金融機関から支払を受けてください。この場合、その金融機関から支払を受けることができる日が、基本手当の支給日となります。
4　定められた失業の認定日に来所しないときは、基本手当の支給を受けることができなくなることがあります。
5　失業の認定を受けようとする期間中に就職した日があったとき、又は自己の労働によって収入を得たときは、その旨を必ず届け出てください。
6　偽りその他不正の行為によって失業等給付を受けたり、又は受けようとしたときは、以後失業等給付を受けることができなくなるばかりでなく、不正受給した金額の返還と更にそれに加えて一定の金額の納付を命ぜられ、また、処罰される場合があります。
7　氏名又は住所若しくは居所を変更したときは、その後最初に来所した失業の認定日に届書を提出してください。
8　第１面に書かれている所定給付日数は、受給期間満了年月日までの間に基本手当（傷病手当）の支給を受けることができる最大限の日数です。
9　失業等給付に関する処分又は上記６の返還若しくは納付を命ずる処分について不服があるときは、その処分があったことを知った日の翌日から起算して３箇月以内に　　　　雇用保険審査官に対して審査請求をすることができます。
10　雇用保険について分からないことがあった場合には、公共職業安定所又は地方運輸局の窓口で御相談ください。

被保険者番号

（バーコード

求職番号

（バーコード

支給番号

雇用保険説明会　　年　　月　　日　出席済

様式第11号（第17条の2関係）（第3面、第4面）

（第３面）

写真欄
3×2.5

支給番号

氏名

処理状況

行数	処理月日	認定（支給）期間	日数	種類	支給金額	残日数	備考
1							
2							
3							
4							
5							
6							
7							
8							
9							
10							
11							
12							
13							
14							
15							
16							
17							
18							
19							
20							

折り曲げ線

行数	処理月日	認定（支給）期間	日数	種類	支給金額	残日数	備考
21							
22							
23							
24							
25							
26							
27							
28							
29							
30							
31							
32							
33							
34							
35							
36							
37							
38							
39							
40							
41							
42							
43							
44							

（第４面）

おもて面は受給資格者の氏名等の個人情報のほか、離職理由や基本手当日額等、給付に関する基本的情報が印字されています。
うら面は受給資格者の写真と基本手当の支給額、残日数等の支給情報が認定日のつど、印字され追加されるようになっています。

豆知識

実際は「求職の申込みの日」と「受給資格者証がもらえる日」は別日のことが多いです。求職の申込みをしたら後日、受給説明会が開かれ、その際に受給資格通知や受給資格者証が渡されます。

さて、太郎さんは無事、受給資格者として基本手当を受給できることになりました。では太郎さんの「算定基礎期間」が６年とすると何日分の基本手当を受給できるでしょうか。

ちなみに「算定基礎期間」とは受給できる基本手当の日数を決める期間であり、「被保険者であった期間」です。「被保険者期間」のように各月の賃金支払基礎日数が11日以上（又は賃金支払基礎時間数が80時間以上）である必要はありません（このほかに、転職等した場合の通算の仕方は大事な論点なので、ぜひお手持ちのテキストなどでチェックしてくださいね！）。

太郎さんの算定基礎期間は６年。自己都合退職ですから、受給できる基本手当の日数は90日ということになります。ただし、太郎さんは離職理由による給付制限が行われるため、実際には７日間の待期満了後すぐには給付されません。１箇月以上３箇月以内の間で給付制限が行われ、その後基本手当がもらえます。

太郎さんは、待期と離職理由による給付制限が満了し、初めて失業の認定を受けることになりました。

③　失業の認定時の手続きは？

太郎さんは指定された失業認定日にハローワークに行きました。

必要なものは、記入済みの「失業認定申告書」と求職の申込み時にもらった「受給資格者証」です。

申告書の内容から失業と認定されれば、受給資格者証に認定された日数や給付額、残日数等が印字されて受給資格者証のみ返却されます。

太郎さんは失業認定申告書に求職活動した会社名などを記入して受給資格者証と一緒にハローワークに提出し、職業の紹介を求めました。そして、失業と認定された日数分の基本手当の給付を受けることができました。実際は、前述の離職票１に振込先を指定する欄がありますので、その指定した振込先に後日振り込まれます。

豆知識

受給資格通知を持っている場合（つまり、求職の申込み時にマイナンバーカードを提出していた場合）は失業認定時にはマイナンバーカードと電子証明書のパスワードで本人認証を行います。つまり、「マイナンバーカード」と「失業認定申告書」があればよいということになります。同じ紙に処理内容を追記で印字する受給資格者証と違い、受給資格通知は失業認定の処理結果が印字された新たな受給資格通知が失業認定ごとに毎回交付されます。

ちなみに、パスワードによる本人認証は最新の処理状況が印字された受給資格通知があれば省略可能です。

失業認定申告書〔様式14号(第22条関係)〕

(ハローワークインターネットサービスより)

様式第14号（第22条関係）（第1面）

失業認定申告書

（必ず第２面の注意書きをよく読んでから記入してください。）

※ 帳票種別 11203

1 失業の認定を受けようとする期間中に、就職、就労又は内職・手伝いをしましたか。	ア した［就職又は就労をした日は○印、内職又は手伝いをした日は×印を右のカレンダーに記入してください。］ イ しない	月 1 2 3 4 5 6 7 / 8 9 10 11 12 13 14 / 15 16 17 18 19 20 21 / 22 23 24 25 26 27 28 / 29 30 31	月 1 2 3 4 5 6 7 / 8 9 10 11 12 13 14 / 15 16 17 18 19 20 21 / 22 23 24 25 26 27 28 / 29 30 31
2 内職又は手伝いをして収入を得た人は、収入のあった日、その額（何日分か）などを記入してください。	収入のあった日 月 日	収入額 円	何日分の収入か 日分
	収入のあった日 月 日	収入額 円	何日分の収入か 日分
	収入のあった日 月 日	収入額 円	何日分の収入か 日分

3 失業の認定を受けようとする期間中に、求職活動をしましたか。

ア 求職活動をした

(1)求職活動をどのような方法で行いましたか。

求職活動の方法	活動日	利用した機関の名称	求職活動の内容
(ア) 公共職業安定所又は地方運輸局による職業相談、職業紹介等 (イ) 職業紹介事業者による職業相談、職業紹介等 (ウ) 派遣元事業主による派遣就業相談等 (エ) 公的機関等による職業相談、職業紹介等			

(2)(1)の求職活動以外で、事業所の求人に応募したことがある場合には、下欄に記載してください。

事業所名、部署	応募日	応募方法	職種	応募したきっかけ	応募の結果
(電話番号　)				(ア)知人の紹介 (イ)新聞広告 (ウ)就職情報誌 (エ)インターネット (オ)その他	
(電話番号　)				(ア)知人の紹介 (イ)新聞広告 (ウ)就職情報誌 (エ)インターネット (オ)その他	

イ 求職活動をしなかった（その理由を具体的に記載してください。）

4 今、公共職業安定所又は地方運輸局から自分に適した仕事が紹介されれば、すぐに応じられますか。	ア 応じられる イ 応じられない	イに○印をした人は、すぐに応じられない理由を第２面の注意の8の中から選んで、その記号を○で囲んでください。 (ア) (イ) (ウ) (エ) (オ)
5 就職もしくは自営した人又はその予定のある人が記入してください。	ア 就職	(1) 公共職業安定所又は地方運輸局紹介 (2) 地方公共団体又は職業紹介事業者紹介 (3) 自己就職 / 月 日より就職（予定） / (就職先事業所) 事業所名（　） 所在地（〒　） 電話番号（　）
	イ 自営	月 日より自営業開始（予定）

雇用保険法施行規則第２２条第１項の規定により上記のとおり申告します。

令和 年 月 日（この申告書を提出する日）

公共職業安定所長 地方運輸局長 殿

受給資格者氏名

支給番号（　）

※公共職業安定所又は地方運輸局記載欄　1.支給番号　2.未支給区分　3.待期満了年月日　4.支給期間　5.内職又は手伝いによる収入　6.基本手当支給日数　7.就業手当支給日数　8.就業手当に相当する特別給付支給日数　9.就職年月日－経路

次回認定日・時間　月 日 時から 時まで　認定対象期間 月 日～ 月 日　※連絡事項　備考　取扱者印　操作者印

2021.9

失業認定申告書は受給資格者自身で記入する用紙です。失業認定日までの求職活動の報告や就業した日があれば、その内容を自分で記入します。

豆知識

受給資格者証は一度発行されたら給付終了まで同じものを使いますが、失業認定申告書は失業の認定日ごとに新しいものに記入します。ですから、実はハローワークに持っていかなくても白紙の失業認定申告書がハローワークにあります。認定日に行ったとき、その場で書いても間に合うのです。とはいえ、事前に書いて持参したほうが手続きはスムーズです。

過去問題　R5-2D

求職活動実績の確認のためには、所定の失業認定申告書に記載された受給資格者の自己申告のほか、求職活動に利用した機関や応募先事業所の確認印がある証明書が必要である。

答え ➡ ✕

求職活動実績は失業認定申告書（ページ上記）に受給資格者自身が記入した内容で確認します。つまり、追加で応募先事業所に証明書等を発行してもらう必要はありません。

★次回は太郎さんが再就職！

Note

これで大丈夫！

健康保険の基本のキ

TAC社会保険労務士講座　教材開発講師　**織井 妙子**

～はじめに～

私たちの生活にも身近な健康保険ですが、社労士試験の勉強を始めると、範囲が広くてなかなか覚えられない…という方が多いようです。

健康保険法は、社労士試験の択一式では70問中10問出題され、ウエイトが大きい科目です。また、出題されている項目をみると、保険給付だけでなく、他の項目からもまんべんなく出題されています。そこで、まずは基本事項を押さえて、基礎をしっかりと固めていきましょう。

こちらのコーナーでは、健康保険法の重要な項目や本試験でよく出題される項目のうち、10テーマをピックアップし、健康保険法で規定されている内容と基本的な問題を中心にみていきたいと思います。問題を解くことによって、規定のどの部分が重要なのかが見えてきますので、間違った場合は規定の内容を読み返して、きちんと理解するようにしましょう。

---

①　目　的

健康保険法は、**労働者**又はその**被扶養者**の**業務災害**（労災保険法に規定する業務災害をいいます。）**以外**の**疾病、負傷**若しくは**死亡**又は**出産**に関して保険給付を行い、もって国民の生活の安定と福祉の向上に寄与することを目的としています。

それでは、以下の**Q１、２**をみていきましょう。
次の問題は、〇✕どちらでしょうか？

Q１

健康保険法は、労働者又はその被扶養者の業務災害（労災保険法に規定する業務災害をいう。）以外の疾病、負傷、障害又は死亡に関して保険給付を行う。

答えは…✕

健康保険法においては、「**障害**」に関する保険給付は行われず、疾病、負傷若しくは死亡又は「**出産**」に関して保険給付が行われます。労災保険法や、国民年金法、厚生年金保険法などと混同しないように注意しましょう。

Q 2

健康保険法は、労働者又はその被扶養者の疾病、負傷若しくは死亡又は出産に関して保険給付を行う。

答えは…✕

健康保険法は、労働者又はその被扶養者の「**業務災害**（労災保険法に規定する業務災害をいいます。）**以外**の」疾病、負傷若しくは死亡又は出産に関して保険給付を行うものとされています。これは、労災保険との保険給付の重複を避けるためです。

Advice

健康保険法は、労働者だけではなく、その被扶養者についても保険給付が行われることも重要なポイントです。目的条文は、これまで他の法律でも選択式、択一式ともに出題されていますので、しっかりと押さえておきましょう。

② 適用事業所

健康保険の適用を受けるものを適用事業所といいますが、適用事業所には法律上当然に健康保険の適用を受ける強制適用事業所と、厚生労働大臣の認可を受けて適用を受ける任意適用事業所の２種類があります。

強制適用事業所については、次の(1)又は(2)に該当する事業所が該当します。

(1) **常時５人以上**の従業員を使用して**適用業種**を行う**個人**の事業所

(2) **常時１人以上**の従業員を使用する**国、地方公共団体又は法人**の事業所

それでは、**Q１～３**をみていきましょう。また、**応用問題**にもチャレンジしてみましょう。
次の問題は、○✕どちらでしょうか？

Q 1

適用業種に該当する事業を行う個人の事業所であって、常時６人の従業員を使用するものは、強制適用事業所となる。

答えは…○

個人の事業所については、**適用業種**に該当する事業を行っており、かつ、**常時５人以上**の従業員を使用するものが強制適用事業所に該当しますので、適用業種に該当する事業を行い、常時６人の従業員を使用するものは、強制適用事業所となります。

Q 2

非適用業種に該当する事業を行う個人の事業所であって、常時８人の従業員を使用するものは、強制適用事業所となる。

答えは…✕

この場合は、非適用業種に該当する事業を行っている個人の事業所であるため、従業員数が常時５人以上であっても、**強制適用事業所とはなりません**。この場合は、事業主がこの事業所に使用される者（被保険者となるべき者に限ります。）の２分の１以上の同意を得て申請し、厚生労働大臣の認可を受けた場合には、適用事業所（任意適用事業所）となることができます。

Q 3

非適用業種に該当する事業を行う法人の事業所であって、常時２人の従業員を使用するものは、強制適用事業所となる。

答えは…○

法人の事業所は、**業種を問わず**、**常時１人以上**の従業員を使用する場合は、強制適用事業所となりますので、非適用業種に該当する事業を行う法人の事業所であって、常時２人の従業員を使用するものは、強制適用事業所となります。

Q 応用問題にチャレンジ

常時10人の従業員を使用している個人経営の飲食業の事業所は強制適用事業所とはならないが、常時３人の従業員を使用している法人である土木、建築等の事業所は強制適用事業所となる。

（H23-1C）

答えは…○

飲食業は、健康保険の**非適用業種**とされています。そのため、個人経営の飲食業の事業所は、その従業員数にかかわらず強制適用事業所となりません。また、法人の事業所は、常時１人以上の従業員を使用している場合には、その業種にかかわらず、強制適用事業所となります。

非適用業種となる事業は、次の事業とされています。

①農林業、水産業、畜産業などの第１次産業の事業
②理髪店、美容店、エステティックサロンなどの理容・美容の事業
③映画の製作又は映写、演劇、その他興行の事業
④旅館、料理店、飲食店などの接客娯楽の事業
⑤神社、寺院、教会などの宗教の事業

Advice

個人の事業所と、国、地方公共団体又は法人の事業所とでは、強制適用事業所に該当する要件が異なりますので、しっかりと押さえておきましょう。

③ 任意継続被保険者

健康保険においては、適用事業所に使用される者が、原則として被保険者となりますが、例外として、被保険者が事業所を退職して被保険者の資格を喪失した後でも、一定の要件を満たした者は一定の期間、引き続き個人で被保険者の資格を継続することが認められています。この者を「任意継続被保険者」といいます。

任意継続被保険者となるには、次の要件を満たすことが必要です。

(1)適用事業所に使用されなくなったため、又は適用除外の要件に該当するに至ったため被保険者(日雇特例被保険者を除く。)の資格を喪失した者であること。
なお、使用されている事業所が任意適用事業所の取消しの認可を受けたために資格を喪失した者は、任意継続被保険者となることはできません。

(2)**資格喪失の日の前日**まで**継続して２月以上**被保険者（日雇特例被保険者、任意継続被保険者又は共済組合の組合員である被保険者を除く。）であったこと。

(3)**船員保険の被保険者**又は**後期高齢者医療の被保険者等**ではないこと。

(4)資格喪失の日から**20日以内に保険者に申し出る**こと。
ただし、保険者は、**正当な理由があると認めるとき**は、この期間を経過した後の申出であっても、受理することができます。

それでは、**Q１～３**をみていきましょう。また、**応用問題**にもチャレンジしてみましょう。
次の問題は、○✕どちらでしょうか？

Q１

任意継続被保険者となるには、被保険者の資格喪失の日の前日まで通算して２月以上被保険者（日雇特例被保険者、任意継続被保険者又は共済組合の組合員である被保険者を除く。）でなければならない。

答えは…✕

任意継続被保険者となるには、被保険者の資格喪失の日の前日まで「**継続して**」**２月以上**被保険者（日雇特例被保険者、任意継続被保険者又は共済組合の組合員である被保険者を除く。）でなければなりません。「通算して２月以上」ではなく、「継続して２月以上」である点に注意してください。

Q２

後期高齢者医療の被保険者等は、任意継続被保険者となることができない。

答えは…○

船員保険の被保険者又は**後期高齢者医療の被保険者等**となった者は、船員保険又は後期高齢者医療等から給付を受けることができますので、任意継続被保険者となることはできません。

Q 3

任意継続被保険者になるための申出は、原則として、被保険者の資格を喪失した日から10日以内に行わなければならない。

答えは…✕

任意継続被保険者になるための申出は、原則として、被保険者の資格を喪失した日から「**20日以内**」に行わなければなりません。

Q 応用問題にチャレンジ

任意継続被保険者の資格取得の申出は、被保険者の資格を喪失した日から20日以内にしなければならない。なお、その申出をした者が、初めて納付すべき保険料をその納付期日までに納付しなかったときは、その納付の遅延について正当な理由があると保険者が認めない限り、任意継続被保険者とならなかったものとみなす。(H23-1E)

答えは…◯

健康保険の保険料は、事業主と被保険者が２分の１ずつ負担しますが、任意継続被保険者は事業主との使用関係がないので、全額を負担します。任意継続被保険者の資格取得の申出をした者が、初めて納付すべき保険料を納付期日までに納付しなかった場合には、その納付の遅延について正当な理由があると保険者が認めたときを除いて、任意継続被保険者になる意思がないものとして、任意継続被保険者とならなかったものとみなされます。

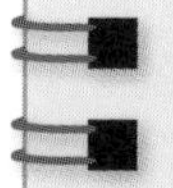

Advice

任意継続被保険者は、本試験でもよく出題されている項目です。まずは、その資格取得の要件をしっかりと押さえましょう。

④ 被扶養者

健康保険では被扶養者についても、業務災害以外の疾病、負傷、死亡又は出産に関して保険給付が行われます。

被扶養者の範囲は、原則として**日本国内に住所を有する者**で、次の(1)、(2)に掲げるものとされています。ただし、後期高齢者医療の被保険者等である者等は、被扶養者となりません。

(1)主として被保険者により**生計を維持**する次の者

被保険者の

① **直系尊属**

② **配偶者**(届出をしていないが、事実上婚姻関係と同様の事情にある者を含む。)

③ **子**

④ **孫**
⑤ **兄弟姉妹**
(2)被保険者と**同一世帯**に属し、主としてその被保険者により**生計を維持**する次の者
被保険者の
① **3親等内の親族**〔前記(1)に該当する者を除く。〕
② **事実上婚姻関係**と同様の事情にある**配偶者の父母**及び**子**
③ **事実上婚姻関係**と同様の事情にある**配偶者の死亡後**におけるその**父母**及び**子**

それでは、**Q1～4**をみていきましょう。また、**応用問題**にもチャレンジしてみましょう。
次の問題は、○✕どちらでしょうか？

Q 1

被保険者の父母（日本国内に住所を有するものとする。）は、その被保険者と同一世帯に属していなくても、主として被保険者により生計を維持していれば、原則として被扶養者として認められる。

答えは…○

被保険者の父母は、被保険者の**直系尊属に該当**しますので、被保険者と同一世帯に属することは問われず、日本国内に住所を有し、主として被保険者により**生計を維持**していれば、原則として被扶養者として認められます。

Q 2

被保険者の配偶者の父母（日本国内に住所を有するものとする。）は、その被保険者と同一世帯に属していなくても、主として被保険者により生計を維持していれば、原則として被扶養者として認められる。

答えは…✕

被保険者の配偶者の父母は、被保険者の直系尊属には該当せず、被保険者の**3親等内の親族に該当**し、被扶養者と認められるには、原則として日本国内に住所を有し、被保険者と**同一世帯に属し**、主として被保険者により**生計を維持**していることが必要ですので、被保険者と同一世帯に属していない場合には、**被扶養者として認められません**。**Q1**の被保険者の父母との違いに注意しましょう。

Q 3

被保険者の叔母（日本国内に住所を有するものとする。）は、被保険者と同一世帯に属し、主として被保険者により生計を維持している場合には、原則として被扶養者として認められる。

答えは…○

被保険者の叔母は、被保険者の**3親等内の親族に該当**しますので、日本国内に住所を有し、被保険者と**同一世帯**に属し、主として被保険者により**生計を維持**している場合には、原則として被扶養者として認められます。

被扶養者の範囲に係る3親等内の親族は、次の通りです。

＜被扶養者の範囲に係る3親等内の親族＞

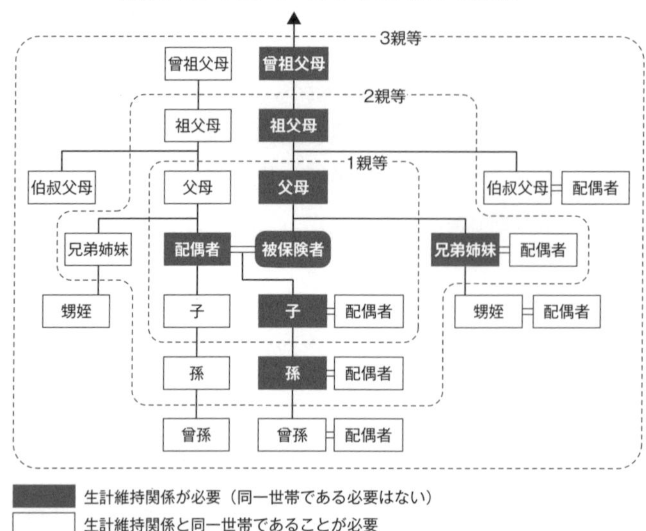

したがって、たとえば、被保険者のいとこは、4親等の親族なので、3親等内の親族には該当せず、日本国内に住所を有し、被保険者と同一世帯に属し、主として被保険者により生計を維持していても、被扶養者として認められません。

Q 4

被保険者の配偶者で届出をしていないが事実上婚姻関係と同様の事情にあるものの子（日本国内に住所を有するものとする。）は、その被保険者と同一世帯に属していなくても、主として被保険者により生計を維持していれば、原則として被扶養者として認められる。

答えは… ✕

事実上婚姻関係と同様の事情にある配偶者の子が被扶養者として認められるには、原則として日本国内に住所を有し、被保険者と**同一世帯**に属し、主として被保険者により**生計を維持**していることが必要ですので、被保険者と同一世帯に属していない場合には、**被扶養者として認められません**。なお、**被保険者の子**は、被保険者と同一世帯に属することは問われず、日本国内に住所を有し、主として被保険者により**生計を維持**していれば、原則として被扶養者として認められますので、違いに注意しましょう。

Q 応用問題にチャレンジ

被保険者と届出をしていないが事実上婚姻関係と同様の事情にある配偶者の兄で、被保険者とは別の世帯に属しているが、日本国内に住所を有し、被保険者により生計を維持する者は、被扶養者になることができる。（H29-2C改題）

答えは… ✕

被保険者と届出をしていないが事実上婚姻関係と同様の事情にある配偶者の兄は、被扶養者となることはできません。被扶養者となることができるのは、被保険者と届出をしていないが**事実上婚姻関係と同様の事情にある配偶者**の**父母**及び**子**が、要件を満たしている場合です。

Advice

社労士試験においては、被扶養者となるかどうかを問う問題がこれまでも出題されていますが、基本の要件である、生計維持要件が必要な者、生計維持要件及び同一世帯要件が必要な者をしっかり押さえましょう。

⑤ 定時決定

（標準報酬月額とは）
健康保険では、保険料を徴収したり保険給付を行う場合は、被保険者が受ける報酬を基礎としてその額を算定することを原則としています。しかし、実際にそれぞれの被保険者が受ける報酬は額もまちまちであり、また、形態も月給制や日給制などいろいろあります。
そのため健康保険においては、このような千差万別にわたるそれぞれの被保険者の報酬を、月額（報酬月額）にして**最低5万8,000円**から**最高139万円**までの**50等級**の区分に集約した標準報酬月額に当てはめて、いずれかの等級に所属させ、この標準報酬月額を基礎として保険料や保険給付の額を計算することとしています。

被保険者の標準報酬月額は、まずその者が健康保険の被保険者資格を取得した際に、資格取得時決定によって決定されますが、その後この標準報酬月額は、毎年１回定時に決定し、報酬に著しい変動があった場合や、育児休業等終了後又は産前産後休業終了後に報酬が低下した場合を除き、原則として１年間は固定し、翌年の定時の決定までは変更しないことになっています。この毎年１回の決定を定時決定といいます。

(1)**定時決定**は、毎年**7月1日**現在使用されるすべての被保険者について行われるのが原則です。ただし、次の①、②の者は、その年に限って**定時決定の対象者から除かれます**。
① **6月1日から7月1日**までの間に**被保険者の資格を取得**した者
② **7月から9月**までのいずれかの月から随時改定、育児休業等終了時改定又は産前産後休業終了時改定が行われる者、又はこれらの改定が行われる予定の者
(2)定時決定によって決定された標準報酬月額は、原則として、その年の**9月から翌年の8月までの各月**の標準報酬月額とされます。

それでは、**Q1～4**をみていきましょう。また、**応用問題**にもチャレンジしてみましょう。
次の問題は、〇✕どちらでしょうか？

Q1

定時決定の対象となるのは、毎年４月１日現在使用される被保険者である。

答えは…✕

定時決定の対象となるのは、毎年「**7月1日**」現在使用される被保険者です。

Q2

６月30日に被保険者の資格を取得した者は、その年の定時決定の対象から除かれる。

答えは…〇

6月1日から7月1日までの間に被保険者の資格を取得した者は、**その年の定時決定の対象から除かれます**ので、６月30日に被保険者の資格を取得した者は、その年の定時決定の対象から除かれることになります。

Q3

７月から９月までのいずれかの月から標準報酬月額が改定され、又は改定されるべき被保険者については、その年における標準報酬月額の定時決定を行わないが、７月から９月までのいずれかの月に育児休業等を終了した際の標準報酬月額の改定若しくは産前産後休業を終了した際の標準報酬月額の改定が行われた場合は、その年の標準報酬月額の定時決定を行わなければならない。（R3-10B）

答えは…✕

7月から9月までのいずれかの月から**育児休業等を終了した際の標準報酬月額の改定**（育児休業等終了時改定）若しくは**産前産後休業を終了した際の標準報酬月額の改定**（産前産後休業終了時改定）**が行われた場合**についても、**その年の標準報酬月額の定時決定は行いません**。なお、問題文の前半にある「７月から９月までのいずれかの月から標準報酬月額が改定され、又は改定されるべき被保険者」とは、７月から９月までのいずれかの月から**随時改定**が行われ、又は行われる予定の被保険者のことです。

Q4

定時決定によって決定された標準報酬月額は、原則として、その年の９月から翌年の８月までの各月の標準報酬月額とされる。

答えは…〇

Q 応用問題にチャレンジ

７月１日に被保険者資格を取得した者については、標準報酬月額の定時決定を行わず、資格取得時に決定された標準報酬月額を、原則として翌年の６月30日までの１年間用いることになっている。（H24-3D）

答えは… ✕

7月1日に被保険者資格を取得した者については、標準報酬月額の定時決定を行わず、資格取得時に決定された標準報酬月額を、原則として翌年の「**8月31日**」まで用いることになっています。

被保険者の資格を取得した際には、資格取得時決定により標準報酬月額が決定されますが、1月1日から5月31日までの間に被保険者の資格を取得した場合は、その年の定時決定の対象となりますので、資格取得時決定によって決定された標準報酬月額は、原則として、**資格を取得した月からその年の8月まで用いる**ことになり、その年の定時決定によって決定された標準報酬月額が、その年の9月からの標準報酬月額とされることになります。

一方、6月1日から12月31日までの間に被保険者の資格を取得した場合は、資格取得時決定によって決定された標準報酬月額は、原則として、**資格を取得した月から翌年の8月まで用いる**ことになります。これは、定時決定は、毎年7月1日現在使用される被保険者が対象となりますが、6月1日から7月1日までの間に被保険者の資格を取得した者は、その年の定時決定は行わないこととされており、またその後12月31日までの間に被保険者の資格を取得した者については、定時決定後に資格を取得しているので、いずれもその年の9月から新しい標準報酬月額となることはなく、原則として、翌年の8月まで資格取得時決定による標準報酬月額が継続することになります。そして、翌年の定時決定によって決定された標準報酬月額が、翌年の9月からの標準報酬月額とされることになります。

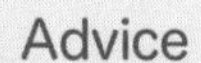

Advice

標準報酬月額の決定・改定は、本試験でもよく出題されていますが、中でも出題頻度が高いのが定時決定です。対象者や有効期間、また今回は記載していませんが、標準報酬月額の決定方法等をしっかりと押さえておきましょう。

ここからは、**保険給付**についてもいくつかみていきます。

⑥ 療養の給付

健康保険は医療保険といわれ、その保険給付の根幹は療養の給付です。

療養の給付の範囲は、次のように定められています。

① **診察**
② **薬剤又は治療材料の支給**
③ **処置、手術その他の治療**
④ **居宅における療養上の管理**及びその**療養に伴う世話**その他の**看護**
⑤ **病院又は診療所への入院**及びその**療養に伴う世話**その他の**看護**

それでは、**Q 1**をみていきましょう。
次の問題は、〇✕どちらでしょうか？

Q 1

療養の給付の範囲は、①診察、②薬剤又は治療材料の支給、③処置、手術その他の治療、④居宅における療養上の管理及びその療養に伴う世話その他の看護、⑤病院又は診療所への入院及びその療養に伴う世話その他の看護、⑥移送とされている。

答えは… ✕

設問の⑥の**移送**は、**療養の給付の範囲には含まれません**。労災保険の「療養の給付」には、移送が含まれるのですが、健康保険では「**移送費**」という保険給付があり、移送はこの移送費の支給対象となります。

⑦ 家族療養費

健康保険では、被扶養者についても、療養の給付、入院時食事療養費、入院時生活療養費、保険外併用療養費、療養費に相当する給付が行われますが、これらはすべて家族療養費として支給されます。

被扶養者が保険医療機関等のうち自己の選定するものから療養を受けたときは、**被保険者に対し**、その療養に要した費用について、**家族療養費**が支給されます。

それでは、**Q 1**をみていきましょう。また、**応用問題**にもチャレンジしてみましょう。
次の問題は、〇✕どちらでしょうか？

Q 1

被扶養者が保険医療機関等のうち自己の選定するものから療養を受けたときは、被扶養者に対し、その療養に要した費用について、家族療養費が支給される。

答えは… 

家族療養費は、「被扶養者に対して」支給されるのではなく、「**被保険者に対して**」支給されます。

同様の問題は、他の保険給付でも出題されており、たとえば平成23年には、「被保険者の被扶養者が指定訪問看護事業者から指定訪問看護を受けたときは、当該被扶養者に対して、その指定訪問看護に要した費用について、家族訪問看護療養費が支給される。」という誤りの問題が出題されています。

被扶養者に関する保険給付であっても、**支給はあくまで被保険者に対して行われる**ことをしっかりと押さえておきましょう。

Q 応用問題にチャレンジ

被保険者が死亡した場合、家族療養費はその当日から支給されない。(H24-1D)

答えは… ✕

家族療養費は被保険者に対して支給されるものですので、**被保険者がその資格を喪失した場合**には、**家族療養費は支給されなくなります**が、被保険者が死亡した場合は、死亡日の翌日から被保険者の資格を喪失するため、死亡当日については家族療養費の支給は行われます。

被保険者は、次のいずれかに該当するに至った**日の翌日**(その事実があった日にさらに被保険者の資格を取得するに至ったときは、**その日**)から被保険者の資格を喪失します。

① 死亡したとき
② その事業所に使用されなくなったとき(退職、解雇など)
③ 適用除外に該当するに至ったとき
④ 任意適用事業所について任意適用事業所の取消しの認可があったとき

⑧ 傷病手当金

傷病手当金は、被保険者が疾病又は負傷による療養のため労務不能となり、収入の喪失又は減少をきたした場合に、その療養中の生活費を保障するために支給される保険給付です。

(1) 被保険者(任意継続被保険者を除く。)が**療養のため労務に服することができない**ときは、その**労務に服することができなくなった日から起算して3日を経過した日**から**労務に服することができない期間**、**傷病手当金**が支給されます。
(2) 傷病手当金の支給期間は、同一の疾病又は負傷及びこれにより発した疾病に関しては、その**支給を始めた日から通算して1年6月間**とされています。

それでは、**Q1～3**をみていきましょう。また、**応用問題**にもチャレンジしてみましょう。
次の問題は、〇✕どちらでしょうか?

Q 1

被保険者(任意継続被保険者を除く。)が療養のため労務に服することができないときは、その労務に服することができなくなった日から起算して3日を経過した日から傷病手当金が支給される。

答えは…〇

労務に服することができなくなった日から起算して3日間を**待期**と称し、この期間は傷病手当金は支給されず、**3日を経過した日**から支給が開始されます。なお、待期は、労務不能の日が3日継続して初めて完成するため、たとえば、労務不能で２日間会社を休み、３日目に出勤した場合は、その翌日労務不能で再び休んだとしても待期は完成しません。

Q 2

傷病手当金の支給期間は、同一の疾病又は負傷及びこれにより発した疾病に関しては、その支給を始めた日から継続して１年間とされている。

答えは…✕

傷病手当金の支給期間は、同一の疾病又は負傷及びこれにより発した疾病に関しては、その支給を始めた日から「**通算して１年６月間**」とされています。

傷病手当金は、これを支給した日数の累計日数が、その支給を始めた日から通算して１年６月間の日数に達するまで支給されます。

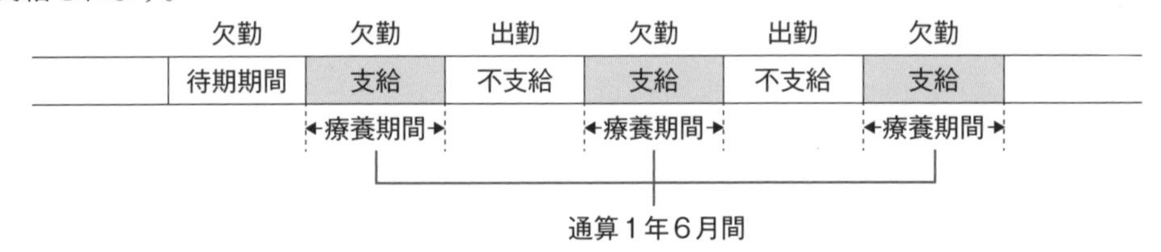

Q 3

傷病手当金の支給期間は、同一の疾病又は負傷及びこれにより発した疾病に関しては、療養を始めた日から通算して１年６月間とされている。

答えは…✕

傷病手当金の支給期間は、同一の疾病又は負傷及びこれにより発した疾病に関しては、「**その支給を始めた日**」から通算して１年６月間とされています。

Q 応用問題にチャレンジ

傷病手当金の支給要件として継続した３日間の待期期間を要するが、土曜日及び日曜日を所定の休日とする会社に勤務する従業員が、金曜日から労務不能となり、初めて傷病手当金を請求する場合、その金曜日と翌週の月曜日及び火曜日の３日間で待期期間が完成するのではなく、金曜日とその翌日の土曜日、翌々日の日曜日の連続した３日間で待期期間が完成する。（H28-8C）

答えは…〇

休日や祝祭日も待期期間に含まれます。

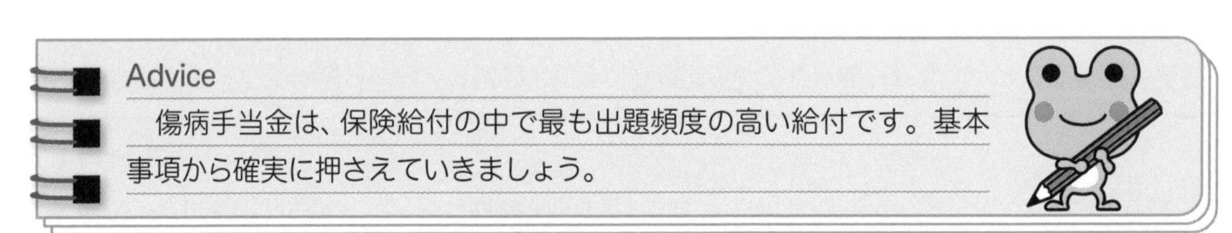

⑨ 出産手当金

出産手当金は、被保険者が出産の前後における一定期間内において、労務に服さなかったことによる収入の喪失又は減少を補い、生活費を保障するために支給される保険給付です。

被保険者(任意継続被保険者を除く。)が**出産**したときは、**出産の日**(出産の日が出産の予定日後であるときは出産の予定日)**以前42日**(多胎妊娠の場合は**98日**)から、**出産の日後56日**までの間において、**労務に服さなかった期間**、**出産手当金**が支給されます。

それでは、**Q 1**をみていきましょう。また、**応用問題**にもチャレンジしてみましょう。
次の問題は、○✕どちらでしょうか?

Q 1

被保険者(任意継続被保険者を除く。)が出産したときは、出産の日(出産の日が出産の予定日後であるときは出産の予定日)以前42日(多胎妊娠の場合は98日)から、出産の日後56日までの間において、労務に服することができない期間、出産手当金が支給される。

答えは…✕

出産手当金は、「労務に服することができない期間」ではなく、「**労務に服さなかった期間**」支給されます。**傷病手当金**は、労務に服することができない期間支給されますが、傷病手当金の「労務に服することができない期間」というのは、働けないので会社を休んだ期間をいいます。一方、出産手当金の「労務に服さなかった期間」とは、働くことができるかどうかに関係なく、会社を休んだ期間をいいます。違いに注意しましょう。

Q 応用問題にチャレンジ

被保険者(任意継続被保険者を除く。)が出産の日以前42日から出産の日後56日までの間において、通常の労務に服している期間があった場合は、その間に支給される賃金額が出産手当金の額に満たない場合に限り、その差額が出産手当金として支給される。(R2-10E)

答えは…✕

出産手当金は、**労務に服さなかった期間に対して支給**されるものであり、通常の労務に服している期間については支給されません。

⑩　埋葬料

被保険者が**死亡**したときは、その被保険者により**生計を維持していた者であって、埋葬を行うもの**に対し、**埋葬料**として**5万円**が支給されます。

それでは、**Q1**をみていきましょう。また、**応用問題**にもチャレンジしてみましょう。
次の問題は、〇✕どちらでしょうか？

Q1

被保険者が死亡したときは、埋葬を行う者に対して、埋葬料として5万円を支給するが、その対象者は当該被保険者と同一世帯であった者に限られる。(R元-2E)

答えは… 

埋葬料は、「**死亡した被保険者により生計を維持していた者**」であって、**埋葬を行うもの**が支給対象者とされており、当該被保険者と同一世帯であったかどうかは問われていません。

Q 応用問題にチャレンジ

埋葬を行う者とは、実際に埋葬を行った者をいうのであるから、被保険者が死亡し社葬を行った場合には、たとえその被保険者に配偶者がいたとしても、配偶者には埋葬料は支給されない。
(H25-7A)

答えは… ✕

埋葬料は、死亡した被保険者により生計を維持していた者であって、埋葬を行うものに対し支給されますが、この「**埋葬を行う者**」とは、現実に埋葬を行う者又は行った者をいうのではなく、社会通念上埋葬を行うべき者をいいます。そのため、問題の配偶者が被保険者により生計を維持されていた場合には、配偶者に埋葬料が支給されます。

〜さいごに〜

社労士試験では、応用問題やときには難問も出題されますが、基本問題も多く出題されますので、基本問題を取りこぼさないことがとても大切です。また、応用問題を解くには、基本事項をきちんと理解していることが必要です。テキストを読み、問題を解いて、間違えた場合は再びテキストのその箇所を読み返すことは学習の基本ですので、これを繰り返して知識を定着させ、基礎を固めていきましょう！

年金クリニック その1

TAC社会保険労務士講座　専任講師　**竹之下 節子**

はじめに

国民年金法と厚生年金保険法は、社労士試験の科目の中でも特に内容が難しいといわれています。初めて学習される方も再受験の方も、多くの方が年金科目には苦手意識を持つようですが、社労士試験に合格するためには、全８問の選択式問題のうちの２問と、全70問の択一式問題のうちの20問も出題される年金科目を、何としてでも攻略しなくてはいけません。

ただ、難しいとはいわれているものの、詳しく分析してみると、択一式問題で応用問題や難問が出題される配分は他の科目とほぼ同様の比率となっています。「年金科目＝難しい＝得点できない」という先入観にとらわれることなく、学習を進めたいものですね。

2024年７月３日に５年に一度の年金制度の財政検証の結果が公表されました。財政検証とは、年金の給付水準の将来の見通しについての確認等をすることで、その結果をもとに、年金制度の改正が行われます。今回の見直しの例として、将来受け取る年金額が少額にならないよう、パート等の短時間労働者の厚生年金への適用のさらなる拡大や、厚生年金の保険料収入を増額させるため、標準報酬月額の上限の引上げについて本格的な議論がされる予定です。

このように「何故このような改正が行われるか」という、改正の意義目的を知れば、年金制度への理解が深まり、学習が楽しくなるでしょう。「面白い」と感じることができれば学習する姿勢が前向きになれますよ。

第１回の年金クリニックでは、年金制度の全体像と、最も代表的な年金である老齢の年金についてお話します。

「年金クリニック」は「ひよこクン」とその仲間たちと一緒に学んでいきます。

ひよこクン（♂）

20代の会社員。独身。
「年金」について一生懸命勉強中。

ひよこ兄さん（♂）

ひよこクンの兄。小さな八百屋を営んでいる。

ひよこ義姉さん（♀）

ひよこ兄さんの八百屋を一緒に手伝う。お料理上手。

ピヨ丸（♂）

ひよこ兄さん一家の長男。

1 年金制度の全体像

1 そもそも年金って何?

Q. ひよこクンは、テレビの報道番組を見ています。コメンテーターが、今後の年金制度について解説をしていますが、言っていることが難しくて、意味がよくわかりません。少し心配になったひよこクンは、年金について一から勉強してみることにしました。

Answer

- **年金は国から支給される生活保障費です。**
- **年金を受け取ることで、金銭的に安心して暮らすことができます。**

生活の支えとなる公的年金制度

私たちは皆、年をとります。高齢になり、働いて収入を得ることが難しくなったとき、どうすれば金銭的に安心して暮らすことができるでしょうか。

原則として65歳以後に、国から支給される「年いくら」という生活費が「**老齢**」の年金です。また、病気やけがが原因で働けないときや、一家の大黒柱が亡くなってしまったといったときにも、生活費として「**障害**」や「**遺族**」の年金が支給されます。

不測の事態に直面しても、私たちは年金を受け取ることで安心して生活することができるのです。

年金といえば、新聞や雑誌等で何かと話題になるのは老齢の年金ですが、前述のとおり、年金は、決して高齢者だけがもらうものではありません。誰しも障害や遺族の年金のお世話になる可能性があります。だからこそ、しっかりと年金について学んでおきたいものですね。

年金には、全国民を対象とする国の「**公的年金制度**」と民間金融機関の「**個人年金制度**」がありますが、ここでは、公的年金制度についてお話をしていきます。

2 公的年金制度とは?

Q. 「イザというときには、年金をもらうことで安心して暮らすことができる」と知ってホッとしたひよこクンですが、自分が公的年金制度の対象者だとは、これまであまり考えたことがありませんでした。まずは公的年金制度について調べてみることにしました。

Answer

- **公的年金制度は、国が管理運営する年金制度です。**
- **原則として公的年金制度は強制加入です。**

✳公的年金制度の種類✳

わが国では、職業等によって、加入する公的年金制度が決まっています。公的年金制度には、全国民が加入する「**国民年金**」と会社員や公務員、私立学校教職員が加入する「**厚生年金**」があります。

その他、老後の年金を増額するために自営業者等が任意で加入する「**国民年金基金**」などがあります。

【公的年金制度の体系図】

	国民年金基金	厚生年金	
国民年金			
会社員・公務員等に扶養される配偶者	自営業者等	会社員等	公務員 私立学校教職員
（第３号被保険者）	（第１号被保険者）	（第2号被保険者）	

✳公的年金制度の沿革✳

厚生年金は**昭和19年**（前身の労働者年金保険は昭和17年）に、国民年金は「**昭和36年（無拠出制は昭和34年）**」に始まりました。国民年金が始まったときから、全国民が何らかの公的年金制度に加入することが可能になりました。この仕組みを「**国民皆年金**」といいます。

ちなみに、昭和36年当時の日本の平均寿命は、男性が約65歳、女性が約70歳でした。高齢化が進展した現在では、男性が約81.05歳、女性が約87.09歳ですから、老齢の年金を受け取る期間は、当時よりも約17年も長くなったことになります。老齢の年金は、長きにわたる老後の生活の柱として不可欠な存在となっています。

公的年金制度が始まった当時と現在とでは、社会も経済も大きく変わっています。公的年金制度に繰り返し改正が行われてきたのは、この変化に対応するためです。

✳公的年金の種類✳

おもな年金の種類は、次のとおりです。

【年金の種類】

支給事由	国民年金	厚生年金
老齢(原則65歳から)	老齢基礎年金・付加年金	老齢厚生年金
障害	障害基礎年金	障害厚生年金
死亡	遺族基礎年金・寡婦年金	遺族厚生年金

年金の名称は、最初の２文字が支給事由を、次の２文字が公的年金制度の種類を表しています。「**老齢基礎年金**」であれば、老後に国民年金の制度から支給される年金であり、「**障害厚生年金**」であれば、障害を負った場合に厚生年金の制度から支給される年金という意味です。

付加年金は、付加保険料を納付した第１号被保険者が、老齢基礎年金と併せてもらう年金です。寡婦年金は、一定の要件を満たす第１号被保険者であった夫の死亡により、未亡人になった妻が60歳から65歳までの５年間もらう遺族の年金です。

会社員だった人であれば、通常65歳から、国民年金と厚生年金の２つの制度から、老齢の年金を、一生涯もらうことができます。

【会社員だった人の老齢の年金】

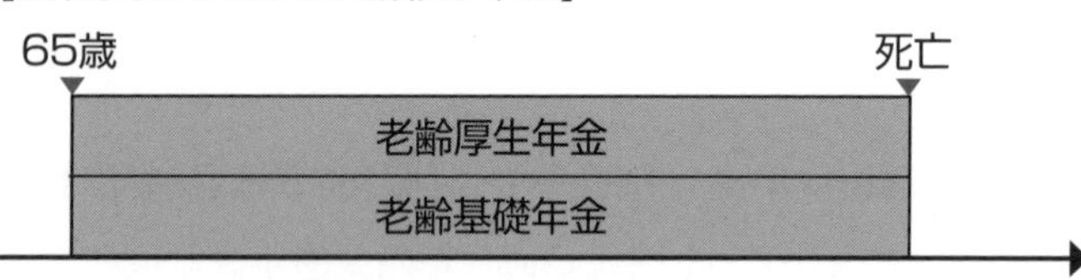

※障害、死亡（遺族）の年金は年金クリニック～その２～（2025年合格目標 無敵の社労士２ 本試験徹底解剖〈2024年12月刊行予定〉）に掲載の予定です。

3 年金のお金はどこから調達しているの？

Q. ひよこクンは会社員なので、老後は老齢基礎年金と老齢厚生年金がもらえることがわかりました。それにしても、公的年金制度が、全国民に一生涯老齢の年金を支給するとなると、莫大な額のお金が必要となるはずです。そのお金は一体いくらくらいで、どのように用意しているのか気になってきました。

ボクの年金はどこにあるの…

Answer

- 主に保険料や税金が使われています。
- 年金財政には少子高齢化が悩みのタネです。

年金給付に必要な「お金(財源)」の調達

年金給付費は１年間で約55.8兆円(2021年度)にも昇ります。これだけのお金(財源)を、国は、どこからどうやって調達しているのでしょうか。

財源として最も大きいものは、国民が負担する「**保険料**」です。ただ、保険料だけでは到底足りないので「**国庫負担金**(税金)」があります。

公的年金制度は、**積立金**を保有し運用していますが、この積立金の運用収入も財源になっています。

積立金は、もとはといえば国民から徴収した保険料の一部であり、国民のための大切なお金ですから、安全で効率的に運用しなくてはいけません。そのため、国は積立金を国内外の債券や株式に、バランスよく分散して投資することで、リスクを小さくしています。

【年金の財源】

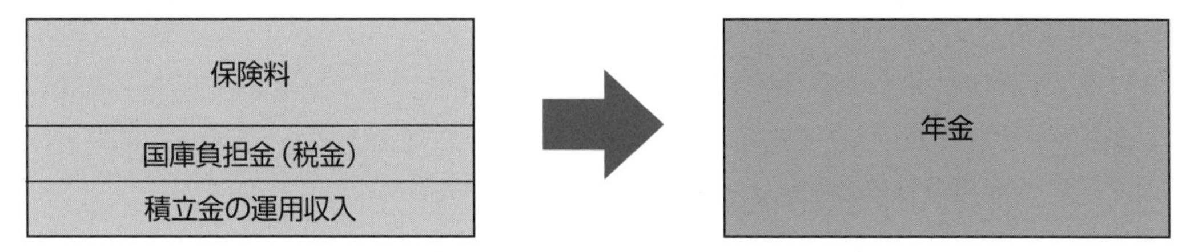

公的年金制度と少子高齢化

公的年金制度は「**世代間扶養**」という仕組みをとっています。世代間扶養とは、現役世代が納めた保険料を高齢者世代の年金の財源に充てるという仕組みです。

仮に、年金制度の仕組みが、過去に自分の納めた保険料と利息分だけが、老後に年金として戻ってくるというものであれば、年金の総額や支給期間が限定されてしまうため、年金額はわずかなものになってしまうでしょう。

世代間扶養の仕組みには、現役世代の支えがあるがゆえに、賃金や物価水準を反映させた実質的に価値のある年金を、終身にわたり受け取ることができるという大きな強みがあります。

しかし一方で、世代間扶養の仕組みは「**少子高齢化**」が進むとうまくいかなくなるという弱点があります。少子化が進むと、現役世代の納める保険料の総額が小さくなり、高齢化が進むと、年金給付費の総額が大きくなるからです。

日本の公的年金制度は少子高齢化の影響を強く受け、年金財政が厳しい状況になっています。

少子高齢化問題への対応

少子高齢化に対応するための仕組みのひとつに「**マクロ経済スライド**」があります。

この制度は、65歳時の平均余命の伸び(＝高齢化)と、公的年金制度の被保険者総数の減少(＝少子化)を加味して計算された「**スライド調整率**」を用いて、年金額の増額を抑えようという仕組みです。

【マクロ経済スライドのイメージ】

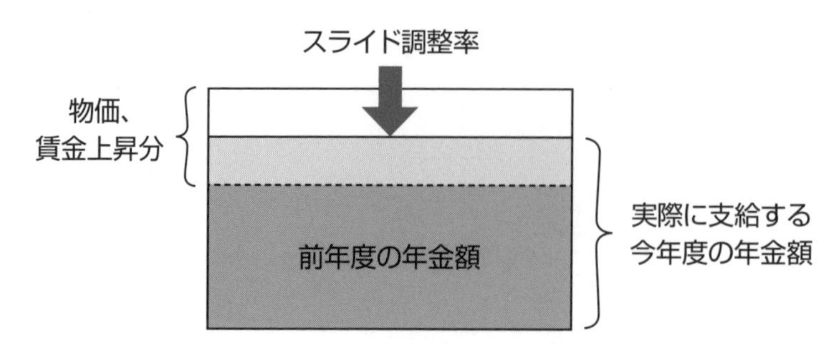

マクロ経済スライドによる調整は、賃金や物価が上昇する景気拡大期に行われる仕組みになっています。ところが現在の日本では、景気拡大期がなかなか訪れないため、マクロ経済スライドによる調整ができないこともあります。そこで、法改正が行われ、平成30年度からは、マクロ経済スライドの過去の未調整分は、将来景気が回復したときに繰り越して行う仕組みになっています。この、未調整分を繰り越す仕組みは「**キャリーオーバー**」と呼ばれています。

令和６年４月の年金額の改定では、賃金の上昇に伴い、**賃金**を基準とする改定に加えて、マクロ経済スライドによる調整が行われています。なお、令和６年度は、マクロ経済スライドによる未調整分は発生しませんでした(翌年度以降への**キャリーオーバー**はありません)。

令和６年度　年金額の改定

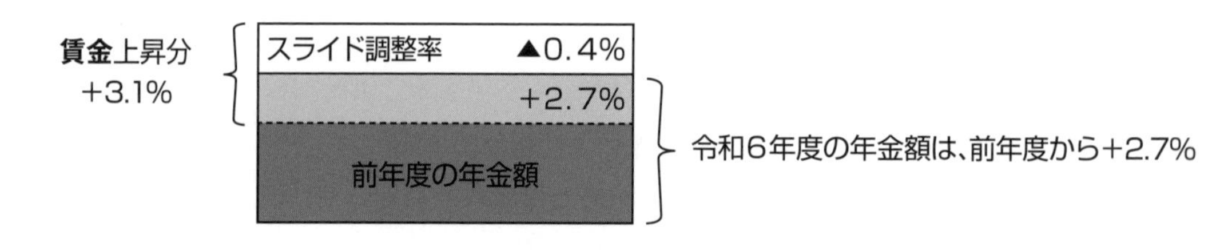

4 「被保険者」とは?

Q. 少子高齢化が進むことで年金財政が苦しくなってしまうことと、マクロ経済スライドによって年金額が調整されることを知ったひよこクン。では少子化で減少する被保険者とは誰のこと？　ひょっとしてひよこクンは被保険者なの？

Answer

- **被保険者とは、保険料を納め、将来年金をもらう人のことです。**
- **公的年金制度ごとに、被保険者の要件が異なります。**

公的年金制度では、若いときは保険料を納める義務がありますが、老後はその見返りとして、生涯年金を受け取ることができるという「権利、義務」関係が基本になっています。障害や遺族の年金も同様の考え方をとっています。

このように、保険料を納める義務があり、何かあったときに年金を受け取る権利を持つことができる人を「**被保険者**」といいます。

被保険者の要件は、公的年金制度ごとに異なります。

【被保険者の種類】

制度		対象者	年齢
国民年金	第1号被保険者	自営業者・学生等	20歳以上60歳未満
	第2号被保険者	会社員・公務員・私立学校教職員	65歳未満(原則)
	第3号被保険者	第2号被保険者に扶養される配偶者	20歳以上60歳未満
厚生年金		会社員・公務員・私立学校教職員	70歳未満

自営業者や学生であれば国民年金だけに加入しますが、会社員や公務員、私立学校教職員は国民年金に加え、同時に厚生年金にも加入します。

【例1:23歳で就職、68歳で退職した会社員の場合】

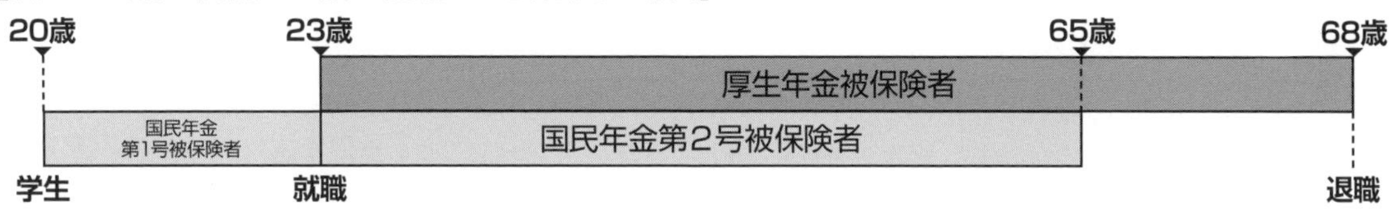

【例2:23歳で自営業を始めた場合】

【例3:18歳で就職、30歳で退職し、専業主婦(会社員の妻)になった場合】

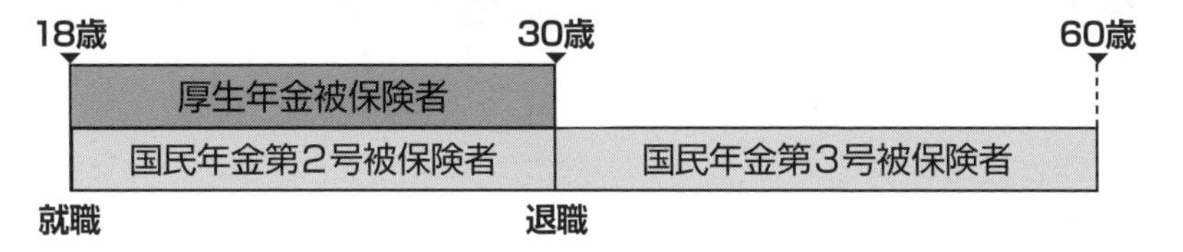

5 「保険料」の額は?

Q. ひよこクンは、国民年金の第2号被保険者であり、同時に厚生年金の被保険者です。でも、国民年金の保険料も、厚生年金の保険料も自分で払いに行った記憶がありません。被保険者の義務を果たしていないのでしょうか?

Answer

- 自営業者は国民年金の保険料のみを納め、会社員は国民年金の保険料は納めずに厚生年金の保険料のみを納めます。
- 会社員の厚生年金の保険料は、勤務先が納付の手続きをしています。

被保険者が納める保険料額は、制度ごとに異なります。また、国民年金の保険料額は、原則毎年度改定されます。

【被保険者の種類と保険料】

国民年金	第1号被保険者	・国民年金保険料として月額16,980円を納付する(令和6年度) ・所得に関係なく定額の保険料となっている
	第2号被保険者	・国民年金保険料の納付は不要で、厚生年金の被保険者として、厚生年金保険料のみ負担する
	第3号被保険者	・納付は不要
厚生年金		・保険料額は、給与や賞与に保険料率(原則18.3%)を乗じて得た額である ・労使折半する(事業主と本人で2分の1ずつ負担する)

厚生年金の場合は、原則として、勤務先が本人負担分の保険料を月々の給与や賞与から天引きして、勤務先の負担分とあわせて納めています。

【厚生年金の保険料(会社員の場合)】

給与・賞与［本人負担分］ + ［会社負担分］ → 政府へ納付

国民年金の場合は、口座引き落とし、金融機関の窓口やコンビニ、クレジットカード払いといろいろな納付方法がありますが、経済的な理由などから滞納する人も少なくはありません。

滞納期間が長いと老後に年金をもらえないだけでなく、障害や遺族の年金ももらえなくなる場合があるため、保険料を納めることが難しいときは、後述するように「**保険料免除**」の申請をするべきです。

6 年金がもらえる場合、もらえない場合について ――

Q. ひよこクンは、お給料から天引きされるかたちで、厚生年金の保険料を払っていました。自営業を営んでいるひよこ兄さんに聞いたところ、ひよこ兄さんは、銀行口座引き落としで国民年金の保険料を払っているとのことです。これで、ひよこクンもひよこ兄さんも、将来は「老齢」の年金をもらえますよね？

Answer

・自営業者も会社員も、国民年金や厚生年金の保険料を一定期間納めたか否かで「老齢の年金がもらえる・もらえない」が決まります。

受給資格期間

保険料を一定期間納めれば、老齢の年金をもらう資格（「**受給資格**」）を得ることができます。

年金をもらうためには、老齢基礎年金でも老齢厚生年金でも、原則国民年金保険料を納めた期間（「**保険料納付済期間**」）と国民年金の保険料を納めることを免除してもらった期間（「**保険料免除期間**」）が、あわせて「**10年**」以上あることが必要です。10年以上ないと65歳になっても老齢の年金がもらえません（平成29年８月前は、受給資格を得るためには25年以上必要でしたが、法改正により、25年以上から10年以上に短縮されました）。

老齢厚生年金では、加えて厚生年金に１月以上加入することが必要です。

【受給資格の原則】

	受給資格期間	他の要件
老齢基礎年金	保険料納付済期間 ＋ 保険料免除期間 ≧ 10年	保険料納付済期間又は保険料免除期間（後述する学生納付特例期間及び納付猶予期間を除く）1月以上必要
老齢厚生年金		厚生年金1月以上加入

保険料納付済期間

受給資格期間にカウントされる保険料納付済期間とは、国民年金の被保険者期間の20歳以上60歳未満の期間のうちの次の期間です。

【保険料納付済期間】

第1号被保険者	20歳以上60歳未満の国民年金の被保険者期間	保険料を納めた期間※
第2号被保険者		すべての期間
第3号被保険者		

※後述の産前産後期間の保険料免除の対象となる期間を含みます。

第１号被保険者の期間は保険料を滞納する人がいるため、実際に保険料をきっちりと納めた期間のみが保険料納付済期間となります。

一方、第２号被保険者や第３号被保険者の期間は、20歳以上60歳未満のすべての期間が保険料納付済期間とされます。

【例：網掛部分が保険料納付済期間（＝38年）】

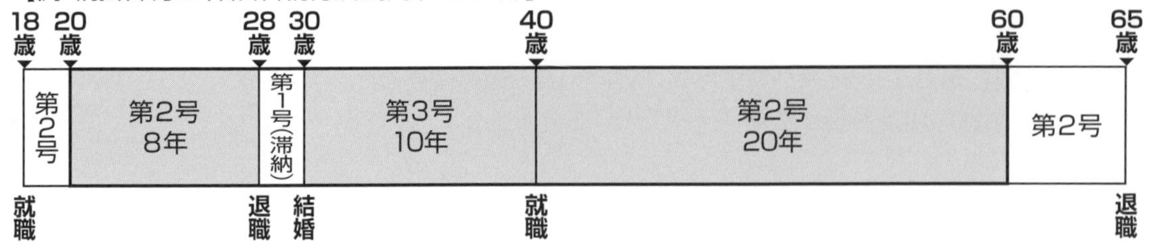

7 保険料免除とは？

Q. ひよこ兄さんは、かつて自営業が軌道に乗るまでの間、国民年金の保険料を払うための経済的な余裕がありませんでした。そのときに、困って「**年金事務所**」に相談をしに行ったところ、保険料免除の手続きをするようにアドバイスをされたそうです。

Answer

- **所得が低い方などが保険料免除の対象者です。**
- **免除の手続きを怠ると年金がもらえない場合があります。**

保険料免除期間

国民年金の第１号被保険者は、20歳から60歳までの40年間、保険料を納め続けることが義務になっています。

しかし人生には山も谷もあるものです。途中で、失業などのために一時的に保険料を納めることができない時期があるかもしれません。

そのような状況に陥ったときは、保険料を免除してもらうことができます。

保険料の免除にはいろいろな種類がありますが、法定免除以外はいずれも申請が必要です。申請をせずに保険料を納めないときは、その期間は保険料の滞納期間となり、受給資格期間にカウントされません。申請をしたうえで保険料を納めないときは、その期間は保険料免除期間になり、受給資格期間にカウントされます。

【滞納期間と免除期間】

申請なし	＋	保険料納付なし	＝	滞納期間	（受給資格期間にカウントされない）
申請あり	＋	保険料納付なし	＝	免除期間	（受給資格期間にカウントされる）

【国民年金の保険料免除】

免除の種類	対象者
法定免除	障害基礎年金を受給している方や生活保護法の生活扶助を受けている方　等　(該当すれば必ず免除になる)
申請免除 (全額、4分の3、半額、4分の1)	所得が低い方　等
学生納付特例	学生(専修学校や夜間部、通信制の学生も可)で所得が低い方　等
納付猶予	50歳未満で所得が低い方　等

所得が低いために申請免除を受けようとする場合には、ひとつ注意が必要です。国民年金では、保険料の納付を世帯主や配偶者の連帯責任にしているため、たとえ本人の所得が低くても、世帯主や配偶者の所得が高ければ、免除されない場合があります。

8 産前産後期間の保険料免除について

Q. ひよこ兄さんとひよこ義姉さんは「そろそろ、ピヨ丸の弟か妹がほしいな～」と言っています。
ひよこクンが調べたところによれば、産前産後期間の国民年金保険料は免除になるそうなので、ふたりに教えてあげたいと思っています。「いつ手続きをすればよいのかな？」

Answer

・出産前でも出産後でも手続き可能です。

✳保険料が免除される期間✳

出産予定日又は出産の日が属する月の前月から４か月間の国民年金保険料が免除されます。多胎妊娠の場合は、出産予定日又は出産の日が属する月の３か月前から６か月間の国民年金保険料が免除されます。なお出産とは、妊娠85日（４か月）以上の出産をいいます(死産、流産、早産、人工妊娠中絶を含みます)。

【免除される期間(網掛)】

3か月前 (多胎妊娠)		前月	出産予定日 (出産の日)		翌々月

✳手続き✳

「国民年金被保険者関係届書」を、市区町村の国民年金担当の窓口に提出します(出産予定日の６か月前から提出することができます）。出産前に届書を提出する場合には、母子健康手帳などの添付書類が必要ですが、出産後に届書の提出をする場合で、市区町村で出産日等が確認できる場合には、添付書類は原則として不要です。

出産前に届出を提出した場合に、出産予定日の月と実際の出産日の月が異なっても、当初の保険料が免除される期間は変更されません。

産前産後期間の保険料免除の取扱い

産前産後期間の保険料免除は、国民年金の他の保険料免除とは異なり、保険料が免除された期間が、「**保険料納付済期間**」として老齢基礎年金の年金額に反映されるので、後述の「**保険料の追納**」をする必要はありません。すでに保険料を納付していた場合には、保険料は還付されます。

産前産後期間の保険料免除は、先ほど見た⑦の保険料免除よりも優先されるので、例えば、学生でかつ産前産後期間であれば、その期間は産前産後期間の保険料免除の規定が適用されます。

産前産後期間の保険料免除を老齢基礎年金の年金額に反映させるための財源として、国民年金保険料が、月額100円程度引き上げになりました。国民年金の第１号被保険者が全体で負担するかたちで対応します。

国民年金の産前産後期間の保険料免除は、次世代育成支援対策として平成31年４月にスタートしました。
一方で厚生年金の産前産後休業期間の保険料の免除は、平成26年４月からスタートしています。対象となる休業期間は厚生年金では、産前休業の42日（６週間）と産後休業の56日（８週間）の期間となっています。

⑨ 納めていなかった保険料の取扱いについて

Q. ひよこ兄さんとその妻のひよこ義姉さんは、一時国民年金の保険料を、夫婦そろって免除してもらっていました。年金事務所で「免除になった保険料は、後払いができる」とアドバイスされましたが、後払いするのとしないのとでは、どのような違いがありますか？

Answer

・免除となった保険料は、過去10年分であれば、さかのぼって納めることができ、将来もらう年金額を増やすことができます。

保険料の追納

保険料免除期間は保険料を納めていないため、その分65歳から受け取る老齢基礎年金の額は少なくなってしまいます。これを防ぐために、免除された保険料は、過去「**10年**」分であれば「**追納**」する（後から納める）ことができます。

【追納】

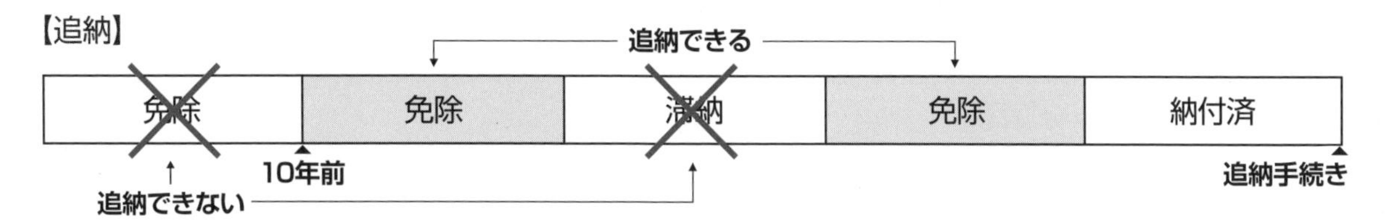

ただし、３年度よりも前の分の保険料を追納しようとすると、原則として当時の保険料額に「**加算額**」を加算して納めなければなりません。

時間が経過すればするほど加算額が大きくなり割高になりますので、注意が必要です。

保険料免除の手続きの窓口は、ご本人や世帯主・配偶者の所得を審査する必要があるため市区役所・町村役場で、追納の手続きの窓口は年金事務所です。混同しないように気をつけましょう。

10 老齢の年金の額は自分で計算できる？

Q. ひよこクンは、年金のことがわかるようになってくると、毎年誕生月に「日本年金機構」から送られてくる「ねんきん定期便」のことを思い出しました。ねんきん定期便には「老齢年金の見込額」が記載されています。この年金額がどのように計算されているのか知りたくなりました。

Answer

・年金の額の計算式は、見るからに複雑です。一度電卓をたたいて挑戦してみてください。

計算するぞー！

ねんきん定期便が届くようになってから、将来もらうであろう年金額は、だいたいこれくらいだということが事前にわかるようになりました。

年金額は、やろうと思えば自分でも計算できます。ただ、過去に保険料を納めた期間の月数や、過去の報酬の平均に基づいて計算するため、簡単に計算できるというものではありません。

ここでは、老齢の年金の基本的な計算式をご紹介します。

■国民年金　老齢基礎年金の年金額(令和6年度)

ここでは新規裁定者について計算をします。

$$\text{公式:816,000円} \times \frac{\text{保険料納付済期間等の月数}}{\text{480月}} \quad \text{(1円未満四捨五入)}$$

例	保険料納付済期間	保険料滞納期間	保険料免除期間
1	40年(480月)	なし	なし
2	10年(120月)	30年(360月)	なし

例1　$\text{老齢基礎年金の年金額} = \text{816,000円} \times \frac{\text{480月}}{\text{480月}} = \text{816,000円(満額)}$

例2　$\text{老齢基礎年金の年金額} = \text{816,000円} \times \frac{\text{120月}}{\text{480月}} = \text{204,000円}$

例1の年金額の月額(12分の1)は68,000円で、**例2**の年金額の月額(12分の1)は17,000円です。

受給資格期間が25年から10年に短縮されたことで、**例2**の場合でも老齢基礎年金がもらえるようになったとはいえ、生活費としては、とても少ないですね。

国民年金は保険料を納めた月数がわかれば計算できるね！

■厚生年金　老齢厚生年金の年金額(令和6年度)

$$\text{公式:(平均標準報酬月額} \times \frac{7.125}{1000} \times \text{平成15年3月までの被保険者期間の月数)}$$

$$+\text{(平均標準報酬額} \times \frac{5.481}{1000} \times \text{平成15年4月からの被保険者期間の月数)(1円未満四捨五入)}$$

例	期間	給与・賞与の平均額	被保険者期間
1	平成15年3月まで	平均標準報酬月額=30万円	28年(336月)
	平成15年4月から	平均標準報酬額 =40万円	10年(120月)
2	平成15年3月まで	平均標準報酬月額=　0円	なし
	平成15年4月から	平均標準報酬額 =25万円	5年(60月)

例1　老齢厚生年金の年金額

$$=\text{(30万円} \times \frac{7.125}{1000} \times \text{336月)} + \text{(40万円} \times \frac{5.481}{1000} \times \text{120月)}$$

$$=\text{981,288円}$$

例2 老齢厚生年金の年金額

$$=25万円\times\frac{5.481}{1000}\times60月$$

$$=82,215円$$

年金で得をしようと思ったら、長生きして納めた保険料の額以上の額の年金を受け取ることです。仮に65歳から87歳（日本女性の平均余命）まで、老齢基礎年金を毎年80万円もらったとしたら、総額では1,760万円になります！

2 老齢の年金について

社労士試験の択一式問題では、国民年金法・厚生年金保険法のそれぞれ10問（50肢）のうち、老齢に関する問題が、例年３割程度出題されています。

また、択一式問題では、事例問題が出題された場合に、正解を導き出すまでの要領を得ないと、時間がかかり過ぎるおそれがあります。

事例問題で確実に力をつける対策としては、

①年金検定２級試験を受験する（CBT方式※でいつでも受験可能です。ＴＡＣの対策講座もあります。）

②直前期にＴＡＣのオプション講座を受講する

等があります。

実務では、老齢の年金の受給権者の方が、障害や遺族の年金の受給権者よりも圧倒的に数が多く、相談件数も多いので、老齢の年金は公的年金制度を代表する年金であると言えるでしょう。

ではここからは、老齢の年金を詳しく見ていきましょう。

※CBT（Computer Based Testing）方式とは、コンピューターを使用して実施する試験方式のことです。
試験は期間内にテストセンターと呼ばれる試験会場で随時実施され、会場の空席状況から都合の良い日時・会場を選択して受験することができるため、学習進度やスケジュールに合わせた受験が可能となります。

1 老齢の年金は2種類ですね？

Q. ねんきん定期便を見たひよこクンは、老後には老齢基礎年金と老齢厚生年金がもらえることを知りました。「だけどねんきん定期便には『特別支給の老齢厚生年金』という項目もあるけど、これはナニ？」

Answer

・正確にいうと、老齢の年金には「老齢基礎年金」と２種類の「老齢厚生年金」の、全部で３種類があります。

２種類の老齢厚生年金とは

「②公的年金制度とは？」(120ページ) で、老齢の年金には、国民年金の制度から支給される老齢基礎年金と厚生年金の制度から支給される老齢厚生年金がある、というお話をしましたが、正確にいうと、老齢厚生年金にはさらに**「本来支給の老齢厚生年金」**と**「特別支給の老齢厚生年金」**があります。

この２種類の老齢厚生年金は、名前は似ていても、まったく別のモノ(別の年金)です。本来支給の老齢厚生年金は、新法(現行法、昭和61年４月以降の規定)の年金で、特別支給の老齢厚生年金は、旧法(昭和61年３月以前の規定)の年金を、経過的に、現在も国民の利益のために特別に支給している年金です。

【2つの老齢厚生年金】

	要　件	特　徴
本来支給の老齢厚生年金	国民年金の老齢基礎年金の受給資格期間(10年) ＋ 1月以上の厚生年金の被保険者期間 ＋ 65歳以上	老齢基礎年金と併給される(一緒にもらえる)
特別支給の老齢厚生年金	国民年金の老齢基礎年金の受給資格期間(10年) ＋ 1年以上の厚生年金の被保険者期間 ＋ 60歳～64歳(生年月日等に応じて一定の年齢から)	報酬比例部分と定額部分から構成されている

2 老齢の年金は何歳からもらえるの？

Q. 老齢厚生年金が２種類あると知ってひよこクンは驚きました。「では老齢の年金は、それぞれ何歳からもらえるの？」

Answer

- **老齢の年金は、国民年金も厚生年金も原則として65歳からもらえます。**
- **ただし、特別支給の老齢厚生年金は、生年月日等に応じて65歳前からもらえます。**

老齢の年金の支給開始年齢

それぞれの年金の「**支給開始年齢**(年金をもらい始める年齢)」は以下のとおりです。

【老齢の年金の支給開始年齢の原則】

制　度	年　金	支給開始年齢
国民年金	老齢基礎年金	65歳
厚生年金	本来支給の老齢厚生年金	65歳
厚生年金	特別支給の老齢厚生年金	生年月日に応じて原則として60歳以上65歳未満(必ず65歳で受給権が消滅する)

年金クリニック その1

老齢基礎年金と本来支給の老齢厚生年金の支給開始は、「65歳」からと統一されているのでわかりやすいのですが、特別支給の老齢厚生年金の支給開始は、**生年月日**に応じて、以下のように様々なパターンがあります。

【特別支給の老齢厚生年金の支給開始年齢】

男子、第2～第4号女子の生年月日
(第1号女子は5年遅れ)

60歳 ～ 65歳	65歳 ～	生年月日
特別支給の老齢厚生年金(報酬比例部分)	本来支給の老齢厚生年金	～昭和16年4月1日
(定額部分)	老齢基礎年金	

60歳 ～ 65歳	65歳 ～	生年月日
特別支給の老齢厚生年金(報酬比例部分)	本来支給の老齢厚生年金	昭和16年4月2日～昭和24年4月1日
61歳(～64歳)から (定額部分)	老齢基礎年金	

60歳(～64歳) ～ 65歳	65歳 ～	生年月日
特別支給の老齢厚生年金(報酬比例部分)	本来支給の老齢厚生年金	昭和24年4月2日～昭和36年4月1日
	老齢基礎年金	

～ 65歳	65歳 ～	生年月日
(特別支給の老齢厚生年金なし)	本来支給の老齢厚生年金	昭和36年4月2日～
	老齢基礎年金	

第1号から第4号の内容は以下の通りです。

第1号	第2号	第3号	第4号
民間企業勤務者	国家公務員	地方公務員	私学教職員

3 年金の支給開始年齢は変更できないの？

Q. ひよこクンの生年月日では、特別支給の老齢厚生年金はもらえないことがわかりました。
「がーん！ もし65歳前に、生活に困るようになったらどうすればいいの？」そのようなとき、年金を65歳前に、早くもらうことはできないのでしょうか？

Answer

・年金は、65歳よりも早くもらったり(繰上げ)、逆に遅くもらったり(繰下げ)することができます。

年金の支給開始年齢の例外

支給開始年齢には例外があります。

まったくの任意ですが、望めば65歳よりも早くもらったり（**繰上げ**）、逆に遅くもらったり（**繰下げ**）することができます（ただし、早くもらえば減額され、逆に遅くもらえば増額されます）。

【年金の支給開始年齢の例外】

	手続きが可能な年齢	年金額	老齢基礎年金	本来支給の老齢厚生年金	特別支給の老齢厚生年金
繰上げ	60歳〜64歳	減額	○	○	×※
繰下げ	66歳〜	増額	○	○	×

※報酬比例部分の支給開始が61歳〜64歳の者は、支給開始年齢前に本来支給の老齢厚生年金を繰り上げることができます。

老齢基礎年金と老齢厚生年金の**繰上げは、必ず同時に**行わなくてはいけない、という決まりがあります。

一方で繰下げは、同時に行う必要がありません。片方だけ繰り下げたり、それぞれを異なる年齢から繰り下げることも自由です。

【例：62歳に達したときに、本来支給の老齢厚生年金と老齢基礎年金を繰り上げた場合】

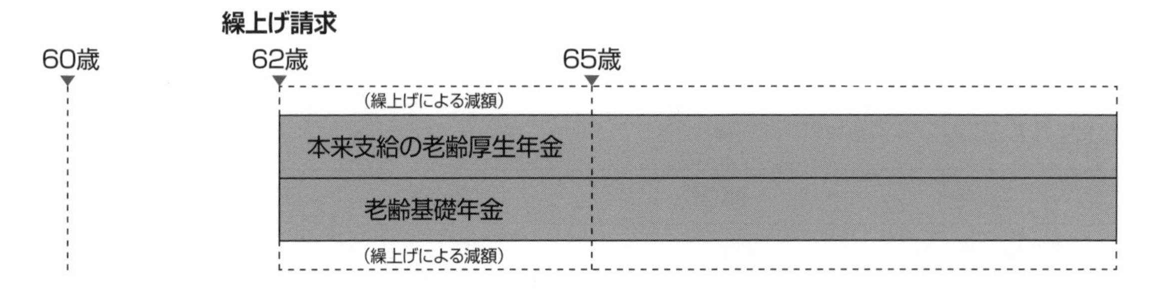

【例：特別支給の老齢厚生年金をもらっていた人が、67歳に達したときに本来支給の老齢厚生年金のみを繰り下げた場合】

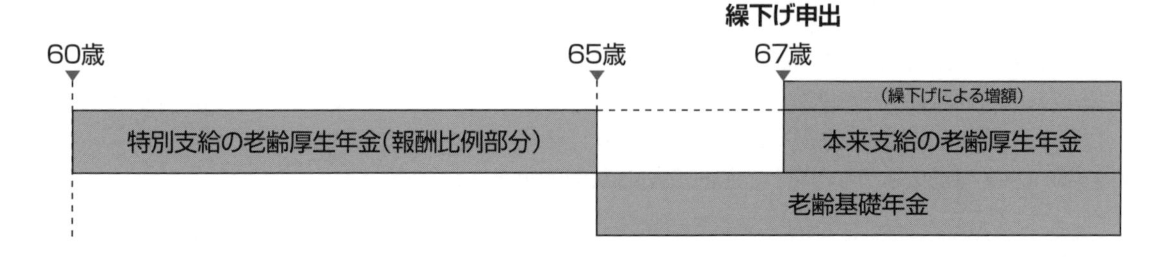

4 繰上げはお得ですか？

Q. ひよこクンには、ただ感心するばかりではなく、一歩踏みこんでつっこみをいれるクセがついてきました。「繰上げは、多少減額されても、早くもらえるからお得かな？」

Answer

・減額された年金額は生涯もとの額に戻らないので、損か得かは、その人の寿命によります。

繰上げの減額率

繰上げの請求は、60歳０か月から64歳11か月までの間にすることができます。その際の繰上げの減額率は、**「１月あたり0.4%（1000分の４）」**です。

もし60歳到達時点で繰り上げれば、減額率は**「0.4%×60月（60歳０か月から64歳11か月までの月数）＝24%」**なので年金額の**「24%が減額」**されます。つまり、年金は、繰り上げないで65歳からもらう場合の年金額の**「76%が支給」**されることになります。以下は、老齢基礎年金を65歳から70万円もらえる人が、繰上げをした場合の年金額の例です。

【70万円の老齢基礎年金を繰り上げた場合の例】

繰り上げた年齢	繰り上げた月数	減額率	支給率	老齢基礎年金の額
60歳0か月	60月	0.4%×60月＝24%	76%	532,000円
63歳0か月	24月	0.4%×24月＝9.6%	90.4%	632,800円
64歳6か月	6月	0.4%×6月 ＝2.4%	97.6%	683,200円

そして減額された年金額は、生涯もとの額に戻らないため、年金額の累計は、繰り上げた場合と繰り上げなかった場合とで、繰り上げてから、およそ20年10か月で同額になります。

たとえば60歳０か月で繰り上げた場合は、80歳10か月を越えて長生きすれば、繰り上げないほうが得だった、ということになります。139ページの表も見ておいてください。

5 繰り上げるときに注意することは？

Q. ひよこクンは、ひよこ兄さんたちにも、繰上げのことを教えてあげようと思いました。累計額以外にも注意すべきことがあれば知りたいです。

Answer

・繰上げにはいくつかデメリットがあります。

繰り上げる際には、損をしてしまうことのないように、以下の注意点をよく理解してから手続きをしましょう。

✳繰り上げるときの主な注意点✳

・繰上げ請求を取り消したり、変更したりすることはできません。
・保険料の**追納**をすることができなくなります。
・一定の障害の年金を請求することができなくなります。
・**寡婦年金**は支給されません。また、既に寡婦年金をもらっている場合は、寡婦年金の受給権が消滅します。
・65歳になるまでに、配偶者の死亡などにより**遺族厚生年金**がもらえることになっても、両方を同時にもらうことはできません(65歳からは、両方を同時にもらうことができます)。
多くの場合は、遺族厚生年金を選んだ方が有利であるため、65歳までは、繰り上げた老齢基礎年金をもらわないことになります。

6 今度は繰下げについて教えて!

Q. 老後にもしも、もしも、もしも経済的なゆとりがあれば、繰下げをするかもしれないと考えたひよこクン。繰下げについても詳しく知りたいです。「ボクにも繰下げができるかな?」

Answer
・繰下げを希望していても、繰下げができない人がいます。

✳繰下げができない人について✳

老齢基礎年金や本来支給の老齢厚生年金は、**66歳**までに障害や遺族の年金をもらうようになった場合には、繰下げができません(ただし老齢厚生年金は、障害基礎年金をもらっていても繰り下げることができます)。

これは、繰下げの趣旨が「支給開始を先延ばしする(年金をもらうのを我慢する)代わりに年金額を増額する」という交換条件を意味するものであるため、このルールに反して次のような不都合が生じてしまうことを防ぐためです。

次図のように★の期間、障害基礎年金をもらい、70歳から繰り下げて増額された老齢基礎年金をもらうことが可能だとしたら、「年金をもらうのを我慢したらその分増額される」という交換条件が成立しなくなってしまいますね。

【例:仮に障害の年金等をもらっている人に繰下げを認めた場合】

繰下げ申出

65歳 70歳

(繰下げによる増額)

障害基礎年金 ★ 老齢基礎年金

7 繰下げの増額率は?

Q. 「繰下げができる人は、経済的に余裕があって、障害や遺族の年金とも無縁な、ラッキーな人なんだね。ではもし繰り下げたら、どれくらい増額されるのかな?」ひよこクンは、電卓を片手に計算にチャレンジします。

Answer

・繰下げの増額率は、繰上げの減額率よりも高く設定されています。

繰下げの増額率

繰下げの手続きは、66歳０か月からすることができますが、その際の繰上げの増額率は、**「1月あたり0.7%(1000分の7)」**です。

もし70歳時点で繰り下げれば、増額率は**「0.7%×60月(65歳0か月から69歳11か月までの月数)=42%」**なので年金額の**「42%が増額」**されます。つまり、年金は、繰り下げないで65歳からもらう場合の年金額の**「142%が支給」**されることになります。以下は、老齢基礎年金を65歳から70万円もらえる人が、繰下げをした場合の年金額の例です。

【70万円の老齢基礎年金を繰り下げた場合の年金額の例】

繰り下げた年齢	繰り下げた月数	増額率	支給率	老齢基礎年金の額
66歳0か月	12月	0.7%×12月=8.4%	108.4%	758,800円
69歳7か月	55月	0.7%×55月=38.5%	138.5%	969,500円
70歳0か月	60月	0.7%×60月=42%	142%	994,000円
75歳0か月	120月	0.7%×120月=84%	184%	1,288,000円

繰下げで得をするのは、下の表のように、繰り下げてからおよそ11年11か月以降になります。たとえば70歳０か月で繰り下げた場合には、81歳11か月で、75歳０か月で繰り下げた場合には、86歳11か月で年金額の累計が逆転します。長生きをしないと繰下げのメリットを享受することはできません。

【繰上げ・繰下げのまとめ】

繰上げ受給開始年齢	60歳0か月	61歳0か月	62歳0か月	63歳0か月	64歳0か月
受給額の累計が逆転する年齢	80歳11か月	81歳11か月	82歳11か月	83歳11か月	84歳11か月

繰下げ受給開始年齢	66歳0か月	67歳0か月	68歳0か月	70歳0か月	75歳0か月
受給額の累計が逆転する年齢	77歳11か月	78歳11か月	79歳11か月	81歳11か月	86歳11か月

8 繰り下げるときに注意することは?

Q. ひよこクンは繰下げの計算ができるようになって、得意気に、こんなことを考えました。「繰下げの手続きを先延ばしすればするほど、増額率がすごいことになる？」

Answer

・繰下げの増額率には上限(84%)があります。

✳繰り下げるときの主な注意点✳

・繰下げができるのは、前述のとおり早くても**66歳0か月**からであり、かつ障害や遺族の年金をもらう権利が発生するまでの間です。

・**75歳**を過ぎてから繰下げの手続きをした場合でも、**75歳時点での増額率**(84%)で計算され、75歳までさかのぼってもらうことになります。

・後述の**加給年金額**は、繰下げしても増額されません。また繰り下げるまでの間、加給年金額を先にもらうことはできません。

・繰下げの手続きは、本人の死亡後に遺族が代わって行うことはできません。

老齢基礎年金や老齢厚生年金を繰り下げる場合には、「年金額が増額するメリット」と「繰下げ待機期間中に振替加算や加給年金額を受け取れないデメリット」を比較することもお忘れなく！　デメリットを避けるために、老齢基礎年金と老齢厚生年金のうち、振替加算や加給年金額の加算のない方だけを繰り下げることもオススメです。

9 年金に扶養手当がつくって本当なの?

Q. ひよこクンには、次から次へと疑問が湧いてきます。「年金は生活費…ということは、家族の人数によって金額が違うのかな。」

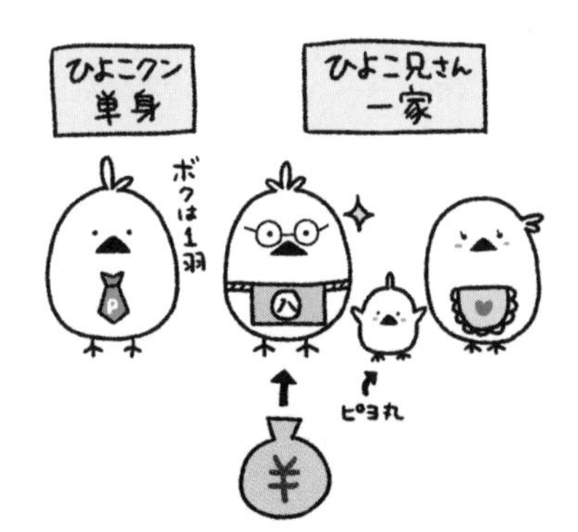

Answer

・老齢厚生年金や障害厚生年金には「加給年金額」、遺族基礎年金や障害基礎年金には「加算額」という扶養手当に相当するものがつきます。

年金は生活費なので、年金をもらう人に一定の家族がいれば、扶養手当に相当するもの（**加給年金額と加算額**）が加算されます。

加給年金額等が加算される年金は、以下のとおりです。

なお、加給年金額等は遺族や障害の年金にもつくので、ここで一緒に説明しておきます。

【加給年金額／加算額が加算される年金】

年金の種類		受給権者の要件
厚生年金（加給年金額）	老齢厚生年金	老齢厚生年金をもらう人が、厚生年金に20年以上加入していること
	障害厚生年金	障害厚生年金をもらう人の障害等級が1、2級であること
国民年金（加算額）	遺族基礎年金	特になし
	障害基礎年金	

まずは、厚生年金の加給年金額を見ていきましょう。

配偶者は、65歳になれば原則自分自身の老齢基礎年金をもらうことになるため、扶養手当が不要になります。そこで配偶者を対象とする加給年金額がつくのは、**「配偶者が65歳になるまで」**となっています。

また、もし配偶者が、65歳前に**特別支給の老齢厚生年金**（配偶者自身が**厚生年金に20年以上**加入）や**障害厚生年金**等をもらい始めれば、この場合も扶養手当が不要になるので、配偶者を対象とする加給年金額を支給停止することになっています。

【加給年金額の対象者の要件】

対象者	老齢厚生年金	障害厚生年金	前年の収入	年　齢
配偶者	○	○	850万円未満	・65歳未満
子	○	加給年金額加算なし		・18歳年度末まで ・障害等級1、2級に該当する場合は20歳未満

【例1：配偶者が65歳になってから老齢の年金をもらい始めた場合】

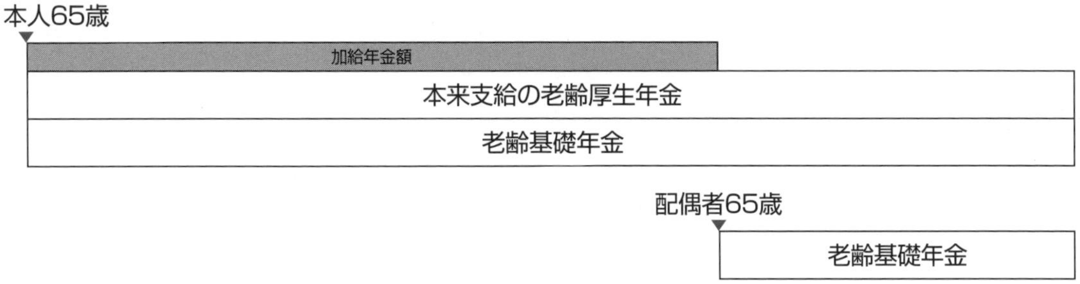

本人65歳

加給年金額
本来支給の老齢厚生年金
老齢基礎年金

配偶者65歳

老齢基礎年金

【例2:配偶者が65歳前に特別支給の老齢厚生年金をもらい始めた場合】

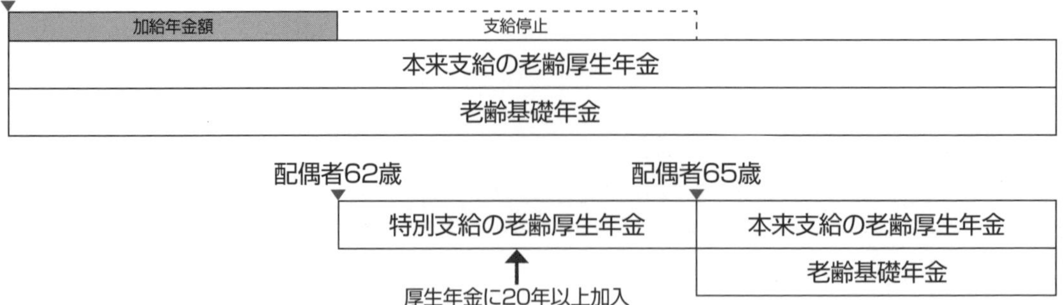

では次に、国民年金の加算額を見ていきましょう。

国民年金の場合、加算額の対象者は「子」のみとなります。

【加算額の対象者の要件】

対象者	遺族基礎年金	障害基礎年金	前年の収入	年　齢
子	○	○	850万円未満	・18歳年度末まで ・障害等級1、2級に該当する場合は20歳未満

子を対象とする加算額は、厚生年金も国民年金も、原則として**高校卒業年度**までとなっています。

また、加給年金額と加算額は以下の通り同じ金額になっています。

【令和6年度の加給年金額／加算額】

配偶者※	234,800円
子　2人目まで	234,800円
子　3人目以降	78,300円

※**老齢厚生年金**の**配偶者**に対する加給年金額には、さらに**特別加算**として173,300円(**受給権者**の生年月日が**昭和18年4月2日以後**の場合)が加算され、合計額は408,100円となります。

年金の学習は、法律の条文が難しく細かいために、苦手科目であるとされる傾向にありますが、どのようにして克服すればよいのでしょうか。
年金科目には習得の順序があります。
①基本事項→②横断学習→③応用的知識とステップを踏んで学習していきます。

①まずは科目ごとに、基本的な、シンプルな骨組みをしっかりと押さえます。
②次に、国民年金と厚生年金の骨組みを横断的に学習します。
③そして骨組み(基本事項)の上に、さらに肉付け(応用的知識)をします。肉付け作業をして初めて、択一式で高得点をとることができるようになります。

②の横断的な学習が③に進む手前の大切なステップとなります。コツコツとがんばりましょう!!

無敵の社労士 2025年合格目標
MUTEKINO SHAROSHI
1 スタートダッシュ

Part 3

これで合格！問題演習

CONTENTS

TAC社会保険労務士講座 専任講師 **岡 武史**

10年より前の過去問に挑戦してみよう！

過去問を解くのは、なんのため？

社労士の受験生であれば、誰でも過去問を解くと思います。その過去問を解く目的について、今一度、考えてみましょう。

様々な目的が考えられますが、①本試験の傾向やレベルを知る、②本試験の出題を予測することの２点に集約できると思います。このうち、今回は「**②本試験の出題を予測すること**」について、掘り下げてみます。

みなさんは、何年分の過去問を解いているでしょうか。５年分でしょうか、それとも10年分でしょうか。社労士の過去問の中には、難問や奇問もありますので、それだけの分量の過去問を全部学習することは、大変な労力と時間が必要ですね。では、その過去問で出題された知識（ポイント）が、次の本試験で出題される可能性はどの程度だと思いますか。

25年以上、社労士の過去問を独自に分析していて私が感じるのは、作問者は「**必ず過去問を参考にして出題している**」ということです。したがって、５年や10年以内の過去問で出題された知識やテーマが再度出題されることも多いです。しかし、同じことは、10年より前の過去問でも当てはまります。このことは、「できるだけ受験生が見たことのある問題は出題したくない」という作問者側の立場を考えると、納得できるでしょう。つまり、**年数で掲載問題を区切った過去問題集では、本試験で狙われやすい知識やテーマを取りこぼしてしまうことがあるのです**。

しかし、市販の過去問題集は、５年や10年等で掲載問題を区切ったものがほとんどであるため、社労士の受験生が10年より前の重要な過去問に触れる機会は、なかなかありません。そこで、このコーナーでは、10年より前の重要過去問をセレクトして、毎回出題していきます。実力試しのつもりで、挑戦してみてください。

今回は、労働基準法、労働安全衛生法、労災保険法からの出題です。

『比較認識法®』って、なんだろう？

このコーナーで掲載している重要過去問の解説の中で、時折、**『比較認識法®』**というマークがついた表みたいな記載（「比較認識法®の公式」と呼んでいます。）があります。この『比較認識法®』は、私が長年提唱している社労士試験の短期合格のノウハウのひとつです。

「知識をまとめるのが上手！」という短期合格者の共通の特徴から着想を得て、社労士講座の講師を20年以上しながら発展させてきました（ついでに商標登録もしています　笑）。

「比較認識法®の公式」にあるように、できるだけ単純化してシンプルに比較しながら知識を整理していくプロセスの中で、より問題のポイントを意識できます。これによって、記憶力が格段に向上するだけでなく、似た知識の違いを意識することで理解力も深まります。そして、なにより**社労士試験で求められている膨大な知識のポイントを忘れても、すぐに思い出せるようにアウトプットするための具体的なノウハウ**でもあるのです。

ただし、ここに掲載している「比較認識法®の公式」の形が唯一の正解というわけではありません。試行錯誤を繰り返しながら、自分が一番押さえやすい「比較認識法®の公式」を見つけていってください。ここに掲載しているのは、そのひとつのモデルだと考えてもらえればいいです。

最後に、「比較認識法®の公式」を作成する上でのアドバイスをします。

一言でいうと、「**パッと見て、ポイントがわかる！**」ということですが、このためにはシンプルに、ポイントに関係ない知識（条文番号等も）はできるだけカットした方がいいです。また、表題を何にするかによって、比較事項の書き方も大きく変わってきますので、できるだけシンプルになる表題を考えましょう。最後に、その「比較認識法®の公式」に関連する知識を補足で付け加えると、対応範囲が広がります。

「比較認識法®の公式」の作成のコツ

1．ポイントに関係のない知識はできるだけカットする
2．表題の書き方を最大限に工夫する
3．最後に知識を補足して対応範囲を広げてもいい

最初は半信半疑でも、実践してみる価値は絶対にあります！

ぜひ、このコーナーを通して、『比較認識法®』のノウハウを普段の勉強に少しでも活かしてもらえれば、嬉しいです。

あなたは、何問正解できるか？

労働基準法

問題1　H25-5D

労働基準法第３条は、すべての労働条件について差別待遇を禁止しているが、いかなる理由に基づくものもすべてこれを禁止しているわけではなく、同条で限定的に列挙している国籍、信条又は社会的身分を理由とする場合のみを禁じている。

解答1　○　法３条。
本条の「国籍、信条又は社会的身分」は限定列挙であり、これら以外を理由とする差別的取扱いは禁止していない。

問題2　H24-4C

労働基準法第７条は、労働者が労働時間中に、公民権を行使するために必要な時間を請求した場合には、使用者はこれを拒んではならないとし、また、当該時間を有給扱いとすることを求めている。

解答2　×　法７条、昭和22.11.27基発399号。
「公民権を行使するために必要な時間」を与えた場合に、その時間を有給とするか無給とするかは、当事者の自由である。

問題3　H24-7E

労働基準法第15条により、使用者が労働契約の締結に際し書面で行うこととされている労働条件の明示については、当該労働条件を記載した就業規則を交付することではその義務を果たすことはできない。

解答3　×　法15条１項、平成11.1.29基発45号。
労働条件の明示の書面の様式については自由であるので、労働者に適用する部分を明確にして就業規則を労働契約の締結の際に交付しても差し支えない。

問題4　H26-4D

事業場における一部の労働者のストライキの場合に、**残りの労働者を就業させることが可能である**にもかかわらず、使用者がこれを拒否した場合、もともとはストライキに起因した休業であるため、労働基準法第26条の「使用者の責に帰すべき事由」による休業には該当しない。

解答4　×　法26条、昭和24.12.2基収3281号。
一部ストライキの場合において「残りの労働者を就業させることが可能であるにもかかわらず」、使用者がこれを拒否した場合には、「使用者の責に帰すべき事由」に該当する。

問題5　H15-6A

保健衛生の事業については、労働者に休憩を一斉に与える必要はないので、**満18才に満たない労働者**についても、特段の手続をしなくとも、休憩時間を一斉に与える必要はない。

解答5　×　法60条1項、法34条2項、法40条1項、則31条。
「保健衛生事業」は、休憩の一斉付与をしなくてもよい業種であるが、年少者(満18才に満たない労働者)には、法40条の休憩の特例は適用されないため、休憩の一斉付与をしない場合は、労使協定が必要である。

★一斉休憩の原則が適用されない業種(ex.保健衛生業)

年少者以外	労使協定がなくても、一斉休憩を与えなくてよい
年少者	労使協定があれば、一斉休憩を与えなくてよい

問題6 H17-3E

所定労働時間が始業時刻午前８時、終業時刻午後５時(休憩が12時から午後１時までの１時間)である事業場において、労働基準法第41条第２号の**監督又は管理の地位にある者**が、所定労働時間を超えて深夜に及ぶ労働に従事した場合、午後10時から午前５時までの時間の労働については、同法第37条の規定に従い、通常の労働時間の賃金の計算額の**５割以上**の率で計算した割増賃金を支払わなければならない。

解答6 × 法37条４項、法41条２号。

いわゆる41条該当者については、時間外労働(原則２割５分以上)や休日労働(３割５分以上)の割増賃金は発生しない。よって本問の場合、深夜業(２割５分以上)の割増賃金を支払えばよいため、「５割以上」としている点が誤りである。

★ 41条該当者の割増賃金

時間外労働（原則2割5分以上）・休日労働（3割5分以上）	適用なし
深夜業（2割5分以上）	適用あり

問題7 H24-5E

労働基準法第36条に定めるいわゆる36協定は、これを所轄労働基準監督署長に届け出てはじめて使用者が労働者に適法に時間外労働又は休日労働を行わせることを可能とするのであって、法定労働時間を超えて労働させる場合、単に**同協定を締結したのみ**では、労働基準法違反の責めを免れない。

解答7 ○ 法36条１項。

「届出」が効力発生要件となっている労使協定は、36協定のみである。

問題８　H26-6B

最高裁判所の判例は、「年次休暇の利用目的は労基法の関知しないところであり、休暇をどのように利用するかは、使用者の干渉を許さない労働者の自由である、とするのが法の趣旨である」と述べている。

解答８　○　法39条、最二昭和48.3.2白石営林署事件。
同じ判例において、「他の事業場における争議行為等に休暇中の労働者が参加したか否かは、なんら当該年次有給休暇の成否に影響するところはない。」（年次有給休暇として認められる。）としている。

★ 年次有給休暇権の行使となるか？

他の事業場における争議行為に休暇をとって参加する	行使となる
自分の事業場における争議行為として一斉に休暇届を提出する	行使とならない

問題９　H23-7A

満18歳に満たない年少者については、労働基準法第32条の２のいわゆる１か月単位の変形労働時間制を適用することはできないが、同法第32条の３のいわゆるフレックスタイム制を適用することはできる。

解答９　×　法60条１項。
年少者については、妊産婦と異なり、フレックスタイム制を含めて、原則として変形労働時間制の規定は適用されない。

★ 変形労働時間制の適用の可否

年少者	（請求しなくても）原則として、すべて適用されない
妊産婦	請求すれば、フレックスタイム制を除き、法定労働時間を超えて適用されない

問題10　H24-1E改

裁判所は、労働基準法第20条(解雇予告手当)、第26条(休業手当)若しくは第37条(割増賃金)の規定に違反した使用者又は第39条第９項の規定による賃金(年次有給休暇中の賃金)を支払わなかった使用者に対して、労働者の請求により、これらの規定により使用者が支払わなければならない金額についての未払金のほか、これと同一額の付加金の支払を命ずることができることとされているが、この付加金の支払に関する規定は、同法第24条第１項に規定する賃金の全額払の義務に違反して賃金を支払わなかった使用者に対しては適用されない。

解答10　○　法114条。
裁判所が、労働者の請求により使用者に付加金の支払を命ずることができるのは、本問記載の①解雇予告手当、②休業手当、③割増賃金、④年次有給休暇中の賃金、を支払わなかったときに限られる。

労働安全衛生法

問題1　H24-9A

常時120人の労働者を使用する清掃業の事業場の事業者は、総括安全衛生管理者を選任する義務があるが、当該事業場においてその事業の実施を統括管理する者であれば、他に資格等を有していない場合であっても、その者を総括安全衛生管理者に選任し、当該事業場の労働災害を防止するため必要な業務を統括管理させることができる。

解答1　○　法10条１項、２項、令２条１号。
「清掃業」の事業場の事業者は、常時100人以上の労働者を使用する場合に、「総括安全衛生管理者」を選任する義務が生じ、「総括安全衛生管理者」は当該事業場を統括管理する者であれば、特段の資格等を有しない。

問題2 H24-10C

工場の用に供される建築物を他の事業者に貸与する者は、所定の除外事由に該当する場合を除き、当該建築物の貸与を受けた事業者の事業に係る当該建築物による労働災害を防止するため必要な措置を講じなければならない。

解答2 ○ 法34条、令11条。
本問の「建築物貸与者の講ずべき措置」は、当該建築物の全部を一の事業者に貸与するときは、必要な措置を講じる必要はない。

問題3 H26-10C

労働安全衛生法第60条に定める職長等の教育に関する規定には、同法第59条に定める雇入れ時の教育（同条第１項）、作業内容変更時の教育（同条第２項）及び特別の教育（同条第３項）に関する規定と同様に、その違反には罰則が付けられている。

解答3 × 法59条、法60条、法119条～法122条。
安全衛生教育の中で、「職長等の教育」についてだけは罰則の定めはない。

★ 安全衛生教育違反の罰則

雇入れ時・作業内容変更時	50万円以下の罰金
特別教育	6月以下の懲役又は50万円以下の罰金
職長教育	罰則なし

問題4 H25-8B

事業者は、面接指導の結果に基づき、法定の事項を記載した当該面接指導の結果の記録を作成して、これを５年間保存しなければならない。

解答4 ○ 法66条の８，３項、則52条の６，１項。
面接指導の結果の記録の保存は、健康診断個人票と同様に５年間である。

問題5 H25-9D

労働者が事業場内における負傷により休業の日数が２日の休業をしたときは、事業者は、遅滞なく、所定の様式による報告書を所轄労働基準監督署長に提出しなければならない。

解答5 × 法100条１項、則97条２項。

本問の「労働者死傷病報告書」は、「休業の日数が２日」（休業の日数が４日未満）の場合は、１月から３月まで、４月から６月まで、７月から９月まで及び10月から12月までの期間における当該事実について、それぞれの期間における最後の月の翌月末日までに、所轄労働基準監督署長に提出しなければならない。

★ 労働者死傷病報告（所轄労働基準監督署長へ提出）

死亡事故又は休業４日以上	遅滞なく
休業４日未満	四半期最後の月の翌月末日まで

労働者災害補償保険法

問題1 H26-7E

船員法上の船員については労災保険法は適用されない。

解答1 × 法３条１項、船員保険法１条、同法２条１項。

「船員法上の船員」については、労災保険法の適用がある。

★ 船員法上の船員

労災	（労働時間数に関係なく）船舶所有者に使用される者は、適用労働者となる
雇用	１年を通じて船員として適用事業に雇用される者は、被保険者となる

問題2　H24-1C

日々雇用される労働者が公共職業安定所等でその日の職業紹介を受けるために住居から公共職業安定所等まで行く行為は、通勤に該当しない。

解答2　○　法７条２項、平成28.12.28基発1228第１号。
本問の労働者の行為は、「職業紹介」を受けるための行為であって、未だに就職できるかどうかは不確実な段階であるので、就業のための出勤行為とは認められない。

問題3　H25-7E

通勤の途中で怨恨をもってけんかをしかけて負傷した場合、通勤災害と認められる。

解答3　×　法７条１項３号、平成28.12.28基発1228第１号。
「怨恨をもってけんかをしかけて負傷した場合」は、通勤が原因となって災害が発生したものではないので、通勤災害とは認められない。

問題4　H19-2C

年金たる保険給付の額の算定に用いられる給付基礎日額には、原則として、労働基準法第12条の平均賃金に相当する額が用いられるが、毎月勤労統計における労働者１人当たりの平均給与額が給付基礎日数の算定事由発生日の属する年度（４月から翌年３月まで）における平均給与額の100分の110を超え、又は100分の90を下るに至った場合は、その上下した比率を基準として厚生労働大臣が定める率を労働基準法第12条の平均賃金に相当する額に乗じてスライドさせた額が、算定事由発生日の属する年度の翌々年度の８月以降の給与基礎日額として用いられる。

解答4　×　法８条の３，１項。
年金給付基礎日額におけるスライドの改定は、「平均給与額の100分の110を超え、又は100分の90を下る」ことは必要とされず、完全自動賃金スライド制が用いられている。

★スライド改定の適用の要件

休業給付基礎日額	平均給与額の100分の110を超え、又は100分の90を下る変動があった場合のみ
年金給付基礎日額	完全自動賃金スライド制

問題5 H20-3A改

療養補償給付、複数事業労働者療養給付又は療養給付の請求書は、**療養の給付又は療養の費用の支給のいずれについても、療養を受ける病院、診療所等を経由**し所轄労働基準監督署長に提出しなければならない。

解答5 × 則12条1項、則18条の3の7、則18条の5, 1項。
療養の費用の請求書は、直接、所轄労働基準監督署長へ提出しなければならない。

★請求手続

療養の給付	指定病院等を経由して所轄労働基準監督署長に提出
療養の費用の支給	直接、所轄労働基準監督署長に提出

問題6 H25-2E

介護補償給付の額は、常時介護を要する状態の被災労働者については、**支給すべき事由が生じた月**において介護の要する費用として支給された額が、労災保険法施行規則に定める額に満たない場合にあっては、当該介護の要する費用として支給された額である。

解答6 ○ 則18条の3の4, 1項。
「支給すべき事由が生じた月」の介護補償給付の額は、最低保障額(「労災保険法施行規則に定める額」)の適用はなく、実費が支給される。

問題7　H19-6B

遺族補償年金又は遺族年金を受けることができる遺族について、労働者の死亡の当時胎児であった子が出生したときは、その子は、将来に向かって、労働者の死亡の当時その収入によって生計を維持していたとみなされ、また、その子が厚生労働省令で定める障害の状態で出生した場合についても、将来に向かって、**労働者の死亡の当時厚生労働省令で定める障害の状態にあったものとみなされる**。

解答7　×　法16条の2，2項、法22条の4，3項。

遺族（補償）等年金の遺族について、労働者の死亡の当時胎児であった子が障害の状態で出生したとしても、労働者の死亡の当時に障害状態にあったものとはみなされない。

★ 労働者の死亡の当時の胎児が出生した場合

比較認識法

生計維持関係	将来に向かって、生計を維持していたものとみなされている
障害状態	労働者の死亡の当時に障害状態があったものとはみなされない

問題8　H24-4A

年金たる保険給付を**減額して改定すべき事由が生じた**にもかかわらず、その事由が生じた月の翌月以後の分として減額しない額の年金たる保険給付が支払われたときは、その支払われた年金たる保険給付の当該減額すべきであった部分は、その後に支払うべき年金たる保険給付の内払とみなすことができる。

解答8　○　法12条1項。

本問の減額改定をする場合の内払については、「内払とみなすことができる。」で正しい。

★ 保険給付の内払

支給停止の場合、減額改定をする場合	内払とみなすことができる
受給権消滅の場合〔遺族（補償）等年金を除く。〕	内払とみなす

問題9 H24-5E

海外派遣者について、派遣先の海外の事業が**厚生労働省令で定める数以下の労働者を使用する事業に該当する**場合であっても、その事業の**代表者**は、労災保険の特別加入の対象とならない。

解答9 × 法33条7号、平成11.12.3基発695号。

第3種特別加入者の適用において、「派遣先の海外の事業が厚生労働省令で定める数以下の労働者を使用する事業」(特定事業)である場合(労働保険事務組合に委託できる事業主の範囲と同じである。)には、事業主その他労働者以外の者として派遣される者についても特別加入の対象とされる。

★ 派遣先の海外の事業規模における第3種特別加入の適用の可否

特定事業に派遣される場合	事業主その他労働者以外の者として派遣される者も対象
特定事業以外に派遣される場合	労働者として派遣される者のみ対象

問題10 H26-7A

特別加入制度において、**個人貨物運送業者**については通勤災害に関する保険給付は支給されない。

解答10 ○ 法35条1項カッコ書、則46条の22の2。

第2種特別加入者のうち、「個人貨物運送業者」は、住居と就業の場所との間の往復の実態が明確でないことから、通勤災害に関する保険給付は支給されない。

★ 特別加入者に支給されない保険給付2つ

①第2種特別加入者のうち一部の者	通勤災害に関する保険給付
②すべての特別加入者	二次健康診断等給付

新刊のお知らせ！

TAC講師歴20年以上の岡武史講師が贈る待望の新刊！
わかりやすさのその先を目指した、得点力と合格に直結する新シリーズ！
2025年度版より刊行いたします！

比較認識法®で覚える！シリーズ

社労士合格プレミアテキスト（2024年10月刊行予定）
社労士合格セレクト過去問題集　労働科目編（2024年11月刊行予定）
社労士合格セレクト過去問題集　社会保険科目編（2024年11月刊行予定）

※書名、刊行月等は変更となる場合がございます。

本シリーズは、岡武史講師の「比較認識法®」をはじめとした
独自のノウハウを余すことなく凝縮しています！
今までのテキスト・過去問題集の常識を覆す新しいシリーズです。
乞うご期待！

YouTubeチャンネル「一発合格！ TV」のご案内

無料動画による勉強法の公開をしています！
右のQRコードをスマホで読み取って、チャンネル登録ボタンを押すと、すぐにチャンネル登録できます♪

URL：https://www.youtube.com/c/一発合格TV

＊「YouTube」は、Google LLC. の登録商標です。

問題対応力をつける! 必勝!第57回本試験 チャレンジ! 論点マスター

TAC社会保険労務士講座
専任講師
浦浜 孝一

この"論点マスター"は、試験に出る論点を効率よくマスターするため、文章を簡略化してクイズ形式にしています。そのため、条文に近い形で出題される本試験問題とは趣を異にします。学習に際しては、お手持ちのテキスト等と一緒に確認しながら進めると、より効率的でしょう。

この論点マスターも早いもので連載13年目になりました。その間、本試験の出題形式や問い方が変わってきました。ですが、法律そのものは改正はあるものの変化しているわけではありません。法律条文の本質そのものはほとんど変わりません。"論点マスター"の問題をこなすことで、正誤問題を解くだけでは得られない、問題対応力がつきます。今後も予想される新たな形式に対応する力を養成するためにも、最適なトレーニング方法となります。今回から、より最近の本試験の出題傾向に対応するため「エピソード問題」を追加し、内容もさらに充実しました。ぜひ、たくさん活用していただき、みなさんの実力アップのためのお力になれれば幸いです。

労働基準法

❶エピソード問題

(1) ある会社の社長から、「労働者が社用車を事故等で損壊させた場合、就業規則で修理代の一部として定額を労働者に負担させる規定を設けることは出来ますか。」という相談があった。回答として、最も適切なものは？

① はい。出来ます。
② いいえ。出来ません。

(2) ある会社の社長から、「入社後、雇用期間が2年を超えたパートタイマーを6か月更新で雇用していますが、次期契約はしない予定です。その場合でも雇止め予告は必要でしょうか。」という相談があった。回答として、最も適切なものは？

① いいえ。必要ありません。
② はい。必要です。

(3) ある労働者から、「賃金(月給)の支払日が土曜日(会社の休日)となったときは、前日の金曜日に支払うものではないでしょうか。」という相談があった。回答として、最も適切なものは？

① はい。そのとおりです。
② 会社の規定により、前日の金曜日又は休み明けの月曜日に支払います。

(4) ある会社の社長から、「原料仕入れが遅れたため、2日間機械を停止しなければならず、そのため、一部の労働者を休ませることになりそうです。その場合の賃金はどうすればいいですか。」という相談があった。回答として、最も適切なものは？

① 事業主の責任ではありませんので、休業手当は必要ありません。
② 休業手当が必要です。

ANSWER

労働基準法

❶(1) ② 法16条。使用者は、労働契約の不履行について違約金を定め、又は損害賠償額を予定する契約をしてはならない。

(2) ② 「有期労働契約の締結、更新、雇止め等に関する基準」。使用者は、有期労働契約(有期労働契約が3回以上更新されているか、1年を超えて継続して雇用されている労働者に限る。なお、あらかじめ当該契約を更新しない旨明示されているものを除く。)を更新しない場合には、少なくとも契約の期間が満了する日の30日前までに、その予告をしなければなりません。

(3) ② 法24条2項。賃金は、毎月1回以上、一定の期日を定めて支払わなければならない。ただし、臨時の賃金等については、この限りでない。また、支払日が休日に当たる場合は繰り上げ、繰り下げができる。

(4) ② 法26条。使用者の責に帰すべき事由による休業の場合においては、使用者は、休業期間中当該労働者に、その平均賃金の100分の60以上の手当(休業手当)を支払わなければならない。使用者の責に帰

QUESTION

(5) ある会社の社長から、6か月勤務した労働者に年次有給休暇を10日与えようとしたら、その労働者が6か月後の退職を申し出てきたので、5日だけ付与したいと思います。そういう取扱いはできますか。」という相談があった。回答として、最も適切なものは？

① 付与日から1年経過せずに退職する場合に該当するので、5日だけの付与で構いません。
② 10日付与しなければなりません。

(6) ある会社の社長から、「就業規則では年次有給休暇は3日前に請求することになっているのに、労働者が2日前の朝に、理由もはっきり言わず「年次有給休暇を取りたい。」と言ってきました。その場合でも年次有給休暇を認めなければならないのでしょうか。」という相談があった。回答として、最も適切なものは？

① 就業規則に違反していますので、認める必要はありません。
② 時季変更権を行使しない限り認めなければなりません。
③ 理由をはっきり言わないので、認める必要はありません。

(7) ある会社の社長から、「定年で退職した労働者を引き続き嘱託として雇用することにしました。年次有給休暇はどうなるのでしょうか。」という相談があった。回答として、最も適切なものは？

① 定年までの勤続期間と嘱託の勤続期間を合算した期間を継続勤務の期間として付与します。
② 雇用形態が違いますので、あくまで、嘱託の勤続期間を継続勤務の期間として付与します。

(8) ある会社の社長から、「所定労働時間8時間で、時間単位で4時間の年次有給休暇を取得した労働者がいるが、この4時間分は、使用者が時季指定すべき年5日の年休から控除できますか。」という相談があった。回答として、最も適切なものは？

① はい。控除できます。
② いいえ。控除できません。

ANSWER

すべき事由による休業とは、一般的には「会社都合」で休ませる場合で、事業主の故意や過失だけでなく、経営上や管理上の要因に起因するものを含むと解されている。設問の場合は、経営上や管理上の要因に起因するものに該当する。

(5) **②** 法39条1項、最二小昭和48.3.2白石営林署事件。使用者は、その雇入れの日から起算して6箇月間継続勤務し全労働日の8割以上出勤した労働者に対して、継続し、又は分割した10労働日の有給休暇を与えなければならない。有給休暇の権利は労働基準法上の要件が満たされることで当然に発生する。したがって、権利発生後の勤務期間については問われない。

(6) **②** 法39条5項。使用者は、有給休暇を労働者の請求する時季に与えなければならない。ただし、請求された時季に有給休暇を与えることが事業の正常な運営を妨げる場合においては、他の時季にこれを与えることができる。設問の場合だけでは、「事業の正常な運営を妨げる場合」には該当しないので、他の理由で時季変更権を行使しない限り年次有給休暇を認めなければなりません。また、「理由をはっきり言わないこと」は「正常な運営を妨げる場合」には該当しません。

(7) **①** 法39条1項、昭和63.3.14基発150号。定年退職による退職者を引き続き嘱託などとして再雇用している場合は、実質的に労働関係が継続していると認められるため、勤続年数を通算しなければならない。

(8) **②** 法39条7項、平成30.12.28基発1228第15号。使用者は、有給休暇(使用者が与えなければならない有給休暇の日数が10労働日以上である労働者に係るものに限る。)の日数のうち5日については、基準日から1年以内の期間に、労働者ごとにその時季を定めることにより与えなければならない。ただし、労働者の(日単位の)時季指定又は計画的付与により有給休暇を与えた場合においては、当該与えた有給休暇の日数分については、時季を定めることにより与えることを要しない(使用者が時季指定すべき5日から控除される。)。なお、時間単位年休により有給休暇を与えた日数については、使用者が時

QUESTION

(9)家事代行サービス会社の社長から「雇用している家政婦(夫)に時間外労働や休日労働をしてもらうためには、36協定の締結が必要ですか？」という相談があった。回答として、最も適切なものは？

① 家事使用人なので、必要ありません。
② 労働者なので、必要です。

(10)ある会社の社長から「会社の就業規則の規定内容は、団体交渉により決定した内容とそれ以外の内容があります。この就業規則の内容は無効ですか？」という相談があった。回答として、最も適切なものは？

① 無効です。
② 団体交渉により決定した内容は有効ですが、それ以外の内容は無効です。
③ 有効です。

(11)ある会社の社長から「会社の就業規則は改正せずに現在に至っています。そのため、就業規則に労働者が女性であることを理由として、賃金について男性と差別的取扱いをする趣旨の規定があります。法第４条違反になりますか？」という相談があった。回答として、最も適切なものは？

① その規定は無効ですが、実際に差別待遇の事実がなければ、法第４条違反とはなりません。
② その規定により、法第４条違反となります。

(12)ある会社の社長から「会社の就業規則には、『従業員が会社の承認を得ないで公職に就任したときは懲戒解雇する』旨の条項があります。これを適用して従業員を懲戒解雇できますか？」という相談があった。回答として、最も適切なものは？

① 規定があるからといって、懲戒解雇にはできません。
② その事実があれば、規定により懲戒解雇ができます。

ANSWER

季指定すべき５日から控除されない。なお、使用者の時季指定を時間単位年休で行うことは認められない。

(9) ② 法116条、昭和63.3.14基発150号、平成11.3.31基発168号。家事使用人であるか否かを決定するに当たっては、従事する作業の種類、性質の如何等を勘案して具体的に当該労働者の実態により決定すべきものであり、個人家庭における家事を事業として請け負う者に雇われて、その指揮命令の下に当該家事を行う者は家事使用人に該当しない。

(10) ③ 法89条、法90条他。就業規則の規定内容が、「団体交渉により決定した内容でなければ有効とならない」とする規定はない。

(11) ① 法４条、昭和23.12.25基収4281号、平成9.9.25基発648号。使用者は、労働者が女性であることを理由として、賃金について、男性と差別的取扱いをしてはならない。就業規則に労働者が女性であることを理由として、賃金について男性と差別的取扱いをする趣旨の規定があるが、現実に男女差別待遇の事実がない場合には、その規定は無効ではあるが、法第４条違反とはならない。

(12) ① 法７条、最二小昭和38.6.21十和田観光電鉄事件。使用者は、労働者が労働時間中に、選挙権その他公民としての権利を行使し、又は公の職務を執行するために必要な時間を請求した場合においては、拒んではならない。但し、権利の行使又は公の職務の執行に妨げがない限り、請求された時刻を変更することができる。
設問の場合、使用者の承認を得ないで公職に就任したために懲戒解雇するという規定ではあるが、それは、公職の就任を、会社に対する届出事項とするにとどまらず、使用者の承認にかからしめ、しかもそれに違反した者に対しては制裁罰としての懲戒解雇を課するものである。しかし、労働基準法７条が、特に、労働者に対し労働時間中における公民としての権利の行使および公の職務の執行を保障していることにかんがみるときは、公職の就任を使用者の承認にかからしめ、その承認を得ずして公職に就任した者を懲戒解雇に附する旨の条項は、右労働基準法の規定の

QUESTION

(13) ある会社の社長から「ある労働者を令和6年7月31日付で解雇することになりました。急な話なので令和6年7月21日に解雇予告することになりました。解雇予告手当は必要ですか？」という相談があった。回答として、最も適切なものは？

① 本来、令和6年7月1日までに解雇予告をしなければなりません。そのため、解雇予告手当は10日分の支払いが必要です。
② 本来、令和6年7月1日までに解雇予告をしなければなりません。そのため、解雇予告手当は20日分の支払いが必要です。
③ 本来、令和6年7月2日までに解雇予告をしなければなりません。そのため、解雇予告手当は9日分の支払いが必要です。
④ 本来、令和6年7月2日までに解雇予告をしなければなりません。そのため、解雇予告手当は19日分の支払いが必要です。

(14) ある会社の社長から「時給2,000円、1日の所定労働時間8時間のパートタイマーに対して、使用者の責に帰すべき事由である日において一部休業（4時間）してもらいました。就労した4時間分の賃金は支払いますが、その賃金以外に休業手当は必要ですか？」という相談があった。回答として、最も適切なものは？　なお、計算上の平均賃金は、9,600円とする。

① 5,760円の休業手当を支払う必要がある。
② 2,880円の休業手当を支払う必要がある。
③ 就労した賃金以外に休業手当を支払う必要はない。

❷事例問題

(1) 使用者Xの事業場を派遣先とする派遣労働者が勤務している。使用者Xの事業場では社内預金の制度がある。当該派遣労働者に対する社内預金の取り扱いについて、最も適切なものは？

① 派遣労働者の社内預金を受け入れることができる。
② 派遣労働者の社内預金を受け入れることはできない。

(2) 使用者Xの事業場を派遣先とする派遣労働者が勤務している。当該派遣労働者に係る年次有給休暇（法39条）の適用について、最も適切なものは？

① 派遣元に適用される。　② 派遣先に適用される。
③ 派遣元及び派遣先に適用される。

(3) 使用者Xの事業場を派遣先とする派遣労働者が勤務している。当該派遣労働者に係る「労働時間、休憩、休日」の労働基準法の適用について、最も適切なものは？

① 派遣元に適用される。　② 派遣先に適用される。
③ 派遣元及び派遣先に適用される。

(4) 使用者Xの事業場を派遣先とする派遣労働者が勤務している当該派遣先の事業場が天災地変等不可抗力により休業することになった。この場合、派遣労働者に対する休業手当について、最も適切なものは？

① 使用者の責に帰すべき事由による休業に該当しないので休業手当は支払われない。
② 使用者の責に帰すべき事由による休業に該当するので休業手当は支払われる。
③ 使用者の責に帰すべき事由による休業に該当するかどうかの判断は、派遣元の使用者についてなされるため、休業手当の支払は当該判断の結果による。

ANSWER

趣旨に反し、無効のものと解すべきである。従って、同条項を適用して従業員を懲戒解雇に附することは、許されないものといわなければならない。

(13) ② 法20条。使用者は、労働者を解雇しようとする場合においては、少くとも30日前にその予告をしなければならない。30日前に予告をしない使用者は、30日分以上の平均賃金（解雇予告手当）を支払わなければならない。この予告の日数は、1日について平均賃金を支払った場合においては、その日数を短縮することができる。

(14) ③ 法26条、昭和27.8.7基収3445号。使用者の責に帰すべき事由による休業の場合においては、使用者は、休業期間中当該労働者に、その平均賃金の100分の60以上の手当を支払わなければならない。1日の所定労働時間の一部のみ使用者の責に帰すべき事由による休業がなされた場合は、その日について平均賃金の100分の60に相当する金額を支払わなければならないので、現実に就労した時間に対して支払われる賃金が平均賃金の100分の60に相当する金額に満たない場合には、その差額を支払わなければならない。設問の場合、現実に就労した時間に対して支払われる賃金（8,000円）が平均賃金の100分の60に相当する金額（9,600円×60％＝5,760円）を超えているため、休業手当を支払わなくてもよい。

❷(1) ② 法18条、昭和61.6.6基発333号。法18条は派遣元の使用者に適用されるので、派遣元の使用者は、同条に定める要件の下に、派遣中の労働者の預金を受け入れることができる。一方、派遣先の使用者は、派遣中の労働者と労働契約関係にないので法18条に基づき、派遣中の労働者の預金を受け入れることはできない。

(2) ① 労働者派遣法44条、昭和61.6.6基発333号、平成20.7.1基発0701001号。

(3) ② 労働者派遣法44条、昭和61.6.6基発333号、平成20.7.1基発0701001号。

(4) ③ 法26条、昭和61.6.6基発333号。派遣中の労働者の休業手当について、法26条の使用者の責に帰すべき事由があるかどうかの判断は、派遣元の使用者についてなされる。したがって、派遣先の事業場

QUESTION

(5) 使用者Yの事業場で勤務する労働者が、就業中に市長選挙の投票に行きたい旨を申し出た。この場合、公民権行使の保障(法7条)について、最も適切なものは?

① 使用者Yは、投票に行くことに支障がない場合は、請求された時刻を変更できる。
② 使用者Yは、事業の正常な運営を妨げる場合は、請求された時刻を変更できる。

(6) 使用者Yは、労働者に対して「モバイルノートパソコン」を貸与しているが、持ち運び時に故障することが多い。そこで、故障させた場合、修理費用として一律1万円を労働者に負担してもらうことを規定した。この場合、賠償予定の禁止(法16条)について、最も適切なものは?

① 賠償予定の禁止に違反する。
② 賠償予定の禁止に違反しない。

(7) 使用者Yは、労働者に対して、入社することを条件に支度金として20万円を貸し与えた。返済方法として、月々の給料から1万円ずつ天引きしている。なお、労働者は返済期間が終了するまでは退職することはできない。この場合、前借金相殺の禁止(法17条)について、最も適切なものは?

① 前借金相殺の禁止に違反する。
② 前借金相殺の禁止に違反しない。

(8) 使用者Yは、62歳の労働者と3年の雇用契約をした。その後当該労働者は労働契約の期間の初日から1年を経過した日以後において再就職のため、退職を考えている。この場合、法附則137条の適用について、最も適切なものは?

① 法附則137条の規定により、いつでも退職することができる。
② 法附則137条の規定は適用されない。

(9) 使用者Yの事業場に、3か月の期間の定めのある労働契約を締結している労働者がいる。今回は3回目の更新であるが、更新することにした。この場合、有期労働契約の締結、更新及び雇止めに関する基準について、最も適切なものは?

① 当該契約の実態及び労働者の希望に応じて、契約期間をできる限り長くしなければならない。
② 当該契約の実態及び労働者の希望に応じて、契約期間をできる限り長くするように努めなければならない。
③ 今回の更新において、契約期間についての配慮は必要としない。

(10) 使用者Yが明示した労働者の賃金は30万円であったが、実際は20万円であった。当該労働者は即時に労働契約を解除した。当該労働者は就業のために引っ越しをしていたので、14日以内に帰郷することになった。この場合、最も適切なものは?

① 使用者Yは、労働者本人のみならず、就業のため移転した家族の旅費も負担しなければならない。
② 使用者Yは、就業のため移転した家族の旅費までは負担する必要はない。

ANSWER

が、天災地変等の不可抗力によって操業できないために、派遣されている労働者を当該派遣先の事業場で就業させることができない場合であっても、それが使用者の責に帰すべき事由に該当しないこととは必ずしもいえず、派遣元の使用者について、当該労働者を他の事業場に派遣する可能性等を含めて判断し、その責に帰すべき事由に該当しないかどうかを判断することになる。

(5) ① 法7条。使用者は、労働者が労働時間中に、選挙権その他公民としての権利を行使し、又は公の職務を執行するために必要な時間を請求した場合においては、拒んではならない。ただし、権利の行使又は公の職務の執行に妨げがない限り、請求された時刻を変更することができる。

(6) ① 法16条。使用者は、労働契約の不履行について違約金を定め、又は損害賠償額を予定する契約をしてはならない。

(7) ① 法17条。使用者は、前借金その他労働することを条件とする前貸の債権と賃金を相殺してはならない。

(8) ② 法14条1項、法附則137条。期間の定めのある労働契約(一定の事業の完了に必要な期間を定めるものを除き、その期間が1年を超えるものに限る。)を締結した労働者(法14条1項各号に規定する労働契約の上限が5年である労働者を除く。)は、当分の間、民法628条の規定にかかわらず、当該労働契約の期間の初日から1年を経過した日以後においては、その使用者に申し出ることにより、いつでも退職することができる。

(9) ③ 法14条2項、令和5.3.30厚労告114号。使用者は、有期労働契約(当該契約を1回以上更新し、かつ、雇入れの日から起算して1年を超えて継続勤務している者に係るものに限る。)を更新しようとする場合においては、当該契約の実態及び当該労働者の希望に応じて、契約期間をできる限り長くするよう努めなければならない。

(10) ① 法15条2項、3項、昭和22.9.13発基17号。法15条1項[労働条件の明示]の規定によって明示された労働条件が事実と相違する場合においては、労働者は、即時に労働契

QUESTION

(11) 使用者Ｙの事業場には、業務上負傷したため休業している労働者がいる。このたび、会計検査によって、当該労働者が横領していることが発覚した。この場合、最も適切なものは？

① 解雇制限期間中であるが、労働基準監督署長の認定があれば解雇できる。
② 解雇制限期間中のため、解雇できない。

(12) 使用者Ｙの事業場に、２か月の期間の定めのある労働契約を締結した労働者がいる。１度更新をして１週間が経過した時点で当該労働者を解雇した。この場合、解雇予告の適用除外（法21条）について、最も適切なものは？

① 解雇予告の規定は適用される。
② 解雇予告の規定は適用されない。

(13) あなた（読者）は、使用者Ｙから、労働時間の端数処理について相談を受けた。アドバイス内容として、最も適切なものは？

① １箇月における時間外労働、休日労働及び深夜業の各々の時間数の合計に１時間未満の端数がある場合に、30分未満の端数を切り捨て、それ以上を１時間に切り上げることは問題ありません。
② １日における時間外労働、休日労働及び深夜業の各々の時間数の合計に１時間未満の端数がある場合に、30分未満の端数を切り捨て、それ以上を１時間に切り上げることは問題ありません。

ANSWER

約を解除することができる。この場合、就業のために住居を変更した労働者が、契約解除の日から14日以内に帰郷する場合においては、使用者は、必要な旅費を負担しなければならない。「必要な旅費」とは、労働者本人のみならず、就業のため移転した家族の旅費をも含む。

(11) ② 法19条１項、２項、則６条。使用者は、労働者が業務上負傷し、又は疾病にかかり療養のために休業する期間及びその後30日間並びに産前産後の女性が法65条の規定によって休業する期間及びその後30日間は、解雇してはならない。ただし、次の場合には、法19条１項本文の解雇制限の規定は適用されない。

i	使用者が、法81条の規定によって打切補償を支払う場合。
ii	天災事変その他やむを得ない事由のために事業の継続が不可能となった場合（所轄労働基準監督署長の認定要）

(12) ① 法20条、法21条。解雇予告の規定は、次表左欄の労働者については適用されない。ただし、当該労働者が次表右欄に該当した場合には適用される。

解雇予告の規定が適用除外される者	左欄の労働者に解雇予告が必要となる場合
日日雇い入れられる者	１か月を超えて引き続き使用されるに至った場合
２か月以内の期間を定めて使用される者	所定の期間を超えて引き続き使用されるに至った場合
季節的業務に４か月以内の期間を定めて使用される者	
試の使用期間中の者	14日を超えて引き続き使用されるに至った場合

(13) ① 法24条、法37条、昭和63.3.14基発150号。１箇月における時間外労働、休日労働及び深夜業の各々の時間数の合計に１時間未満の端数がある場合に、30分未満の端数を切り捨て、それ以上を１時間に切り上げることは、常に労働者の不利となるものではなく、事務簡便を目的としたものと認められるから、法24条[賃金の支払]及び法37条[割増賃金]違反としては取り扱わないとされている。

QUESTION

❸労働憲章・適用等

(1)均等待遇について、次の㋐から㋔を使った文章で、最も適切なものは？

㋐ 国籍、信条、性別又は社会的身分
㋑ 国籍、信条又は社会的身分
㋒ 賃金、労働時間その他の労働条件について、差別的取扱をしてはならない
㋓ 30万円以下の罰金が科せられる
㋔ 6か月以下の懲役又は30万円以下の罰金が科せられる

① 使用者は、労働者の㋐を理由として、㋒。この違反については、㋓。
② 使用者は、労働者の㋑を理由として、㋒。この違反については、㋓。
③ 使用者は、労働者の㋐を理由として、㋒。この違反については、㋔。
④ 使用者は、労働者の㋑を理由として、㋒。この違反については、㋔。

❹労働契約

(1)貯蓄金について、次の㋐から㋔を使った文章で、最も適切なものは？

㋐ 労働者の貯蓄金をその委託を受けて管理しようとする場合
㋑ 労働契約に付随して、労働者の貯蓄金を管理しようとする場合
㋒ 当該事業場に、労働者の過半数で組織する労働組合があるときはその労働組合、労働者の過半数で組織する労働組合がないときは労働者の過半数を代表する者との書面による協定
㋓ これを行政官庁に届け出なければならない
㋔ これを行政官庁に届け出る必要はない

① 使用者は、㋐においては、㋒をし、㋓。
② 使用者は、㋑においては、㋒をし、㋓。
③ 使用者は、㋐においては、㋒をしなければならないが、㋔。
④ 使用者は、㋑においては、㋒をしなければならないが、㋔。

❺労働時間、休憩、休日

(1) 1年単位の変形労働時間制について、次の㋐から㋕を使った文章で、最も適切なものは？

㋐ 就業規則その他これに準ずるもの
㋑ 労使協定
㋒ 一定の事項を定めたときは、対象期間として定められた期間を平均し1週間当たりの労働時間
㋓ 40時間(特例事業は44時間)を超えない範囲内
㋔ 40時間を超えない範囲内
㋕ 特定された週又は特定された日において法定労働時間を超えて、労働させることができる

① 使用者は、㋐により、㋒が、㋓において、当該㋐で定めるところにより、㋕。
② 使用者は、㋑により、㋒が、㋓において、当該㋑で定めるところにより、㋕。
③ 使用者は、㋐により、㋒が、㋔において、当該㋐で定めるところにより、㋕。
④ 使用者は、㋑により、㋒が、㋔において、当該㋑で定めるところにより、㋕。

❻年次有給休暇

(1)年次有給休暇の発生における出勤率を算定する場合、次のⓐⓑと、㋐から㋓の組合せとして最も適切なものは？

ⓐ 全労働日から除かれるもの
ⓑ 出勤した日とするもの
㋐ 代替休暇取得日(全日休暇とする)
㋑ 業務上負傷し療養のため休業した期間
㋒ 年次有給休暇取得日
㋓ 産前産後休業期間

① ⓐは、㋐と㋑と㋒と㋓、ⓑは、なし　② ⓐは、㋐と㋑と㋒、ⓑは、㋓
③ ⓐは、㋐と㋑、ⓑは、㋒と㋓　④ ⓐは、㋐、ⓑは、㋑と㋒と㋓

ANSWER

❸(1)④ 法3条、法119条。使用者は、労働者の国籍、信条又は社会的身分を理由として、賃金、労働時間その他の労働条件について、差別的取扱をしてはならない。これに違反した者は、6か月以下の懲役又は30万円以下の罰金が科せられる。

❹(1)① 法18条2項。使用者は、労働者の貯蓄金をその委託を受けて管理しようとする場合においては、当該事業場に、労働者の過半数で組織する労働組合があるときはその労働組合、労働者の過半数で組織する労働組合がないときは労働者の過半数を代表する者との書面による協定をし、これを行政官庁に届け出なければならない。

❺(1)④ 法32条の4,1項。使用者は、労使協定により、一定の事項を定めたときは、対象期間として定められた期間を平均し1週間当たりの労働時間が40時間を超えない範囲内において、当該労使協定で定めるところにより、特定された週又は特定された日において法定労働時間を超えて、労働させることができる。

❻(1)④ 法39条1項、8項、平成21.5.29基発0529001号他。

QUESTION

❼年少者及び妊産婦等

(1)妊産婦等に関する規制について、次の㋐から㋔を使った文章で、最も適切なものは？

㋐ 妊産婦
㋑ 妊娠中の女性
㋒ 請求した場合においては、他の軽易な業務に転換させなければならない
㋓ 法41条に該当する女性についても適用される
㋔ 法41条に該当する女性については適用されない

① 使用者は、㋐が㋒。この規定は、㋓。 ② 使用者は、㋑が㋒。この規定は、㋓。
③ 使用者は、㋐が㋒。この規定は、㋔。 ④ 使用者は、㋑が㋒。この規定は、㋔。

❽就業規則等

(1)就業規則について、次の㋐から㋔を使った文章で、最も適切なものは？

㋐ 常時10人以上の労働者を使用する使用者
㋑ 常時30人以上の労働者を使用する使用者
㋒ 一定の事項について就業規則を作成し、行政官庁に届け出なければならない
㋓ 労働者の過半数代表者等の意見を聴かなければならない
㋔ 労働者の過半数代表者等の同意を得なければならない

① ㋐は、㋒。この場合、㋓。 ② ㋑は、㋒。この場合、㋓。
③ ㋐は、㋒。この場合、㋔。 ④ ㋑は、㋒。この場合、㋔。

❾罰則、雑則等

(1)次の㋐から㋓の規定のうち、違反すれば、「１年以下の懲役又は50万円以下の罰金」が科せられるものはいくつある？

㋐ 強制労働の禁止 ㋑ 最低年齢 ㋒ 年次有給休暇 ㋓ 賃金の支払

① １つ ② ２つ ③ ３つ ④ ４つすべて

❿総合問題

(1)労働基準法上の労働者及び使用者の定義について、次のⓐⓑと、㋐から㋓の組合せとして最も適切なものは？

ⓐ 労働者の定義 ⓑ 使用者の定義
㋐ 職業の種類を問わず、賃金、給料その他これに準ずる収入によって生活する者をいう。
㋑ 職業の種類を問わず、事業に使用される者で、賃金を支払われる者をいう。
㋒ その使用する労働者に対して賃金を支払う者をいう。
㋓ 事業主又は事業の経営担当者その他その事業の労働者に関する事項について、事業主のために行為をするすべての者をいう。

① ⓐは㋐、ⓑは㋒ ② ⓐは㋐、ⓑは㋓
③ ⓐは㋑、ⓑは㋒ ④ ⓐは㋑、ⓑは㋓

(2)フレックスタイム制について、次のⓐⓑと㋐㋑の組合せとして最も適切なものは？

ⓐ フレックスタイム制によって、年少者を労働させることができるかどうか
ⓑ フレックスタイム制によって、妊産婦を労働させることができるかどうか
㋐ できる ㋑ できない

① ⓐは㋐、ⓑも㋐ ② ⓐは㋐、ⓑは㋑
③ ⓐは㋑、ⓑは㋐ ④ ⓐは㋑、ⓑも㋑

(3)災害その他避けることのできない事由によって、臨時の必要がある場合（以下、「非常災害の場合」という。）の時間外労働について、次のⓐⓑと㋐から㋒の組合せとして最も適切なものは？（許可又は届出は、行っているものとする。）

ⓐ 非常災害の場合、年少者に、時間外労働をさせることができるかどうか
ⓑ 非常災害の場合、妊産婦に、時間外労働をさせることができるかどうか
㋐ できる ㋑ できない
㋒ できるが、労働者の請求によりできない

① ⓐは㋐、ⓑは㋑ ② ⓐは㋐、ⓑは㋒
③ ⓐは㋑、ⓑも㋑ ④ ⓐは㋑、ⓑは㋒

ANSWER

❼(1)② 法65条３項。使用者は、妊娠中の女性が請求した場合においては、他の軽易な業務に転換させなければならない。この規定は、法41条に該当する女性についても適用される。

❽(1)① 法89条、法90条１項。常時10人以上の労働者を使用する使用者は、一定の事項について就業規則を作成し、行政官庁に届け出なければならない。この場合、労働者の過半数代表者等の意見を聴かなければならない。

❾(1)① 法118条。「強制労働の禁止」の規定違反は、１年以上10年以下の懲役又は20万円以上300万円以下の罰金（一番重い罰則）。「年次有給休暇」の規定違反は、６箇月以下の懲役又は30万円以下の罰金、ただし、使用者による時季指定違反は、30万円以下の罰金。「賃金の支払」の規定違反は、30万円以下の罰金となる。

❿(1)④ 法９条、法10条。なお、㋐は、労働組合法における「労働者」の定義であり（労働組合法３条）、㋒は、労働契約法における「使用者」の定義である（労働契約法２条）。

(2)③ 法60条１項、３項、法66条１項。

(3)② 法66条２項、平成11.3.31基発168号。ⓐについては、非常災害や公務のために臨時の必要がある場合には、年少者の時間外労働や休日労働が認められている。ⓑについては、妊産婦が請求した場合においては、法33条１項及び３項（非常災害・公務員の例外）並びに法36条１項（時間外労働及び休日労働に関する労使協定）の規定にかかわらず、時間外労働をさせてはならず、又は休日に労働させてはならない。とあるので、㋒となる。

QUESTION

(4) 林業について、次のⓐⓑとㇵㇶの組合せとして最も適切なものは？

ⓐ 年少者が林業に従事する場合、時間外労働をさせることができるかどうか
ⓑ 年少者が林業に従事する場合、深夜業をさせることができるかどうか
㋐ できる　㋑ できない

① ⓐは㋐、ⓑも㋐　② ⓐは㋐、ⓑは㋑
③ ⓐは㋑、ⓑは㋐　④ ⓐは㋑、ⓑも㋑

(5) 労使協定について、次のⓐⓑと㋐から㋓の組合せとして最も適切なものは？

ⓐ 届出が不要な労使協定　ⓑ 届出が効力の発生要件となる労使協定
㋐ 賃金の一部控除　㋑ 1週間単位の変形労働時間制
㋒ 時間外及び休日の労働(36協定)　㋓ 専門業務型裁量労働制

① ⓐは㋐と㋑、ⓑは㋒と㋓　② ⓐは㋐と㋑、ⓑは㋒
③ ⓐは㋐、ⓑは㋒と㋓　④ ⓐは㋐、ⓑは㋒

(6) 罰則について、次のⓐからⓒと㋐㋑の組合せとして最も適切なものは？

ⓐ 有期労働契約の締結、更新、雇止め等に関する基準
ⓑ 年次有給休暇を取得した労働者に対する不利益取扱い
ⓒ 事業場の法令違反等を労働基準監督官に申告したことを理由とする、労働者に対する不利益取扱い
㋐ 違反について罰則が科される　㋑ 違反について罰則は科されない

① ⓐは㋐、ⓑは㋑、ⓒも㋑
② ⓐは㋐、ⓑも㋐、ⓒも㋐
③ ⓐは㋑、ⓑは㋐、ⓒは㋑
④ ⓐは㋑、ⓑも㋑、ⓒは㋐

労働安全衛生法

❶エピソード問題

(1) ある会社の社長から、「雇い入れ時の安全衛生教育に要する時間は、労働時間にしなければならないのでしょうか。」という相談があった。回答として、最も適切なものは？

① 労働時間にしなければなりません。
② 労働時間にする必要はありません。

(2) ある会社の社長から、「一般健康診断に要した時間は、賃金を払わなければならないのでしょうか。」という相談があった。回答として、最も適切なものは？

① はい、賃金を支払わなければなりません。
② 賃金を支払うことが望ましいですが、義務ではありません。

ANSWER

(4) ③ 法60条1項、法61条1項、4項。ⓐについて、林業に従事する年少者は法41条該当者ではないので、法33条1項の非常災害の場合を除き、時間外労働・休日労働をさせることはできない。ⓑについて、農林業、水産・畜産業、保健衛生業、電話交換業務は、年少者の深夜業が認められる。

(5) ④ 法24条1項、法32条の5,3項、法36条1項、法38条の3,2項。ⓐについて、労働基準法に定める労使協定のうち、届出が不要なのは、賃金の一部控除、フレックスタイム制、休憩の一斉付与の例外、代替休暇、年次有給休暇の計画的付与、時間単位年休及び年次有給休暇中の賃金である。ⓑについて、36協定の効力は、締結しただけでは発生せず、届出をしたときに発生する。

(6) ④ 法14条2項、3項、法104条2項、法117条、法118条、法119条、法120条、法附則136条。ⓐについて、行政官庁は、必要な助言及び指導を行うことができる。ⓑについて、罰則の定めはない。ⓒについて、6箇月以下の懲役又は30万円以下の罰金が科される。

労働安全衛生法

❶(1) ① 法59条1項。事業者は、労働者を雇い入れたときは、当該労働者に対し、厚生労働省令で定めるところにより、その従事する業務に関する安全又は衛生のための教育を行なわなければならない。と義務付けられている。実施が義務付けられている安全衛生教育は、労働者をその業務に従事させる場合に労働災害等の防止を図るため、事業者の責任において実施しなければならないものである。したがって所定労働時間内に行うのが原則であり、都合により法定労働時間外に行う場合は、36協定の協定時間内で、かつ所定の割増賃金を支払わなければならない。

(2) ② 法66条1項、昭和47.9.18基発602号。一般健康診断は、労働者の一般的な健康確保を図ることを目的として事業者にその実施義務を課しており、業務遂行との関連で行われるものではないので、受診に要した時間の賃金は、労使で協

QUESTION

(3) ある会社の社長から、「労働災害があった時に報告する労働者死傷病報告(休業日数が4日未満を除く。)は、いつまでに報告しなければならないのでしょうか。」という相談があった。回答として、最も適切なものは?

① 速やかに報告しなければなりません。
② 遅滞なく報告しなければなりません。
③ 3か月ごとに最後の月の翌月末日までに報告しなければなりません。

(4) ある事業者の事業の実施を統括管理する者から「私どもは派遣元の事業者です。派遣先に派遣中の労働者の一般健康診断は、派遣元、派遣先のどちらに実施義務がありますか?」という相談があった。回答として、最も適切なものは?

① 派遣先に実施義務があります。
② 派遣元に実施義務があります。
③ 派遣元と派遣先の両方に実施義務があります。

(5) ある事業者の事業の実施を統括管理する者から「私どもは建設業の元方事業者です。この度、鉄骨造のビル建設工事の仕事を行うことになりました。下請け企業の労働者を合計して常時53人の労働者が作業します。この場合の統括安全衛生責任者及び店社安全衛生管理者の選任について教えてください。」という相談があった。回答として、最も適切なものは?

① 統括安全衛生責任者及び店社安全衛生管理者を選任する必要があります。
② 統括安全衛生責任者を選任する必要があります。
③ 店社安全衛生管理者を選任する必要があります。
④ どちらも選任義務はありません。

(6) ある事業者の事業の実施を統括管理する者から「フォークリフトの運転(道路上の走行運転を除く。)について教えてください。」という相談があった。回答として、最も適切なものは?

① 最大荷重にかかわらず、フォークリフトは技能講習修了者でないと原則として運転できません。
② 最大荷重1トン以上のフォークリフトは技能講習修了者でないと原則として運転できません。なお、1トン未満ならば特別教育を受けることにより運転できます。
③ 最大荷重5トン以上のフォークリフトは技能講習修了者でないと原則として運転できません。なお、5トン未満ならば特別教育を受けることにより運転できます。
④ 最大荷重にかかわらず、フォークリフトは特別教育を受けることにより運転できます。

ANSWER

議して定めるものである。しかしながら、「労働者の健康確保は、事業の円滑な運営には必要不可欠のもの」から考えると、使用者が要した時間の賃金を支払うことが望ましいといえる。なお、じん肺健康診断も含めた特殊健康診断については、事業の遂行に伴い、当然実施しなければならない性格のものであるから、受診に要する時間は労働時間になり、時間外に行われた場合は、割増賃金を支払わなければならない。

(3) ② 則97条。事業者は、労働者が労働災害その他就業中又は事業場内若しくはその附属建設物内における負傷、窒息又は急性中毒により死亡し、又は休業したときは、遅滞なく、電子情報処理組織を使用して、所轄労働基準監督署長に報告しなければならない。ただし、休業の日数が4日に満たないときは、事業者は、上記の規定にかかわらず、1月から3月まで、4月から6月まで、7月から9月まで及び10月から12月までの期間における当該事実について、それぞれの期間における最後の月の翌月末日までに、電子情報処理組織を使用して、所轄労働基準監督署長に報告しなければならない。

(4) ② 法66条1項、労働者派遣法45条。一般健康診断は、派遣元に実施義務がある。

(5) ② 法15条1項、法15条の3、令7条2項、則18条の6。

統括安全衛生責任者及び
店社安全衛生管理者の選任規模

<table>
<tr><th colspan="2">種類／常時使用労働者数</th><th>20人～</th><th>30人～</th><th>50人～</th></tr>
<tr><td rowspan="3">建設業</td><td>・ずい道等の建設の仕事
・一定の橋梁の建設の仕事
・圧気工法による作業の仕事</td><td>店社安全衛生管理者</td><td colspan="2">統括安全衛生責任者</td></tr>
<tr><td>・鉄骨造又は鉄骨鉄筋コンクリート造の建設物の建設の仕事</td><td colspan="2">店社安全衛生管理者</td><td></td></tr>
<tr><td>その他の建設業</td><td colspan="2" rowspan="2">選任なし</td><td rowspan="2">統括安全衛生責任者</td></tr>
<tr><td colspan="2">造船業</td></tr>
</table>

(6) ② 法59条3項、法61条1項、法77条1項、令20条、則36条、則別表第3。

QUESTION

❷事例問題

(1) 論点マスター株式会社（以下❷において「会社」という。）における安全衛生管理体制について、最も適切なものは？　なお、論点マスター株式会社の情報は以下のとおりである。

事業の種類	各種商品小売業	従業員数	50人	資本金	1千万円

① 安全管理者を選任しなければならない。
② 安全管理者の選任義務はない。

(2) 会社における安全衛生管理体制について、最も適切なものは？

① 産業医を選任しなければならない。
② 産業医の選任義務はない。

(3) 会社における安全衛生管理体制について、最も適切なものは？

① 衛生管理者を選任しなければならない。
② 衛生管理者の選任義務はない。

(4) 会社における委員会について、最も適切なものは？

㋐ 安全委員会　㋑ 衛生委員会

① 設置しなければならないのは㋐である。
② 設置しなければならないのは㋑である。
③ 設置しなければならないのは㋐と㋑である。

(5) 会社において、定期健康診断を行った。この場合、最も適切なものは？

① 当該健康診断の結果に基づき、健康診断個人票を作成して、これを５年間保存しなければならない。
② 健康診断個人票の作成及び保存義務はない。

❸総則、安全衛生管理体制

(1) 総括安全衛生管理者について、次の㋐から㋔を使った文章で、最も適切なものは？

㋐ 都道府県労働局長
㋑ 労働基準監督署長
㋒ 労働災害を防止するため必要がある
㋓ 総括安全衛生管理者の業務の執行について事業者に勧告することができる
㋔ 事業者に対し、総括安全衛生管理者の増員又は解任を命ずることができる

① ㋐は、㋒と認めるときは、㋓。　② ㋑は、㋒と認めるときは、㋓。
③ ㋐は、㋒と認めるときは、㋔。　④ ㋑は、㋒と認めるときは、㋔。

(2) 衛生管理者及び産業医について、次の㋐から㋓を使った文章で、最も適切なものは？

㋐ 少なくとも毎週１回作業場等を巡視し
㋑ 少なくとも毎月１回（一定の場合は、少なくとも２月に１回）作業場等を巡視し
㋒ 設備、作業方法又は衛生状態に有害のおそれがあるときは、直ちに、労働者の健康障害を防止するため必要な措置を講じなければならない
㋓ 作業方法又は衛生状態に有害のおそれがあるときは、直ちに、労働者の健康障害を防止するため必要な措置を講じなければならない

① 衛生管理者は、㋐、㋒。産業医も、㋐、㋓。
② 衛生管理者は、㋑、㋒。産業医は、㋐、㋓。
③ 衛生管理者は、㋐、㋒。産業医は、㋑、㋓。
④ 衛生管理者は、㋑、㋒。産業医も、㋑、㋓。

ANSWER

❷(1) ① 法11条、令３条。設問の場合は、安全管理者を選任すべき事業場及び規模である。

(2) ① 法13条１項、令５条。産業医は、業種にかかわらず、常時50人以上の労働者を使用する場合に選任しなければならない（衛生管理者と同様）。

(3) ① 法12条、令４条。衛生管理者は、業種にかかわらず常時50人以上の労働者を使用する場合に選任義務がある。

(4) ② 法17条１項、法18条１項、令８条、令９条。事業者は、政令で定める業種及び規模の事業場ごと（設問の場合は該当しない）に、安全委員会を設けなければならない。また、事業者は、業種を問わず、常時50人以上の労働者を使用する事業場ごとに衛生委員会を設けなければならない。

(5) ① 則44条１項、則51条。事業者は、法定の健康診断の結果に基づき、健康診断個人票を作成して、これを５年間保存しなければならない。

❸(1) ① 法10条３項。都道府県労働局長は、労働災害を防止するため必要があると認めるときは、総括安全衛生管理者の業務の執行について事業者に勧告することができる。

(2) ③ 則11条１項、則15条１項。衛生管理者は、少なくとも毎週１回作業場等を巡視し、設備、作業方法又は衛生状態に有害のおそれがあるときは、直ちに、労働者の健康障害を防止するため必要な措置を講じなければならない。産業医は、少なくとも毎月１回（一定の場合は、少なくとも２月に１回）作業場等を巡視し、作業方法又は衛生状態に有害のおそれがあるときは、直ちに、労働者の健康障害を防止するため必要な措置を講じなければならない。

QUESTION

ANSWER

❹危害防止のための措置等

(1) 事業者の講ずべき措置について、次の㋐から㋖を使った文章で、最も適切なものは？

㋐ 労働者の作業行動から生ずる労働災害を防止する
㋑ 労働者の作業管理から生ずる労働災害を防止する
㋒ 必要な措置を講じなければならない　㋓ 労働災害発生の急迫した危険
㋔ 直ちに作業を中止　㋕ 遅滞なく作業を中止
㋖ 労働者を作業場から退避させる等必要な措置を講じなければならない

① 事業者は、㋐ため、㋒。事業者は、㋓があるときは、㋔し、㋖。
② 事業者は、㋑ため、㋒。事業者は、㋓があるときは、㋔し、㋖。
③ 事業者は、㋐ため、㋒。事業者は、㋓があるときは、㋕し、㋖。
④ 事業者は、㋑ため、㋒。事業者は、㋓があるときは、㋕し、㋖。

❹(1) ① 法24条、法25条。事業者は、労働者の作業行動から生ずる労働災害を防止するため、必要な措置を講じなければならない。事業者は、労働災害発生の急迫した危険があるときは、直ちに作業を中止し、労働者を作業場から退避させる等必要な措置を講じなければならない。

❺機械等及び危険物・有害物に関する規制

(1) 危険物・有害物に関する規制について、次のⓐⓑと、㋐㋑の組合せとして最も適切なものは？

ⓐ 製造等禁止物質の製造等を許可するのは？
ⓑ 製造許可物質の製造を許可するのは？
㋐ 厚生労働大臣　㋑ 都道府県労働局長

① ⓐは、㋐、ⓑも、㋐　② ⓐは、㋐、ⓑは、㋑
③ ⓐは、㋑、ⓑは、㋐　④ ⓐは、㋑、ⓑも、㋑

❺(1) ③ 法55条、法56条１項、２項、令16条２項。

❻労働者の就業管理と健康管理等

(1) 法66条の８に基づく長時間労働者への面接指導を実施しなければならない場合として、次のⓐⓑと㋐から㋓の組合せで最も適切なものは？

ⓐ 厚生労働省令で定める要件　ⓑ 労働者の申出について
㋐ 休憩時間を除き１週間当たり40時間を超えて労働させた場合におけるその超えた時間が１月当たり80時間を超え、かつ、疲労の蓄積が認められる者
㋑ 休憩時間を除き１週間当たり40時間を超えて労働させた場合におけるその超えた時間が１月当たり100時間を超え、かつ、疲労の蓄積が認められる者
㋒ 労働者の申出があった場合に実施する。
㋓ 労働者の申出の有無にかかわらず実施する。

① ⓐは㋐、ⓑは㋒　② ⓐは㋐、ⓑは㋓
③ ⓐは㋑、ⓑは㋒　④ ⓐは㋑、ⓑは㋓

❻(1) ① 法66条の8,1項、則52条の2,1項、則52条の3,1項。事業者は、その労働時間の状況その他の事項が労働者の健康の保持を考慮して厚生労働省令で定める要件(休憩時間を除き１週間当たり40時間を超えて労働させた場合におけるその超えた時間が１月当たり80時間を超え、かつ、疲労の蓄積が認められる者)に該当した労働者の申出により、当該労働者に対し、厚生労働省令で定めるところにより、医師による面接指導を行わなければならない。ただし、一定の労働者で面接指導を受ける必要がないと医師が認めたものについては、面接指導の対象とならない。

❼監督等

(1) 特別安全衛生改善計画及び安全衛生改善計画について、次のⓐⓑと、㋐㋑の組合せとして最も適切なものは？

ⓐ 特別安全衛生改善計画の作成指示を行うのは？
ⓑ 安全衛生改善計画の作成指示を行うのは？
㋐ 厚生労働大臣　㋑ 都道府県労働局長

① ⓐは㋐、ⓑも㋐　② ⓐは㋐、ⓑは㋑
③ ⓐは㋑、ⓑは㋐　④ ⓐは㋑、ⓑも㋑

❼(1) ② 法78条、法79条、則84条の３。

❽総合問題

(1) 労働安全衛生法における労働者等について、次のⓐⓑと㋐㋑の組合せで最も適切なものは？

ⓐ 雇入れ時の安全衛生教育の対象者
ⓑ 雇入れ時の健康診断の対象者
㋐ 常時使用する労働者
㋑ 労働者(臨時に雇い入れられる者も含む。)

① ⓐは㋐、ⓑも㋐　② ⓐは㋐、ⓑは㋑
③ ⓐは㋑、ⓑは㋐　④ ⓐは㋑、ⓑも㋑

❽(1) ③ 法59条１項、法66条１項、則135条、則43条。

QUESTION

労働者災害補償保険法

❶エピソード問題

(1) ある会社の社長から、「労働者が業務中に負傷しましたが、事業主が労災保険の加入手続を行っていませんでした。労災保険給付を受け取ることはできるのでしょうか。」

① 給付制限の対象となるため受け取ることはできません。
② 請求により受け取ることができます。

(2) 会社が休みの日でも休業(補償)等給付をもらえるのですか。

① 会社が休みの日は休業(補償)等給付は支給されません。
② 一定の要件に該当すれば、会社が休みの日でも休業(補償)等給付は支給されます。

(3) ある労働者から、「休業(補償)等給付の支給額を教えてください。」という相談があった。回答として、最も適切なものは？

① 原則として、休業1日につき、給付基礎日額の60%が支給されます。
② 原則として、休業1日につき、給付基礎日額の67%が支給されます。
③ 原則として、休業1日につき、給付基礎日額の80%が支給されます。
④ 原則として、休業1日につき、給付基礎日額の50%が支給されます。

(4) ある労働者から、「遺族補償年金の受給資格者の対象範囲を教えてください。」という相談があった。回答として、最も適切なものは？

① 労働者の死亡当時生計維持関係のあった配偶者・子・父母・孫・祖父母・兄弟姉妹が対象となりますが、配偶者と子以外については一定の要件が必要です。
② 労働者の死亡当時生計維持関係のあった配偶者・子・父母・孫・祖父母・兄弟姉妹が対象となりますが、配偶者以外については一定の要件が必要です。
③ 労働者の死亡当時生計維持関係のあるなしにかかわらず配偶者・子・父母・孫・祖父母・兄弟姉妹が対象となりますが、配偶者と子以外については一定の要件が必要です。
④ 労働者の死亡当時生計維持関係のあるなしにかかわらず配偶者・子・父母・孫・祖父母・兄弟姉妹が対象となりますが、配偶者以外については一定の要件が必要です。

(5) ある労働者から、「葬祭料(葬祭給付)の請求はいつまでできますか。」という相談があった。回答として、最も適切なものは？

① 被災労働者が亡くなった日の翌日から2年です。
② 被災労働者が亡くなった日の翌日から5年です。

ANSWER

労働者災害補償保険法

❶(1) ② 法31条1項1号。事業主が労災保険の保険関係に係る成立手続を行っていない場合でも、労働者が業務上、複数業務要因災害又は通勤により負傷した場合には、労災保険給付を受けることができる。この場合、事業主からの費用徴収の対象となる場合がある。

(2) ② 法14条1項。休業(補償)等給付は、労働者が業務上、複数業務要因災害又は通勤に係る負傷又は疾病による療養のため労働することができないために賃金を受けない日の第4日目から支給するものとする。当該規定に該当すれば、休日であっても支給される。

(3) ① 法14条1項。休業(補償)等給付は、労働者が業務上、複数業務要因災害又は通勤に係る負傷又は疾病による療養のため労働することができないために賃金を受けない日の第4日目から支給するものとし、その額は、一日につき給付基礎日額の100分の60(60%)に相当する額とする。

(4) ② 法16条の2,1項。遺族補償年金を受けることができる遺族は、労働者の配偶者、子、父母、孫、祖父母及び兄弟姉妹であって、労働者の死亡の当時その収入によって生計を維持していたものとする。ただし、妻(婚姻の届出をしていないが、事実上婚姻関係と同様の事情にあった者を含む。)以外の者にあっては、労働者の死亡の当時一定の要件に該当した場合に限るものとする。

(5) ① 法42条1項。療養補償給付、休業補償給付、葬祭料、介護補償給付、複数事業労働者療養給付、複数事業労働者休業給付、複数事業労働者葬祭給付、複数事業労働者介護給付、療養給付、休業給付、葬祭給付、介護給付及び二次健康診断等給付を受ける権利は、これらを行使することができる時から2年を経過したとき、障害補償給付、遺族補償給付、複数事業労働者障害給付、複数事業労働者遺族給付、障害給付及び遺族給付を受ける権利は、これらを行使することができる時から5年を経過したときは、時効によって消滅する。

QUESTION

(6) 労災保険給付に関する決定（不支給決定や障害等級の決定など）に不服がある場合、どうしたらよいでしょうか。

① 労働者災害補償保険審査官に対して審査請求ができます。
② 労働保険審査会に対して審査請求ができます。
③ 行政不服審査法により厚生労働大臣に審査請求ができます。
④ 審査請求をせずに、ただちに処分の取り消しの訴えをすることができます。

(7) ある労働者から「11階建てのマンションに住んでいます。通勤のため、部屋を出て１階のエントランスホールから出口に向かう途中で転倒して負傷しました。これは通勤災害ですか？」という相談があった。回答として、最も適切なものは？

① 住居内なので通勤災害にはなりません。
② 通勤災害となります。

(8) ある労働者から「いつも残業続きのため実家に寄れていなかったところ、半年ぶりに、見舞いも兼ねて父親の介護を行いました。そのため、通常の通勤経路から外れたのですが、介護終了後は元の通勤経路に戻り帰宅しました。ところが、元の通勤経路で転倒して負傷しました。これは通勤災害ですか？」という相談があった。回答として、最も適切なものは？

① 通勤災害です。　② 通勤災害ではありません。

(9) ある労働者から「療養の費用の請求をしようとしています。㋐傷病名及び療養の内容　㋑療養に要した費用の額　㋒負傷又は発病の年月日　㋓災害の原因及び発生状況のうち事業主の証明が必要なものはどれですか？」という相談があった。回答として、最も適切なものは？

① ㋐㋑㋒㋓のすべてです。　② ㋐、㋑と㋒です。
③ ㋐と㋑です。　④ ㋒と㋓です。

ANSWER

(6) ① 法38条１項。保険給付に関する決定に不服のある者は、労働者災害補償保険審査官に対して審査請求をし、その決定に不服のある者は、労働保険審査会に対して再審査請求をすることができる。保険給付に関する決定に係る処分の取消しの訴えは、当該処分についての審査請求に対する労働者災害補償保険審査官の決定を経た後でなければ、提起することができない。

(7) ② 法７条２項、昭和49.4.9基収314号。通勤とは、労働者が、就業に関し、次に掲げる移動を、合理的な経路及び方法により行うことをいい、業務の性質を有するものを除くものとする。ⅰ 住居と就業の場所との間の往復　ⅱ 厚生労働省令で定める就業の場所から他の就業の場所への移動　ⅲ ⅰに掲げる往復に先行し、又は後続する住居間の移動（厚生労働省令で定める要件に該当するものに限る。）。設問の場合、労働者が居住するマンションの部屋のドアが住居と通勤経路との境界であるので、当該マンションのエントランスホールは通勤の経路と認められ、通勤災害に当たる。つまり、マンションの共用部分は、「不特定多数の者の通行を予定している場所」となり、通常住居と就業場所との間の往復途上となる。

(8) ② 法７条３項、則８条５号、平成28.12.28基発1228第１号。設問の介護は「逸脱・中断」の例外に該当せず、ふだんの通勤経路に復した後であっても通勤に該当しない。要介護状態にある配偶者、子、父母、孫、祖父母及び兄弟姉妹並びに配偶者の父母の介護は、継続的に又は反復して行われるものに限り、日常生活上必要な行為と認められ、当該介護がやむを得ない事由により行うための最小限度のものである場合は、ふだんの通勤経路に復した後は通勤に該当するが、ここにいう「継続的に又は反復して」とは、例えば毎日あるいは１週間に数回など労働者が日常的に介護を行う場合をいい、設問はこれに該当しない。

(9) ④ 則12条の2,1項、２項。事業主の証明が必要な事項は㋒負傷又は発病の年月日、㋓災害の原因及び発生状況、診療担当者の証明が必要な事項は㋐傷病名及び療養の内容、㋑療養に要した費用の額である。

QUESTION

(10) ある労働者から「現在休業補償給付の受給中です。ある日、通院のため2時間だけ就業して6時間休業しました。就業時間分の賃金は支給されましたが、就業していない時間分の賃金は支給されていません。給付基礎日額は10,000円、時給は1,800円です。この日の休業補償給付の額はいくらになりますか？」という相談があった。回答として、最も適切なものは？

① 6,400円です。　② 6,000円です。
③ 3,840円です。　④ 640円です。
⑤ 一部でも就業しているので支給されません。

(11) ある障害補償給付の受給権者から「業務災害により既に第13級の身体障害があったのですが、この度、業務災害により同一の部位について、障害等級が第9級に応ずる障害補償給付の受給権を取得しました。今回支給される障害補償給付の額はいくらですか？」という相談があった。回答として、最も適切なものは？　なお、第8級の障害補償給付の額は給付基礎日額の503日分、第9級の障害補償給付の額は給付基礎日額の391日分、第13級の障害補償給付の額は給付基礎日額の101日分です。

① 給付基礎日額の503日分です。
② 給付基礎日額の492日分です。
③ 給付基礎日額の386.96日分です。
④ 給付基礎日額の290日分です。

(12) ある労働者から「今月から介護補償給付(常時介護を要する状態)を受けることができるようになりました。今月は家族による介護を行いましたが、介護に要する費用としては支出がありません。請求すればいくら支給されるでしょうか？」という相談があった。回答として、最も適切なものは？

① 177,950円支給されます。　② 81,290円支給されます。
③ 40,600円支給されます。　④ 残念ながら支給されません。

ANSWER

(10) ③ 法14条1項。休業補償給付額は、1日につき給付基礎日額の100分の60に相当する額であるが、部分算定日である場合は、1日について「給付基礎日額から部分算定日に対して支払われる賃金の額を控除して得た額」の100分の60に相当する額が支給される。設問の場合、(10,000円－3,600円)×60／100＝3,840円となる。

(11) ④ 則14条5項。既に身体障害のあった者が、負傷又は疾病により同一の部位について障害の程度を加重した場合における当該事由に係る障害補償給付は、現在の身体障害の該当する障害等級に応ずる障害補償給付とし、その額は、現在の身体障害の該当する障害等級に応ずる障害補償給付の額から、既にあった身体障害の該当する障害等級に応ずる障害補償給付の額(現在の身体障害の該当する障害等級に応ずる障害補償給付が障害補償年金であって、既にあった身体障害の該当する障害等級に応ずる障害補償給付が障害補償一時金である場合には、その障害補償一時金の額を25で除して得た額)を差し引いた額による。設問の場合は、第9級に応ずる額(391日分)－第13級に応ずる額(101日分)＝290日分となる。なお、この場合は同一の事故ではないので併合の対象ではない。

(12) ④ 法19条の2、則18条の3の4。特定障害の程度が常時介護を要する状態にある場合は、177,950円を上限として、その月に介護に要する費用として支出された実費相当額が支給される(その月に費用を支出して介護を受けた日がないのであれば支給なし)。ただし、その月に親族等による介護を受けた日がある場合は、その月が支給事由が生じた月である場合を除き、81,290円が最低保障される〔介護に要する費用として支出された額が81,290円未満又は費用を支出した日がない月であって、かつ、親族等による介護を受けた日がある月には、原則として81,290円が支給(最低保障)されるが、その月が支給事由が生じた月である場合は、実費相当額しか支給されない(費用を支出して介護を受けた日がないのであれば支給なし)〕。設問の場合は、支給事由が生じた月にあたるので、介護補償給付は支給されない。

QUESTION

(13) ある労働者の妻から「夫の死亡により生計維持関係のあった夫の妹が遺族補償年金を受給していましたが、高校を卒業したので失権しました。私は別居していたので遺族補償年金の受給権者ではありませんでした。今回この２人が遺族補償一時金(約800万円)の受給資格者になりました。この２人のうちだれが受給権者になりますか？」という相談があった。回答として、最も適切なものは？

① 妹さんです。　② 貴方(配偶者)です。
③ ２人とも受給権者になります。

(14) ある株式会社の社長から「私は保険業を主たる事業とする事業主です。常時使用する労働者は98人です。特別加入できますか？」という相談があった。回答として、最も適切なものは？

① 加入できます。
② 労働保険事務組合に事務委託すれば、加入できます。
③ 加入できません。

❷事例問題

(1) 論点マスター株式会社(以下❷において「会社」という。)において、休業補償給付を受給している労働者がいる。算定事由発生日の属する四半期の平均給与額は30万円であった。翌々四半期に34万5,000円に変動した場合、最も適切なものは？

① 34万5,000円に変動した四半期の翌四半期の初日からスライド改定された休業給付基礎日額が用いられる。
② 34万5,000円に変動した四半期の翌々四半期の初日からスライド改定された休業給付基礎日額が用いられる。

(2) 会社において、障害補償年金を受給している労働者がいる。算定事由発生日の属する年度の平均給与額は30万円であった。翌年度に30万5,000円に変動した場合、最も適切なものは？

① 算定事由発生日の属する年度の翌々年度の４月以後に支給される年金たる保険給付からスライド改定される。
② 算定事由発生日の属する年度の翌々年度の８月以後に支給される年金たる保険給付からスライド改定される。
③ 算定事由発生日の属する年度の翌々年度に支給される年金たる保険給付はスライド改定されない。

(3) 会社において、療養補償給付の請求を行う労働者がいる。指定病院等で治療を受けていない場合、最も適切なものは？

① 直接労働基準監督署長に請求する。
② 治療を行った病院を経由して労働基準監督署長に請求する。

(4) 会社において、業務上負傷したため、傷病補償年金を受給し、かつ休業中の労働者がいる。この場合、最も適切なものは？

① 会社は、労働者が傷病補償年金を受けることとなった日に、当該労働者を解雇できる。
② 会社は、労働者が療養の開始後３年を経過した日に傷病補償年金を受けている場合は、当該労働者を解雇できる。

(5) 会社において、業務上負傷し、同一の事故により第７級、第８級及び第９級の３障害がある労働者がいる。この場合、併合又は併合繰上げについて、最も適切なものは？

① 併合繰上げにより、第３級となる。
② 併合繰上げにより、第５級となる。
③ 併合により、第７級となる。

ANSWER

(13) ② 法16条の７。遺族補償一時金を受けることができる遺族の順位は、1.(生計維持のあるなしにかかわらず)配偶者　2.(労働者の死亡の当時その収入によって生計を維持していた)子、父母、孫及び祖父母　3.(生計維持のない)子、父母、孫及び祖父母　4.(生計維持のあるなしにかかわらず)兄弟姉妹。設問の場合は、労働者の死亡当時別居中であった配偶者が受給権者となる。

(14) ③ 法33条１号、則46条の16。常時300人(金融業若しくは保険業、不動産業又は小売業を主たる事業とする事業主については50人、卸売業又はサービス業を主たる事業とする事業主については100人)以下の労働者を使用する事業の事業主で労働保険事務組合に労働保険事務の処理を委託するものである者(事業主が法人その他団体であるときは、代表者)は特別加入することができる。設問の場合は、保険業で常時使用する労働者は98人のため加入できない。

❷(1) ② 法８条の2,1項。

(2) ② 法８条の3,1項。

(3) ① 則12条の２。療養補償給付たる療養の費用の支給を受けようとする者は、療養の費用請求書を直接所轄労働基準監督署長に提出する(指定病院等を経由しない。)。

(4) ② 法19条。業務上負傷し、又は疾病にかかった労働者が、当該負傷又は疾病に係る療養の開始後３年を経過した日において傷病補償年金を受けている場合又は同日後において傷病補償年金を受けることとなった場合には、労働基準法19条１項[解雇制限]の規定の適用については、当該使用者は、それぞれ、当該３年を経過した日又は傷病補償年金を受けることとなった日において、同法81条の規定により打切補償を支払ったものとみなす。

(5) ② 則14条３項。同一の事故による第13級以上の身体障害が２以上あるときは、以下のように併合繰上げを行う。①第13級以上に該当する身体障害が２以上あるときは、重い方の障害等級を１級繰り上げる。②第８級以上に該当する身体障害が２以上あるときは、重い方の障害等級を２級繰り上げる。③第５級以上に該当する身体障害が

QUESTION

(6) 会社において、介護補償給付を受給している労働者がいる。この場合、最も適切なものは？　なお、当該労働者は傷病補償年金の受給権者ではない。

① 当該労働者は、遺族補償年金の受給権者である。
② 当該労働者は、障害補償年金の受給権者である。
③ 当該労働者は、障害補償給付の受給権者である。

(7) 会社において、労働者が業務上負傷した。当該負傷の原因は労働者の故意の犯罪行為によるものであった。この場合、最も適切なものは？

① 政府は、当該負傷に対する保険給付は行わない。
② 政府は、当該負傷に対する保険給付の全部又は一部を行わないことができる。
③ 政府は、当該負傷に対する保険給付の一部を行わないことができる。

❸目的・適用

(1) 暫定任意適用事業について、次の㋐から㋕を使った文章で、最も適切なものは？

㋐ 労災保険暫定任意適用事業の事業主
㋑ 労災保険の加入の申請
㋒ 厚生労働大臣の認可があった日に、労災保険に係る保険関係が成立する
㋓ 厚生労働大臣の認可があった日の翌日に、労災保険に係る保険関係が成立する
㋔ その事業に使用される労働者の２分の１以上が希望する
㋕ その事業に使用される労働者の過半数が希望する

① ㋐が、㋑をした場合、㋒。また、㋐は、㋔ときは、㋑をしなければならない。
② ㋐が、㋑をした場合、㋓。また、㋐は、㋔ときは、㋑をしなければならない。
③ ㋐が、㋑をした場合、㋒。また、㋐は、㋕ときは、㋑をしなければならない。
④ ㋐が、㋑をした場合、㋓。また、㋐は、㋕ときは、㋑をしなければならない。

❹通勤災害

(1) 通勤災害について、次の㋐から㋔を使った文章で、最も適切なものは？

㋐ 通勤による疾病
㋑ 労働基準法施行規則別表第１の２
㋒ 労働者災害補償保険法施行規則第18条の４
㋓ 通勤による負傷に起因する疾病に限る
㋔ 通勤による負傷に起因する疾病その他通勤に起因することの明らかな疾病

① ㋐は、㋑において、㋓と規定されている。
② ㋐は、㋒において、㋓と規定されている。
③ ㋐は、㋑において、㋔と規定されている。
④ ㋐は、㋒において、㋔と規定されている。

❺給付基礎日額及びスライド

(1) 年齢階層別の最低・最高限度額について、次の㋐から㋓のうち、適切でないものはいくつある？

㋐ 年齢階層別の最低・最高限度額は、厚生労働省において作成する毎月勤労統計の調査結果をもとに定められている。
㋑ 休業給付基礎日額については、休業補償給付の支給の当初から、年齢階層別の最低・最高限度額が適用される。
㋒ 遺族補償年金に係る年齢階層別の最低・最高限度額は、遺族補償年金の受給権者たる遺族の年齢によって適用される。
㋓ 障害補償一時金の給付基礎日額には、年齢階層別の最低・最高限度額が適用されない。

① 1つ　② 2つ　③ 3つ　④ 4つすべて

ANSWER

２以上あるときは、重い方の障害等級を３級繰り上げる。

(6) ② 法12条の8,4項。介護補償給付は、障害補償年金又は傷病補償年金を受ける権利を有する労働者が、その受ける権利を有する障害補償年金又は傷病補償年金の支給事由となる障害であって厚生労働省令で定める程度のものにより、常時又は随時介護を要する状態にあり、かつ、原則として常時又は随時介護を受けているときに、当該介護を受けている間、当該労働者に対し、その請求に基づいて行う。

(7) ② 法12条の２の2,2項。

❸(1) ③ 整備法５条１項、２項。労災保険暫定任意適用事業の事業主が、労災保険の加入の申請をした場合、厚生労働大臣の認可があった日に、労災保険に係る保険関係が成立する。また、労災保険暫定任意適用事業の事業主は、その事業に使用される労働者の過半数が希望するときは、労災保険の加入の申請をしなければならない。

❹(1) ④ 法22条１項、則18条の４。通勤による疾病は、労働者災害補償保険法施行規則18条の４において、通勤による負傷に起因する疾病その他通勤に起因することの明らかな疾病と規定されている。

❺(1) ③ 法８条の2,2項、法８条の3,2項、法８条の４、則９条の４。㋐については、厚生労働省において作成する「賃金構造基本統計」の調査結果をもとに定められている。㋑については、療養を開始した日から起算して１年６箇月を経過した日以後の日に支給すべき事由が生じた休業補償給付の額の算定の基礎となる休業給付基礎日額について、年齢階層別の最低・最高限度額が適用される。㋒については、遺族補償年金の支給事由に係る労働者の

QUESTION

❻保険給付

(1) 業務上の傷病の療養のため所定労働時間の一部分のみ労働する日等(部分算定日)の休業補償給付の額として、次の㋐から㋓の語句を使った文章で、最も適切なものは？

㋐ 給付基礎日額
㋑ 年齢階層別の最高限度額
㋒ 部分算定日に対して支払われる賃金の額
㋓ 100分の60に相当する額

① ㋑を適用した㋐から㋒を控除して得た額の㋓。
② ㋐の㋓から㋒を控除して得た額に㋑を適用した額。
③ ㋐から㋒を控除して得た額の㋓に㋑を適用した額。
④ ㋐から㋒を控除して得た額に㋑を適用した額の㋓。

(2) 介護補償給付について、次の㋐から㋕を使った文章で、最も適切なものは？

㋐ 障害補償年金又は傷病補償年金
㋑ 障害補償年金、傷病補償年金又は休業補償給付
㋒ 受ける権利を有する労働者が、特定障害であって厚生労働省令で定める程度のもの
㋓ 常時又は随時介護を要する状態
㋔ 常時又は随時介護を要する状態にあり、かつ、常時又は随時介護を受けているときに、当該介護を受けている間(一定の場合を除く。)
㋕ 当該労働者に対し、その請求に基づいて行う

① 介護補償給付は、㋐を㋒により、㋓にあるときに、㋕。
② 介護補償給付は、㋑を㋒により、㋓にあるときに、㋕。
③ 介護補償給付は、㋐を㋒により、㋔、㋕。
④ 介護補償給付は、㋑を㋒により、㋔、㋕。

❼社会復帰促進等事業

(1) 遺族特別支給金について、次のⓐⓑと、㋐㋑の組合せとして最も適切なものは？

ⓐ 転給によって遺族補償年金の受給権者になった場合
ⓑ 遺族補償年金の受給権者が全員失権したことにより遺族補償一時金の受給権者になった場合
㋐ 遺族特別支給金は支給される
㋑ 遺族特別支給金は支給されない

① ⓐは、㋐、ⓑも、㋐　② ⓐは、㋐、ⓑは、㋑
③ ⓐは、㋑、ⓑは、㋐　④ ⓐは、㋑、ⓑも、㋑

(2) 特別支給金について、次のⓐからⓒと㋐㋑の組合せとして最も適切なものは？

ⓐ 遺族補償年金の受給権者が遺族補償年金前払一時金の支給を受けたため、遺族補償年金の支給が停止されている間、遺族特別年金は支給停止されるかどうか
ⓑ 遺族補償年金が、受給権者の所在不明により支給が停止されている間、遺族特別年金は支給停止されるかどうか
ⓒ 遺族補償年金が、若年停止により支給が停止されている間、遺族特別年金は支給停止されるかどうか
㋐ 支給停止される　㋑ 支給停止されない

① ⓐは㋐、ⓑは㋑、ⓒは㋐　② ⓐは㋐、ⓑは㋑、ⓒは㋑
③ ⓐは㋑、ⓑは㋐、ⓒは㋐　④ ⓐは㋑、ⓑは㋐、ⓒは㋑

ANSWER

死亡がなかったものとして計算した場合の8月1日の当該労働者の年齢によって、年齢階層別の最低・最高限度額が適用される。

❻(1) ④ 法14条1項ただし書。正しい文章としては、「給付基礎日額から部分算定日に対して支払われる賃金の額を控除して得た額(当該控除して得た額が最高限度額を超える場合にあっては、最高限度額に相当する額)の100分の60に相当する額」となる。難解な文章に見えるが、語句をパーツとしてパズルのようにあてはめると、関係性が明確になる。この条文に関する出題で確実に得点するためにも、しっかり学習してほしい。

(2) ③ 法12条の8,4項。介護補償給付は、障害補償年金又は傷病補償年金を受ける権利を有する労働者が、特定障害であって厚生労働省令で定める程度のものにより、常時又は随時介護を要する状態にあり、かつ、常時又は随時介護を受けているときに、当該介護を受けている間(一定の場合を除く。)、当該労働者に対し、その請求に基づいて行う。

❼(1) ④ 特別支給金規則5条3項。遺族特別支給金は、転給によって遺族補償年金の受給権者になった者や遺族補償年金の受給権者が全員失権したことにより遺族補償一時金の受給権者になった者には支給されない。

(2) ③ 特別支給金規則13条2項、同項ただし書。ⓐについて、特別支給金には、前払一時金制度がないため、遺族補償年金の受給権者が遺族補償年金前払一時金の支給を受けたため、遺族補償年金の支給が停止されている間であっても、遺族特別年金は支給停止されない。ⓑ及びⓒについては、遺族特別年金も支給停止される。

QUESTION

❽特別加入

(1) 特別加入者(複数事業労働者に該当しないものとする。)の保険給付等について、次のⓐからⓒと㋐から㋒の組合せとして最も適切なものは？

ⓐ 通勤災害に関する保険給付
ⓑ 二次健康診断等給付が行われるかどうか
ⓒ 特別給与を算定の基礎とする特別支給金の支給が行われるかどうか
㋐ 行われる　㋑ 行われない　㋒ 一部の者には行われない

① ⓐは㋐、ⓑも㋐、ⓒも㋐　② ⓐは㋐、ⓑは㋑、ⓒは㋐
③ ⓐは㋒、ⓑは㋐、ⓒは㋑　④ ⓐは㋒、ⓑは㋑、ⓒも㋑

❾通則、不服申立て

(1) 年金の支払について、次の㋐から㋕を使った文章で、最も適切なものは？

㋐ 年金たる保険給付の支給
㋑ 支給すべき事由が生じた月の翌月から始め、支給を受ける権利が消滅した月で終わるもの
㋒ 支給すべき事由が生じた月から始め、支給を受ける権利が消滅した月の前月で終わるもの
㋓ 年金たる保険給付は、その支給を停止すべき事由が生じたとき
㋔ その事由が生じた月の翌月からその事由が消滅した月までの間は、支給しない
㋕ その事由が生じた月からその事由が消滅した月の前月までの間は、支給しない

① ㋐は、㋑とする。㋓は、㋔。　② ㋐は、㋒とする。㋓は、㋔。
③ ㋐は、㋑とする。㋓は、㋕。　④ ㋐は、㋒とする。㋓は、㋕。

(2) 第三者行為災害届について、次の㋐から㋖を使った文章で、最も適切なものは？

㋐ 保険給付の原因である事故が第三者の行為によって生じたとき
㋑ 事業主
㋒ 保険給付を受けるべき者
㋓ その事実、第三者の氏名及び住所(第三者の氏名及び住所がわからないときは、その旨)並びに被害の状況
㋔ 10日以内
㋕ 遅滞なく
㋖ 所轄労働基準監督署長に届け出なければならない

① ㋐は、㋑は、㋓を、㋔、㋖。　② ㋐は、㋒は、㋓を、㋔、㋖。
③ ㋐は、㋑は、㋓を、㋕、㋖。　④ ㋐は、㋒は、㋓を、㋕、㋖。

❿総合問題

(1) スライド及び年齢階層別の最低･最高限度額について、次のⓐⓑと㋐から㋓の組合せとして最も適切なものは？

ⓐ 年金給付基礎日額と同様のスライドが行われるもの
ⓑ 年齢階層別の最低･最高限度額が適用されるもの
㋐ 遺族補償一時金　㋑ 遺族補償年金前払一時金
㋒ 葬祭料　㋓ 遺族特別支給金

① ⓐは、㋐、ⓑは、㋐と㋑と㋒　② ⓐは、㋐と㋑、ⓑは、㋒と㋓
③ ⓐは、㋐と㋑と㋒、ⓑは、なし　④ ⓐは、㋐と㋑と㋒と㋓、ⓑは、㋓

ANSWER

❽(1) ④ 法34条1項、法35条1項、法36条1項、則46条の22の2、平成20.4.1基発0401042号。ⓐについて、一人親方等の特別加入者のうち、住居と就業場所との通勤の実態がはっきりとしない一定の者は、通勤災害に関する保険給付は、行われない。ⓑについて、二次健康診断等給付は、あくまで「労働者」に対して行われるものなので、労働者とみなす特別加入者には行われない。ⓒについて、特別加入者には、原則として特別給与(ボーナス等)がないので、特別給与を算定の基礎とする特別支給金は、支給されない。

❾(1) ① 法9条1項、2項。年金たる保険給付の支給は、支給すべき事由が生じた月の翌月から始め、支給を受ける権利が消滅した月で終わるものとする。年金たる保険給付は、その支給を停止すべき事由が生じたときは、その事由が生じた月の翌月からその事由が消滅した月までの間は、支給しない。

(2) ④ 則22条。保険給付の原因である事故が第三者の行為によって生じたときは、保険給付を受けるべき者は、その事実、第三者の氏名及び住所(第三者の氏名及び住所がわからないときは、その旨)並びに被害の状況を、遅滞なく、所轄労働基準監督署長に届け出なければならない。

❿(1) ③ 法8条の3,2項、法8条の4、法附則60条2項、則17条。ⓐについては、㋐、㋑及び㋒の一時金たる保険給付の額の算定の基礎となる給付基礎日額についても、年金給付基礎日額と同様のスライドが行われる。なお、遺族特別支給金は定額のため、スライドは行われない。ⓑについては、一時金の給付基礎日額及び定額の特別支給金には、年齢階層別の最低･最高限度額は適用されない。

QUESTION

(2) 加重前の障害が障害等級第８級に該当する障害(障害補償一時金)で、加重後の障害が障害等級第３級に該当する障害(障害補償年金)の場合について、次のⓐⓑと㋐から㋓の組合せとして最も適切なものは？

ⓐ 保険給付の場合の計算式　ⓑ 障害特別支給金の場合の計算式

㋐ 加重後の障害等級に応ずる障害補償年金の額 － 既存障害の障害等級に応ずる障害補償一時金の額 × 1／25

㋑ 加重後の障害等級に応ずる障害補償年金の額 － 既存障害の障害等級に応ずる障害補償一時金の額

㋒ 加重後の障害等級に応ずる障害特別支給金の額 － 既存障害の障害等級に応ずる障害特別支給金の額 × 1／25

㋓ 加重後の障害等級に応ずる障害特別支給金の額 － 既存障害の障害等級に応ずる障害特別支給金の額

① ⓐは㋐、ⓑは㋒　② ⓐは㋐、ⓑは㋓
③ ⓐは㋑、ⓑは㋒　④ ⓐは㋑、ⓑは㋓

(3) 障害補償年金差額一時金と遺族補償一時金について、次のⓐⓑと㋐から㋓の組合せとして最も適切なものは？

ⓐ 障害補償年金差額一時金を受けることができる遺族の順位
ⓑ 遺族補償一時金を受けることができる遺族の順位

㋐ 労働者の死亡の当時その者と生計を同じくせず、かつその収入によって生計を維持されていなかった配偶者

㋑ 労働者の死亡の当時その者と生計を同じくし、かつその収入によって生計を維持していた子

㋒ 労働者の死亡の当時その者と生計を同じくせず、かつその収入によって生計を維持されていなかった父

㋓ 労働者の死亡の当時その者と生計を同じくし、かつその収入によって生計を維持していた妹

① ⓐは㋐ ㋑ ㋒ ㋓の順、ⓑも㋐ ㋑ ㋒ ㋓の順
② ⓐは㋑ ㋓ ㋐ ㋒の順、ⓑも㋑ ㋓ ㋐ ㋒の順
③ ⓐは㋐ ㋑ ㋒ ㋓の順、ⓑは㋑ ㋓ ㋐ ㋒の順
④ ⓐは㋑ ㋓ ㋐ ㋒の順、ⓑは㋐ ㋑ ㋒ ㋓の順

ANSWER

(2) ② 則14条５項、特別支給金規則４条２項、平成23.2.1基発0201第２号。加重の場合の障害特別支給金の額は、加重後の身体障害の該当する障害等級に応ずる障害特別支給金の額から、既にあった身体障害の該当する障害等級に応ずる障害特別支給金の額を差し引いた額とされる(すべて一時金なので、1／25を乗じないということ。)。

(3) ④ 法16条の７、法附則58条２項。ⓐにおける、「配偶者」及び「兄弟姉妹」は、生計を同じくする･しないによって順位が変わる。ⓑにおける、「配偶者」及び「兄弟姉妹」は、生計を維持される･されないによって順位が変わらない。また、ⓐⓑともに、「配偶者」及び「兄弟姉妹」以外の遺族については、生計を同じくする･しない又は生計を維持される･されないによって、順位が変わる。

雇用保険法

❶エピソード問題

(1) ある労働者から、「離職したため基本手当を受給しようと思うのですが、原則的な受給資格を教えてください。」という相談があった。回答として、最も適切なものは？(資格喪失の確認を受け、失業の状態であるものとする。)

① 離職の日以前２年間に、被保険者であった期間が通算して12箇月以上必要です。
② 離職の日以前２年間に、被保険者期間が通算して12箇月以上必要です。
③ 離職の日以前４年間に、被保険者であった期間が通算して12箇月以上必要です。
④ 離職の日以前４年間に、被保険者期間が通算して12箇月以上必要です。

雇用保険法

❶(1) ② 法13条１項、行政手引50102。基本手当は、被保険者が失業した場合において、離職の日以前２年間(「算定対象期間」という。)に、被保険者期間が通算して12箇月以上であったときに、支給される。

QUESTION

(2) ある労働者から、「雇用保険の一般被保険者となる要件を教えてください。」という相談があった。回答として、最も適切なものは？（他の要件は満たされているものとする。）

① 31日以上の雇用見込みがあり、1週間の所定労働時間が20時間以上であることです。
② 31日以上の雇用見込みがあり、1週間の所定労働時間が30時間以上であることです。
③ 30日以上の雇用見込みがあり、1週間の所定労働時間が20時間以上であることです。
④ 30日以上の雇用見込みがあり、1週間の所定労働時間が30時間以上であることです。

(3) ある労働者から、「基本手当は、どのくらいの期間（所定給付日数）、受給できるのですか。」という相談があった。回答として、最も適切なものは？

① 離職理由、年齢、被保険者であった期間及び就職困難者かどうかによって決まります。
② 年齢によって決まります。
③ 離職理由によって決まります。

(4) ある労働者から、「基本手当の支給まで待期期間があると聞きましたが、待期期間中は支給されないのですか。」という相談があった。回答として、最も適切なものは？

① 求職の申込みをした日以後において、失業している日（疾病又は負傷のため職業に就くことができない日を含む。）が通算して７日に満たない間は、支給されません。
② 求職の申込みをした日以後において、失業している日（疾病又は負傷のため職業に就くことができない日を除く。）が通算して７日に満たない間は、支給されません。
③ 離職をした日以後において、失業している日（疾病又は負傷のため職業に就くことができない日を含む。）が通算して７日に満たない間は、支給されません。
④ 離職をした日以後において、失業している日（疾病又は負傷のため職業に就くことができない日を除く。）が通算して７日に満たない間は、支給されません。

(5) ある労働者から、「出産により退職したのですが、基本手当の受給期間は延長できますか。」という相談があった。回答として、最も適切なものは？

① 受給期間内に引き続き30日以上職業に就くことができない場合は、申出により最高４年まで延長できます。
② 受給期間内に引き続き15日以上職業に就くことができない場合は、申出により最高４年まで延長できます。
③ 受給期間内に引き続き30日以上職業に就くことができない場合は、申出により最高２年まで延長できます。
④ 受給期間内に引き続き15日以上職業に就くことができない場合は、申出により最高２年まで延長できます。

(6) ある労働者から、「60歳の定年により退職する予定です。新たな仕事にチャレンジするため、退職後一定期間自分を高める勉強をしたいと考えているのですが、この場合、基本手当の受給期間は延長できますか。」という相談があった。回答として、最も適切なものは？

① 残念ながら延長できません。
② 申出によって延長できます。

ANSWER

(2) ① 法６条１項、２項。雇用保険の適用事業に雇用される労働者は、次の１.及び２.のいずれにも該当する場合には、原則としてその意思にかかわらず当然に被保険者となる。
１.31日以上の雇用見込みがあること。
２.１週間の所定労働時間が20時間以上であること。

(3) ① 法22条１項、２項、法23条１項。

(4) ① 法21条。基本手当は、受給資格者が当該基本手当の受給資格に係る離職後最初に公共職業安定所に求職の申込みをした日以後において、失業している日（疾病又は負傷のため職業に就くことができない日を含む。）が通算して７日に満たない間は、支給しない。

(5) ① 法20条１項。基本手当は、受給期間内に妊娠、出産、育児その他厚生労働省令で定める理由により引き続き30日以上職業に就くことができない者が、その旨を申し出たときは、その期間を加算して最高４年まで延長することができる。

(6) ② 法20条２項、則31条の２。定年退職者等は離職後一定期間求職の申込みをしないことを希望する場合において、その旨を申し出たときは、受給期間を一定期間延長することができる。

QUESTION

(7) ある会社の社長から「X市にある支店(分割後も同一)から分割してY市に営業所を設立します。この場合の適用事業所設置届について教えてください。」という相談があった。回答として、最も適切なものは？

① 支店は適用事業所設置届の提出は不要です。営業所は適用事業所設置届の提出が必要です。
② 支店は適用事業所設置届の提出が必要です。営業所は適用事業所設置届の提出は不要です。
③ 支店と営業所ともに適用事業所設置届の提出が必要です。
④ 支店と営業所ともに適用事業所設置届の提出は不要です。

(8) ある受給資格者から「現在入院中のため、失業の認定を受けることができません。代理の者でも認定を受けることはできますか？」という相談があった。回答として、最も適切なものは？　なお、職業訓練は受講していないものとする。

① 正当な理由があれば、代理の者でも受けることはできます。
② 本人が死亡した場合でなければ受けることはできません。

(9) ある受給資格者から「インターネットで求人情報の閲覧を2時間行いました。これは、求職活動実績として認められますか？」という相談があった。回答として、最も適切なものは？

① 認められます。　② 認められません。

(10) ある受給資格者から「この度、B事業所を2週間前に退職しました。明日求職の申し込みに行きます。この場合の所定給付日数は何日になりますか？」という相談があった。回答として、最も適切なものは？　なお、ある受給資格者の被保険者であった期間は次のとおりである。(就職困難者ではないものとする。)

㋐ 30歳の誕生月の初日に初めて適用事業所Aに就職し、被保険者資格を初めて取得する。
㋑ A事業所を、会社の破産手続開始に伴い35歳の誕生月の翌々月の末日に離職した。
㋒ その後、36歳の誕生月の初日にB事業所に再就職し再就職手当を受給する。
㋓ B事業所において、育児休業給付金の支給を受けて休業した期間が11か月及び介護休業給付金の支給を受けて休業した期間が3か月ある。
㋔ 配偶者及び扶養すべき親族と別居生活を続けることが困難となったため、42歳の誕生月の前月末日に離職した。

所定給付日数

年齢＼算定基礎期間		1年未満	1年以上5年未満	5年以上10年未満	10年以上20年未満	20年以上
一般の受給資格者(全年齢)		90日			120日	150日
特定受給資格者	30歳未満	90日	90日	120日	180日	—
	30歳以上35歳未満		120日	180日	210日	240日
	35歳以上45歳未満		150日		240日	270日
	45歳以上60歳未満		180日	240日	270日	330日
	45歳以上60歳未満		150日	180日	210日	240日
就職困難者	45歳未満	150日	300日			
	45歳以上65歳未満		360日			

① 90日です。　② 120日です。
③ 180日です。　④ 240日です。

ANSWER

(7) ① 則141条、行政手引22101。1の事業所が2の事業所に分割された場合は、次のような事務手続が必要となる。(1)分割された2の事業所のうち主たる事業所については分割前の事業所と同一のものとして取り扱うので、事業所の名称、所在地の変更等を伴わない限り、特段の事務手続は不要である。(2)分割された2の事業所のうち従たる事業所については、適用事業所設置届の提出を要する。

(8) ② 則22条1項、行政手引51252。失業の認定は受給資格者本人の求職の申込みによって行われるものであるので、未支給の失業等給付に係る場合(本人が死亡した場合)を除き、原則として代理人を出頭させて失業の認定を受けることはできない。

(9) ② 則28条の2,1項、行政手引51254。公共職業安定所や許可・届出のある民間職業紹介機関等が行う職業相談・職業紹介等を受けることは求職活動実績に該当するが、職業紹介機関への登録、知人への紹介依頼、公共職業安定所・新聞・インターネット等での求人情報の閲覧等を行っただけでは求職活動実績に該当しない。

(10) ① 法22条、法23条1項、法61条の7,9項。算定基礎期間は、受給資格者が基準日まで引き続いて同一の事業主の適用事業に被保険者として雇用された期間(当該雇用された期間に係る被保険者となった日前に被保険者であったことがある者については、当該雇用された期間と当該被保険者であった期間を通算した期間)とする。ただし、当該期間に次の①、②に掲げる期間が含まれているときは、当該①、②に掲げる期間に該当するすべての期間を除いて算定した期間とする。①　当該雇用された期間又は当該被保険者であった期間に係る被保険者となった日の直前の被保険者でなくなった日が当該被保険者となった日前1年の期間内にないときは、当該直前の被保険者でなくなった日前の被保険者であった期間、②　当該雇用された期間に係る被保険者となった日前に基本手当又は特例一時金の支給を受けたことがある者については、これらの給付の受給資格又は特例受給資格に係る離職の日以前の被保

QUESTION

(11) ある受給資格者から「求職の申込み後に継続して疾病のために20日間入院しました。基本手当は支給されますか？」という相談があった。回答として、最も適切なものは？

① 証明書による失業の認定を受けることにより、基本手当が支給されます。
② 失業の認定を受けることにより、傷病手当が支給されます。
③ 傷病の認定を受けることにより、傷病手当が支給されます。
④ 基本手当も傷病手当も支給されません。

(12) ある教育訓練給付対象者から「一般教育訓練を受けることになりました。教育訓練給付金支給申請書はいつ提出すればいいですか？」という相談があった。回答として、最も適切なものは？

① 一般教育訓練を開始した日の翌日から起算して1か月以内です。
② 一般教育訓練を開始した日の翌日から起算して2か月以内です。
③ 一般教育訓練を修了した日の翌日から起算して1か月以内です。
④ 一般教育訓練を修了した日の翌日から起算して2か月以内です。

❷事例問題

(1) 論点マスター株式会社(以下❷において「会社」という。)において、ある被保険者(日雇労働被保険者、特例高年齢被保険者でないものとする。)が離職した。この場合、原則として資格喪失届に離職証明書を添付しなければならない。当該離職証明書について、最も適切なものは？

① 離職票の交付を希望しないときは、離職証明書を添えないことができる。ただし、離職の日において64歳以上である被保険者については、この限りでない。
② 離職票の交付を希望しないときは、離職証明書を添えないことができる。ただし、離職の日において60歳以上である被保険者については、この限りでない。
③ 離職票の交付を希望しないときは、離職証明書を添えないことができる。ただし、離職の日において59歳以上である被保険者については、この限りでない。

(2) 会社において、ある被保険者(日雇労働被保険者、特例高年齢被保険者でないものとする。)が転勤した。転勤届について、最も適切なものは？

① 会社は、転勤届を転勤前の事業所の所在地を管轄する公共職業安定所の長に提出しなければならない。
② 会社は、転勤届を転勤後の事業所の所在地を管轄する公共職業安定所の長に提出しなければならない。

(3) 会社において、日雇労働者被保険者に該当する日雇労働者を雇用した。この場合、日雇労働被保険者資格取得届について、最も適切なものは？

① 事業主が所轄公共職業安定所の長に提出しなければならない。
② 日雇労働被保険者本人が管轄公共職業安定所の長に提出しなければならない。

❸総則・適用事業・被保険者

(1) 被保険者又は被保険者であった者からの請求による被保険者資格の確認について、次のⓐⓑと、㋐から㋓の組合せとして最も適切なものは？　なお、特例高年齢被保険者は考慮しないものとする。

ⓐ 請求方法　　ⓑ 請求時期
㋐ 文書のみ　㋑ 文書又は口頭　㋒ 退職後1か月以内
㋓ いつでも行うことができる

① ⓐは㋐、ⓑは㋒　② ⓐは㋐、ⓑは㋓
③ ⓐは㋑、ⓑは㋒　④ ⓐは㋑、ⓑは㋓

ANSWER

険者であった期間。また、当該被保険者であった期間に育児休業給付金の支給に係る休業の期間があるときは、当該休業の期間を除いて算定した期間となる。これらのことから、設問の場合は、算定基礎期間が5年以上10年未満であるため、90日となる。なお、設問の受給資格者は一般の受給資格者である。

(11) ③ 法37条1項、行政手引53003。傷病手当は、受給資格者が、離職後公共職業安定所に出頭し、求職の申込みをした後において、疾病又は負傷のために職業に就くことができない場合に、基本手当の受給期間内の当該疾病又は負傷のために基本手当の支給を受けることができない日(疾病又は負傷のために基本手当の支給を受けることができないことについての認定を受けた日に限る。)について支給する。

(12) ③ 則101条の2の11,1項。教育訓練給付対象者は、一般教育訓練に係る教育訓練給付金の支給を受けようとするときは、当該教育訓練給付金の支給に係る一般教育訓練を修了した日の翌日から起算して1か月以内に、教育訓練給付金支給申請書に一定の書類を添えて管轄公共職業安定所の長に提出しなければならない。

❷(1) ③ 則7条3項。事業主は、資格喪失届を提出する際に被保険者が離職票の交付を希望しないときは、離職証明書を添えないことができる。ただし、離職の日において59歳以上である被保険者については、この限りでない。

(2) ② 則13条1項。事業主は、その雇用する被保険者を当該事業主の一の事業所から他の事業所に転勤させたときは、当該事実のあった日の翌日から起算して10日以内に転勤届を転勤後の事業所の所在地を管轄する公共職業安定所の長に提出しなければならない。

(3) ② 法43条1項1号、2号、3号、則71条1項。日雇労働被保険者は、日雇労働被保険者となるための区域要件のいずれかに該当することについて、その該当するに至った日から起算して5日以内に、日雇労働被保険者資格取得届を管轄公共職業安定所の長に提出しなければならない。

❸(1) ④ 法8条、法9条1項、則8条1項。

QUESTION

(2) 被保険者について、次の㋐から㋓のうち、適切でないものはいくつある？なお、特例高年齢被保険者は考慮しないものとする。

㋐ 同時に２以上の雇用関係にある者については、原則として、それぞれの雇用関係について被保険者となる。

㋑ 適用事業に雇用される労働者が日本国外にある当該適用事業の事業主の支店に転勤した場合は、特別加入制度により被保険者となる。

㋒ 日本国籍の者が日本国外にある適用事業の事業主の支店に就労する場合であっても、現地で採用される者は、被保険者とならない。

㋓ 労働者が長期欠勤している場合は、雇用関係が存続していても、賃金の支払いを受けていない場合は被保険者とならない。

① 1つ　② 2つ　③ 3つ　④ 4つすべて

❹求職者給付

(1) 被保険者期間の計算について、次の㋐から㋔を使った文章で、最も適切なものは？

㋐ 被保険者となった日からその日後における最初の喪失応当日の前日までの期間が１箇月未満

㋑ 被保険者となった日からその日後における最初の喪失応当日の前日までの期間が１箇月未満でありその日数が15日以上

㋒ 賃金支払基礎日数が11日（または、賃金支払基礎時間数が80時間）以上であるとき

㋓ 賃金支払基礎日数が15日以上であるとき

㋔ 当該期間を被保険者期間２分の１箇月とする

① ㋐であり、㋒は、㋔。　② ㋐であり、㋓は、㋔。
③ ㋑であり、㋒は、㋔。　④ ㋑であり、㋓は、㋔。

(2) 認定日の変更の申出について、次の㋐から㋔を使った文章で、最も適切なものは？

㋐ 受給資格者が所定の失業の認定日を変更するため申出を行った場合の失業の認定については、公共職業安定所長が当該申出を受けた日が所定の失業の認定日前の日であるとき

㋑ 当該失業の認定日における失業の認定の対象となる日

㋒ 当該失業の認定日における失業の認定の対象となる日のうち、当該申出を受けた日前の各日

㋓ 当該申出を受けた日が所定の失業の認定日後の日であるとき

㋔ 当該失業の認定日における失業の認定の対象となる日及び当該失業の認定日から当該申出を受けた日の前日までの各日

① ㋐は、㋑について、㋓も、㋑について行われる。
② ㋐は、㋒について、㋓は、㋑について行われる。
③ ㋐は、㋑について、㋓は、㋔について行われる。
④ ㋐は、㋒について、㋓は、㋔について行われる。

(3) 証明書による失業の認定について、次の㋐から㋕を使った文章で、最も適切なものは？

㋐ 継続して15日以上の期間、疾病又は負傷のために公共職業安定所に出頭することができなかった受給資格者

㋑ 継続して15日未満の期間、疾病又は負傷のために公共職業安定所に出頭することができなかった受給資格者

㋒ 失業の認定日に出頭することができなかったとき

㋓ その理由がやんだ日から起算して１箇月以内

㋔ その理由がやんだ後における最初の失業認定日

㋕ 管轄公共職業安定所に出頭し、その理由を記載した証明書を受給資格者証に添えて提出することによって、失業の認定を受けることができる

① ㋐が、㋒は、㋓に㋕。　② ㋑が、㋒は、㋓に㋕。
③ ㋐が、㋒は、㋔に㋕。　④ ㋑が、㋒は、㋔に㋕。

ANSWER

(2) ③ 法４条１項、行政手引20352。㋐同時に２以上の雇用関係にある者については、原則として、その者が生計を維持するに必要な主たる賃金を受ける一の雇用関係についてのみ被保険者となる。㋑雇用保険において特別加入制度はなく、設問の場合、特段の事務処理を必要とせず、引き続き適用事業の被保険者となる。㋓労働者が長期欠勤している場合は、雇用関係が存続している限り、賃金の支払いを受けていると否とを問わず被保険者となる。

❹(1) ③ 法14条１項、行政手引50103。離職の日からさかのぼって被保険者であった期間を１箇月ごとに区分し、各区分期間のうちに賃金支払基礎日数が11日（または、賃金支払基礎時間数が80時間）以上であるものを被保険者期間１箇月とする。ただし、当該被保険者となった日からその日後における最初の喪失応当日の前日までの期間の日数が15日以上であり、かつ、賃金支払基礎日数が11日（または、賃金支払基礎時間数が80時間）以上であるときは、当該期間を被保険者期間２分の１箇月とする。

(2) ④ 則23条１項１号、則24条２項、行政手引51351。受給資格者が所定の失業の認定日を変更するため申出を行った場合の失業の認定については、公共職業安定所長が当該申出を受けた日が所定の失業の認定日前の日であるときは、当該失業の認定日における失業の認定の対象となる日のうち、当該申出を受けた日前の各日について、当該申出を受けた日が所定の失業の認定日後の日であるときは、当該失業の認定日における失業の認定の対象となる日及び当該失業の認定日から当該申出を受けた日の前日までの各日について行われる。

(3) ④ 法15条４項、則25条１項、行政手引51401。継続して15日未満の期間、疾病又は負傷のために公共職業安定所に出頭することができなかった受給資格者が、失業の認定日に出頭することができなかったときは、その理由がやんだ後における最初の失業認定日に管轄公共職業安定所に出頭し、その理由を記載した証明書を受給資格者証に添えて提出することによって、失業の認定を受けることができる。

QUESTION

(4) 傷病を理由とする受給期間の延長と傷病手当との関係について、次の㋐から㋒を使った文章で、最も適切なものは？

㋐ 公共職業安定所に出頭し、求職の申込みを行う前から傷病により職業に就くことができない状態にある者
㋑ 傷病手当の支給対象
㋒ 受給期間の延長を申し出ること

① ㋐は、㋑となり、㋒もできる。	② ㋐は、㋑とならないが、㋒はできる。
③ ㋐は、㋑となり、㋒はできない。	④ ㋐は、㋑とならず、㋒もできない。

(5) 特例受給資格者について、次の㋐から㋔を使った文章で、最も適切なものは？

㋐ 特例一時金の支給を受ける前
㋑ 特例一時金の支給を受ける前又は後
㋒ 公共職業安定所長の指示した公共職業訓練等を受ける場合には、特例一時金を支給しないものとし、その者を受給資格者とみなして、当該公共職業訓練等を受け終わる日までの間
㋓ 求職者給付(基本手当、技能習得手当及び寄宿手当に限る。)
㋔ 求職者給付(基本手当、技能習得手当、寄宿手当及び傷病手当に限る。)

① 特例受給資格者が、㋐に㋒に限り、㋓を支給する。
② 特例受給資格者が、㋑に㋒に限り、㋓を支給する。
③ 特例受給資格者が、㋐に㋒に限り、㋔を支給する。
④ 特例受給資格者が、㋑に㋒に限り、㋔を支給する。

❺就職促進給付・雇用継続給付・育児休業給付

(1) 再就職手当について、次のⓐⓑと、㋐㋑の組合せとして最も適切なものは？(他の支給要件は満たされているものとする。)

ⓐ 求職の申込日前に雇入れをすることを約した事業主に雇用された場合
ⓑ 待期期間中に雇入れをすることを約した事業主に雇用された場合
㋐ 再就職手当は支給される。
㋑ 再就職手当は支給されない。

① ⓐは㋐、ⓑも㋐	② ⓐは㋐、ⓑは㋑
③ ⓐは㋑、ⓑは㋐	④ ⓐは㋑、ⓑも㋑

(2) 介護休業給付金及び育児休業給付金において、原則としての支給要件について、次のⓐⓑと、㋐㋑の組合せで最も適切なものは？

ⓐ 介護休業給付金　ⓑ 育児休業給付金
㋐ 休業開始日前1年間にみなし被保険者期間が通算して6箇月以上あること
㋑ 休業開始日前2年間にみなし被保険者期間が通算して12箇月以上あること

① ⓐは㋐、ⓑも㋐	② ⓐは㋐、ⓑは㋑
③ ⓐは㋑、ⓑは㋐	④ ⓐは㋑、ⓑも㋑

(3) 雇用継続給付及び育児休業等給付の申請手続における提出期限について、次のⓐⓑと、㋐から㋓の組合せで最も適切なものは？

ⓐ 高年齢雇用継続基本給付金の初回の支給申請
ⓑ 育児休業給付金の初回の支給申請
㋐ 最初の支給対象月の初日から起算して2箇月以内
㋑ 最初の支給対象月の初日から起算して4箇月以内
㋒ 最初の支給単位期間の初日から起算して2箇月を経過する日の属する月の末日まで
㋓ 最初の支給単位期間の初日から起算して4箇月を経過する日の属する月の末日まで

① ⓐは㋐、ⓑは㋒	② ⓐは㋐、ⓑは㋓
③ ⓐは㋑、ⓑは㋒	④ ⓐは㋑、ⓑは㋓

ANSWER

(4) ② 行政手引50271。公共職業安定所に出頭し、求職の申込みを行う前から傷病により職業に就くことができない状態にある者は、傷病手当の支給対象とはならないが、受給期間の延長を申し出ることはできる。

(5) ① 法41条、行政手引56401、56402。特例受給資格者が、特例一時金の支給を受ける前に公共職業安定所長の指示した公共職業訓練等を受ける場合には、特例一時金を支給しないものとし、その者を受給資格者とみなして、当該公共職業訓練等を受け終わる日までの間に限り、求職者給付(基本手当、技能習得手当及び寄宿手当に限る。)を支給する。

❺(1) ③ 法56条の3,1項1号ロ、則82条1項。求職の申込日前に雇入れをすることを約した事業主に雇用された場合は、再就職手当は支給されないが、待期期間中に雇入れをすることを約した事業主に雇用された場合に支給されないという規定はない。

(2) ④ 法61条の4,1項、法61条の7,1項。

(3) ④ 則101条の5,1項、則101条の30,1項。

QUESTION

❻給付通則

(1) 受給権の保護及び公課の禁止について、次の㋐から㋕を使った文章で、最も適切なものは？

㋐ 失業等給付を受ける権利
㋑ 譲り渡し、担保に供し、又は差し押えること
㋒ 譲り渡し、担保に供し、又は差し押えることができない。ただし、求職者給付を受ける権利は、国税滞納処分(その例による処分を含む。)により差し押えること
㋓ 租税その他の公課
㋔ 失業等給付として支給を受けた金銭を標準として課すること
㋕ 失業等給付として支給を受けた金銭を標準として課することができない。ただし、求職者給付については、課税される

① ㋐は、㋑ができない。㋓は、㋔ができない。
② ㋐は、㋑ができない。㋓は、㋕。
③ ㋐は、㋒ができる。㋓は、㋔ができない。
④ ㋐は、㋒ができる。㋓は、㋕。

❼費用の負担・不服申立て

(1) 不服申立てについて、次のⓐⓑと、㋐から㋓の組合せとして最も適切なものは？

ⓐ 雇用保険審査官に対する審査請求の対象となる処分
ⓑ 審査請求の請求期限
㋐ 被保険者資格の確認、失業等給付等に関する処分又は保険料その他徴収金に関する処分
㋑ 被保険者資格の確認、失業等給付等に関する処分又は不正受給に係る返還命令又は納付命令
㋒ 処分があったことを知った日の翌日から起算して２月を経過したときは、することができない
㋓ 処分があったことを知った日の翌日から起算して３月を経過したときは、することができない

① ⓐは㋐、ⓑは㋒　② ⓐは㋐、ⓑは㋓
③ ⓐは㋑、ⓑは㋒　④ ⓐは㋑、ⓑは㋓

❽総合問題

(1) 疾病・負傷に関連するものについて、次のⓐからⓒと㋐から㋒の組合せとして最も適切なものは？

ⓐ 受給期間の延長の対象となる疾病・負傷
ⓑ 証明書による失業の認定の対象となる疾病・負傷
ⓒ 傷病手当の対象となる疾病・負傷
㋐ 引き続き30日以上　㋑ 継続して15日以上
㋒ 継続して15日未満

① ⓐは㋐、ⓑは㋑、ⓒは㋒　② ⓐは㋐、ⓑは㋒、ⓒは㋑
③ ⓐは㋑、ⓑは㋐、ⓒは㋒　④ ⓐは㋑、ⓑは㋒、ⓒは㋐

ANSWER

❻(1) ① 法11条、法12条。失業等給付を受ける権利は、譲り渡し、担保に供し、又は差し押えることができない。租税その他の公課は、失業等給付として支給を受けた金銭を標準として課することができない。なお、受給権の保護及び公課の禁止の規定は、育児休業等給付について準用されている。

❼(1) ④ 法69条１項、労審法８条１項。

❽(1) ② 法15条４項、法20条１項カッコ書、法37条１項、則30条。

〈疾病・負傷に係る相違点〉

	項目	対象になるもの
疾病・負傷	証明書による失業の認定	継続して15日未満
	傷病手当	継続して15日以上
	受給期間の延長	引き続き30日以上

Note

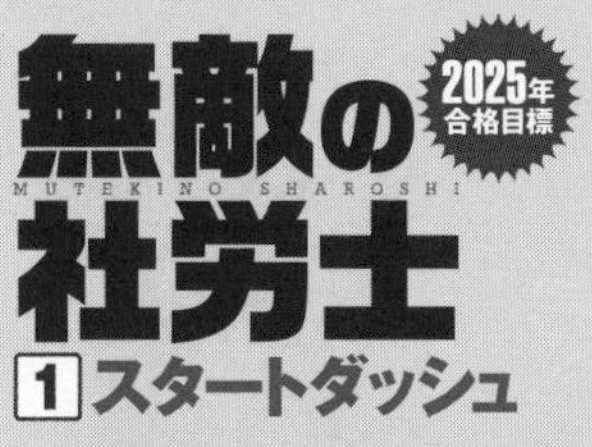

合格を徹底サポート!

CONTENTS

社労士試験のための 法律用語入門

知っておくとおトクかもしれない?

TAC社会保険労務士講座 専任講師 **原田 悠太郎**

<はじめに>

社労士は法律資格でありながら、コッテコテの法学の香りのする「**憲法**」「**民法**」「**刑法**」といった法律は**試験範囲に含まれていません**。ある意味、そういう**コムズカシい法律を学ぶ必要がないので初学の方でも狙いやすい**資格ではあるのですが、一方でしれっと出てくる法学用語の意味が理解できず、テンションが下がってしまうことがあります。

ということでこのコラムでは、社労士試験の学習にきっと役に立つだろう（と、私が思った）項目をいくつか取り上げて、解説していこうと思います。

<憲法関係>

【生存権（憲法25条）】

憲法25条１項には、「**すべて国民は、健康で文化的な最低限度の生活を営む権利を有する。**」とあります。これがかの有名な、「**生存権**」の根拠です。生存権は大きく、①**自由権的側面**と、②**社会権的側面**という、２つの性格に分けて考えられています。

①**自由権的側面**は、国民各個人が自ら**健康で文化的な最低限度の生活を営む権利（自由）**を有するし、**国家はそのジャマをするなよ！**　という感じです。歴史を辿ると、国家にとって都合が悪い個人をとっ捕まえたり、なんやらヒドい仕打ちをしたりと、まあアレコレあったわけです（どの国でもそうでしょうが…）。「そういうのはフツーにダメだよね」といういまや常識となった考え方が、自由権的側面として示されています。

次に②**社会権的側面**ですが、「国民が健康で文化的な最低限度の生活を営む権利を持っている」といえども、権利を持っていることそれ自体では意味がないというか、要は「ちゃんと生存権が保障される体制じゃないじゃないか！」という話になるわけです。そこで憲法は「**国は、すべての生活部面について、社会福祉、社会保障及び公衆衛生の向上及び増進に努めなければならない。**」と規定しています（憲法25条２項）。

生存権については、憲法25条の規定そのものが**具体的な法的権利**なのかどうか、つまり「**国民は国に対して、具体的な何かしらを請求することができるのか？**」という議論があります。判例は、具体的権利としては、**憲法の趣旨を実現するために制定された法律によってはじめて与えられている**、という立場をとりました。要は、憲法25条は**国民が生存権を有する**ことの確認と、それに対して**国が制度を整えるべき**ことを規定しているのであって、**具体的な何かしらの請求権を定めたものではない**、ということです。

たしかに憲法25条2項を見てみると、「国は、……努めなければならない」というように、「国さん、ガンバってね！」ということしか言っていませんね。

もっとも、社労士試験では憲法について直接問われることはありません。……といいつつ、特に**社会保険関係の規定は憲法25条から派生したもの**が多々あります。これから学習を進めていくうえでは、憲法25条を各科目のルーツとして頭の片隅に置いておくと、もしかしたら理解の手助けになるかも…（?）

<民法関係>

【債権・債務】

人間というもの、生活していると誰かと**約束**をすることがありますよね。たとえば、Aさん「**"コレ"やっといて！**」→Bさん「**おう、いいよ！**」みたいな感じです。Aさんの頼みごとをBさんは**承諾**したわけですから、BさんはAさんのために、**"コレ"をやっておく義務が発生**しました。一方、AさんはBさんに約束を取り付けたわけですから、Bさんに対して**「やれよ！」という権利**を持っていることになります。

相手に**「（何かしらを）やれ！」と請求することができる権利**を「**債権**」と呼び、**請求する権利を有する立場**のことを「**債権者**」と呼びます。反対に**（何かしらを）やる義務を負っている**ことを「**債務**」と呼び、**請求されてしまう立場**のことを「**債務者**」と呼びます。

先ほどのAさんとBさんの例でいえば、BさんはAさんに対して「"コレ"をやらなければならない」という義務＝「**債務**」を負っており、反対にAさんはBさんに対して、「"コレ"をやれ！」と言うことのできる権利＝「**債権**」を持っていることになります。

このとき、Bさんがちゃんと、Aさんに頼まれた"コレ"をやっていれば問題はないのですが、もし**Bさんが"コレ"をやらなかった**となると、**Aさんが困る**かもしれませんよね。実際にBさんが"コレ"をやらず、Aさんがカンカンに怒ってしまったとしましょう。Bさんは"コレ"をやらなかった＝**債務を果たさなかった**ことになります。この状態は「**債務不履行**」と呼ばれます。

早い話が、"約束破り"ってことですね。

もっとも、**Bさんの約束破り（債務不履行）**について、後からでもBさんにその約束を果たしてもらえば問題のないケースもありますが、場合によってはそれでは**取り返しのつかないケース**もありますよね。そういうときにAさんがBさんにできることといえば、「おいB！　キサマが約束を破ったから、これだけの損害が出ただろう！　どうにかしろ！」ということで、**【損害賠償】**を請求する、という手段があります。

【損害賠償】

さて、Bさんのヤラカシによって A さんが損害を受けました。Bさんが素直にゴメンナサイをして、Aさんが「まあいいか」となれば丸く収まるのですが、なかなかそうもいかないのが人間というものです。さすがにAさんに対して「あなたはBさんに約束を破られてカワイソウなので、憂さ晴らしにBさんをボコボコにしていいよ」とは言えませんので、**しょうがないからお金で解決**することになります。これが「**損害賠償**」です。社労士試験のテーマに当てはめてみましょう。

使用者と労働者という関係では、使用者は労働者に対して「**労働者が安全に働くことができるようにしてね**」という義務を負っています(労働契約法5条:「**安全配慮義務**」といいます!)。しかし現実には、業務中に労働者がケガをしてしまうというリスクはどうしても付きものですよね。そこでそのリスクが現実化したとき、**労働者は使用者が安全配慮義務(債務)を怠ったこと(債務不履行)**を理由として、**使用者に対して損害賠償を求める**ことができます。

「安全に配慮するって約束があったじゃないか! でもそれをサボった結果、俺がケガをしたじゃないか!」みたいな感じですね。

このとき、**労働者にはどのような損害**が出たでしょう? わかりやすいものとしては、ケガの治療に要した費用が挙げられるでしょう。労働者的には、業務中のケガさえなければ治療費などかからなかったわけで、「業務中のケガによってムダな治療費がかかることになったじゃねーか!」というわけです。ちょっとしたケガ程度ならまだマシかもしれませんが、場合によっては入院や自宅療養になって長期化し、その間は仕事ができない=賃金を稼ぐことができない…ということもあるでしょう。こういった場合には、「業務中のケガのせいで賃金が稼げなくなったじゃねーか!」ということで、その分を**逸失利益**(何かしらの不都合のせいで失った利益)として損害賠償を請求することもできます。

ちなみに社労士試験的には、損害賠償は給付との兼ね合いの部分で話題になります。さきほどの例でいえば、労災給付でも賃金の補償をしてもらい、使用者からも損害賠償をもらい…となると、場合によっては二重取りになり(**二重の填補**)、むしろ「労災事故によって儲かっちゃった!」みたいなことになってしまいます。それではあまりにトンチンカンなことになってしまうので、給付と損害賠償はほどほどに**調整**をしますよ、という規定が各法に置かれているのです。

<行政法関係>

【行政不服審査法】

われわれも人間ですから、**行政庁の処分**(公権力のなんらかの行使)に不満を抱くことがあります。こういうときにわれわれが、「(行政庁の処分について)泣き寝入りするしかない」という話になってしまっては、行政庁は「どうせ文句を言われないから」と、やりたい放題になってしまいます。一般論として、この手の揉めごとは**裁判所**を使った**訴訟**で解決をすることになるのですが…裁判所の訴訟はヤヤコシく、あまりに時間がかかる（費用も…？）ので、手軽に・スピーディーに揉めごとを処理してくれるものとして、**行政不服審査法**は「**審査請求**」という制度を用意しています。

早い話が、いちいち裁判所を使うのはメンドクサいので、行政を使った不服申立て制度で手軽にやろうぜ、という話です。

そこで処分の良し悪しについて審査を求めるわけですが、たとえば労働基準監督署長の処分について労働基準監督署に審査を求めたところで、何かを期待できるでしょうか。「監督署に文句を言っても、どうせ自分の非を認めないでしょ！」と思っちゃいますよね（まあ、だから不満が溜まっているわけで…）。ということで行政不服審査法は、原則として**処分庁の最上級行政庁**（つまり、行政の縦割り構造での一番エラい上司）に対して**審査請求**をすることができる、と定めています。今回の例であれば、労働基準監督署の上司のトップである、**「厚生労働大臣」に対して審査請求**をすることになります。

とはいえ、あくまで審査請求は、「裁判所の訴訟はメンドクサいだろうなあ」→「そうだ！　簡易迅速にできる制度を用意しておこう！」というのが存在意義であるため、裁判所に駆け込んでやりたいくらい頭に来たのであれば、**いきなり裁判所**に訴訟として持ち込んでもOK、というのが原則です。

要は、簡易迅速な審査請求を使ってもいいし、裁判所に持ち込んで訴訟にしてもOK、という選択ができるのです。

【行政事件訴訟法】

わが国における法的なモメゴトに関しては、基本的には裁判所を使って争うことになります（訴訟）。**訴訟の一般的なルール**としては**民事訴訟法**というルールブックがありますが、こと**行政絡みの事件となるとひと味違う**ところもあるので、特別ルールとして**行政事件訴訟法**というルールブックが用意されています。ここでは、さきほどの行政不服審査法とも絡めながら、社労士試験に関連が強い部分だけピックアップしておきたいと思います。

前項でも触れたように、行政庁の処分に不満があるときには、簡易迅速な審査請求を使ってもOK、裁判所に持ち込んで訴訟にしてもOKです。行政事件訴訟法８条１項は、「**処分の取消しの訴え（訴訟）は、当該処分につき法令の規定により審査請求をすることができる場合においても、直ちに提起することを妨げない。**」と規定しています。つまり、審査請求ルートを選ぶことができても、あえて訴訟というルートを選んでもOK、ということです。

ところで、同法8条1項には続きがあります。「**ただし、法律に当該処分についての審査請求に対する裁決を経た後でなければ処分の取消しの訴えを提起することができない旨の定めがあるときは、この限りでない。**」というものです。

これは何を言っているかというと、要は「他の法律で『裁判所に持ち込む前に審査請求をしろ！』というルールがあるなら、それに従ってね」という話です。

われわれが学習する社労士試験関係の法律は、健康保険だったり、年金だったりと、かなり専門的というか、分野に特化したようなものが多くあります。たしかに裁判所は法律のプロがいる場所なのでしょうが、そうは言っても「年金のことなんて細かく知らんわ！」ということだってあるかもしれないわけです。そこでモノによっては、「**とりあえず審査請求を使ってみてね、それで納得がいかなかったら裁判所に持ち込んでね。そうじゃないと裁判所は受け付けてあげないよ。**」というように、訴訟に進む前に審査請求をすることが求められているケースがあります。ちなみにこのルールは、**審査請求前置（主義）**と呼ばれています。

もっとも、行政不服審査法も行政事件訴訟法も、直接的には社労士試験の試験科目とはされていません。とはいえども、**社労士試験では給付だの保険料だのと、行政とのモメゴトが起きやすい科目を多く学ぶ**ので、そのときに**不満を言うための作法**についても学習することになります。行政法的な背景を知っておくと、「なるほど！　そういうリクツだったのか！」というように、腑に落ちやすいかもしれません。

【補足：行政法用語】

本試験では、**行政法用語**が頻出します（！）。行政法に触れたことのない状態で試験勉強を進めていくと、「なんで似たような言葉をアレコレ使い分けるんだよ！」とイラつくことがあるかもしれません（私だけ…？）。

そこで、ここでは**①許可**、**②認可**、**③承認**、**④確認**、という、よく出てくる頻出ワードをピックアップして、簡単に解説をしたいと思います。

「**許可**」とは、法律で禁止されていることについて、**行政庁が特定の場合にOKを出す**ことを指します。法律のよくあるパターンとして、原則禁止→要件が揃った場合はOK、みたいなケースがありますが（例：児童労働）、このような例が「許可」に該当します。

「**認可**」とは、行政庁のお墨付きによって、あることがらの**法律上の効果を完成させる**ことを指します。たとえば、健康保険組合の設立は、法律で定められた要件を準備してから申請して、厚生労働大臣の「認可」を受けることでようやく健康保険組合としての地位が発生する、というのはコレです。

「**承認**」とは、原則ルールがあるなかで、**行政庁が例外的なやり方を認めて、それについて同意**をすることを指します。要は、「承認」のあった方法でやるのであれば、原則通りではなく例外的なやり方をしてもいいよ！　というイメージです。

「**確認**」とは、ある事実や法律関係の存否について、**行政庁がチェックをして確定させる**ことを指します。たとえば、被保険者資格の取得について行政庁が「たしかに間違いない！」ということで、その資格取得を確定しているようなイメージです。

<おわりに（余談）>

何を隠そう、私自身が法学未経験の状態で社労士試験の受験をしたのですが、それでも十分に合格は目指すことはできます。一方で、当時法学未経験の私にとっては、「まったくわからん！」というのもシンドいところがありました。そういう体験談も踏まえて、私が講師として教壇に立ってきたなかで「この部分は知っておくとおトクだろうなあ」と思った項目を、今回は厳選してピックアップしてみました。

もちろん、憲法にせよ民法にせよ行政法にせよ、社労士試験の試験科目とはされていませんので、**深入りはゼッタイに禁物**ですよ！！

Welcome!

ときこの小部屋 ～はじめまして編～

TAC社会保険労務士講座　教材開発講師　**如月 時子**

一般的に会社では、従業員の募集・採用から配置、教育訓練、退職に至るまで従業員に対して労務管理が行われていますが、この労務管理はすべて会社が独自に行っていいわけではありません。そこには当然法律による規制がかかってきます。例えば、従業員を募集する場合にしても、職業安定法や男女雇用機会均等法などの規制がかかります。本日、「ときこの小部屋」に親子で新しく会社を立ち上げたという社長さんたちが、ご相談にいらっしゃいました。これから一緒に労働基準法を中心に関連する労働法規を見ていきましょう。

【募集・採用】

はじめまして。この度、輸入雑貨の会社を立ち上げました鈴木です。会社の人事や経理などは息子に任せるつもりでいますが、いろいろとご相談したいことがありますので、息子ともどもよろしくお願いします。

はじめまして。会社の人事等を担当していきますので、細かいことなどは私の方からお聞きすることになると思います。よろしくお願いします。早速ですが、これから、ハローワークや求人誌で従業員を募集するつもりですが、まずは何をすればよいですか？

はじめまして。こちらこそよろしくお願いします。ハローワークや求人誌で従業員を募集する場合は、まず、求人を申し込むハローワーク等に対して、賃金、労働時間、従事すべき業務の内容、労働契約の期間、試みの使用期間及び労働保険・社会保険の適用に関する事項などを明示しなければなりません。

職業安定法5条の3，2項
求人者は求人の申込みに当たり公共職業安定所、特定地方公共団体又は職業紹介事業者に対し、求職者が従事すべき業務の内容及び賃金、労働時間その他の労働条件を明示しなければならない。

あのう、その明示というのはどのような方法ですればよいのでしょうか？　口頭でも構いませんか？

いいえ、口頭ではトラブルの原因になりますので、ダメです。書面の交付又はファクシミリや電子メール等の送信による方法で明示しなければなりません。なお、電子メール等の送信による方法は、その送信を受ける人が希望した場合に限られます。

わかりました。ところで、営業の仕事は男性を対象に募集したいのですが、そのように明示してもよろしいでしょうか？

いいえ、男女雇用機会均等法により、営業職に「男性のみを募集」というように募集の対象を男性又は女性のどちらか一方に限定する趣旨の表示をすることは原則できません。

男女雇用機会均等法５条
事業主は、労働者の募集及び採用について、その性別にかかわりなく均等な機会を与えなければならない。

それでは、年齢はどうですかね？　例えば、「40歳まで」というように表示してもよいですかね？

いいえ。それもダメですね。年齢に制限をかけて募集することは、労働施策総合推進法で、原則として禁止されています。これは採用するときも同じですので、年齢や性別を理由に差別したり制限することがないように採用するようにしてください。

労働施策総合推進法９条
事業主は、労働者がその有する能力を有効に発揮するために必要であると認められるときとして厚生労働省令で定めるときは、労働者の募集及び採用について、厚生労働省令で定めるところにより、その年齢にかかわりなく均等な機会を与えなければならない。

【労働契約の締結】

いろいろと規制があるのですね。それでは、従業員を採用すると労働契約を結びますよね。この時にも何か規制がありますか？

労働契約法に労働契約の基本的な理念と労働契約に共通する原則(下記の事項)が規定されていますので、見ておいてください。

＜労働契約の原則＞　(労働契約法３条)

(1) 労使対等の原則…労働契約は、労働者及び使用者が対等の立場における合意に基づいて締結し、又は変更すべきものとします。
(2) 均衡考慮の原則…労働契約は、労働者及び使用者が、就業の実態に応じて、均衡を考慮しつつ締結し、又は変更すべきものとします。
(3) 仕事と生活の調和への配慮の原則…労働契約は、労働者及び使用者が仕事と生活の調和にも配慮しつつ締結し、又は変更すべきものとします。
(4) 信義誠実の原則…労働者及び使用者は、労働契約を遵守するとともに、信義に従い誠実に、権利を行使し、及び義務を履行しなければなりません。
(5) 権利濫用の禁止の原則…労働者及び使用者は、労働契約に基づく権利の行使に当たっては、それを濫用することがあってはなりません。

【労働条件の明示】

あと、労働契約を結ぶ時にも、労働条件の明示をしなければなりませんね。

それは、募集の時と同じ事項を明示すればよいのですか？

いいえ、採用時に明示しなければならない労働条件は労働基準法に定められていて、労働時間や賃金など必ず明示しなければならない「絶対的明示事項」（右の事項）と、退職手当などで規定があれば明示しなければならない「相対的明示事項」があります。どちらも必要な事項はよく確認しておいてくださいね。なお、②の事項については、有期労働契約であってその労働契約の期間の満了後にその労働契約を更新する場合があるものを締結する場合に限りますよ。

労働基準法施行規則５条１項
絶対的明示事項
①労働契約の期間に関する事項
②有期労働契約（期間の定めのある労働契約）を更新する場合の基準に関する事項（通算契約期間（労働契約法に規定する通算契約期間をいう。）又は有期労働契約の更新回数に上限の定めがある場合には当該上限を含む。）
③就業の場所及び従事すべき業務に関する事項（就業の場所及び従事すべき業務の変更の範囲を含む。）
④始業及び終業の時刻、所定労働時間を超える労働の有無、休憩時間、休日、休暇並びに労働者を２組以上に分けて就業させる場合における就業時転換に関する事項
⑤賃金（退職手当及び臨時に支払われる賃金等を除く。）の決定、計算及び支払の方法、賃金の締切り及び支払の時期並びに昇給に関する事項
⑥退職に関する事項（解雇の事由を含む。）

えーと、絶対的明示事項に「労働契約の期間に関する事項」がありますが、正社員として採用する場合、労働契約の期間については特に決めていないので、明示しなくてもよいですかね？

労働契約の期間については、定めがない場合でも、その旨を明示しなければなりませんよ。

期間の定めのある労働契約の場合はその期間、期間がない労働契約の場合はその旨を明示しなければならない。　（平成11.1.29基発45号）

<明示方法>　（労働基準法施行規則５条４項）
原則として、「昇給」に関する事項を除く「絶対的明示事項」については、書面（契約書）の交付により明示しなければなりませんが、労働者が希望すれば、FAXで送信する方法や電子メール等を送信する方法でも構いません。ただし、電子メール等で送信する場合は、労働者がその内容を出力して書面を作成できるものに限ります。

【賃金】

そういえば、社員の給料には、何か規制があったように思いますが、どうでしょうかね？

そうですね。まず、最低賃金法によって、会社は、労働者に対して最低賃金額以上の賃金を支払わなければなりません。仮に最低賃金額より低い賃金を労働者と会社双方の合意の上で定めても、それは無効とされ、最低賃金額と同額の定めをしたものとされますよ。

最低賃金法4条

1項 使用者は、最低賃金の適用を受ける労働者に対し、その最低賃金額以上の賃金を支払わなければならない。

2項 最低賃金の適用を受ける労働者と使用者との間の労働契約で最低賃金額に達しない賃金を定めるものは、その部分については無効とする。この場合において、無効となった部分は、最低賃金と同様の定をしたものとみなす。

ということは、社員に支払う月給とかがその最低賃金額以上であるか確認する必要があるということですよね？　どうやって確認すればよいですか？

最低賃金額は時給で定められ、毎年10月頃に都道府県別の最低賃金額が告示されます。月給制の場合は、その月給額を時間給に換算（月給÷1か月平均所定労働時間）して、適用される最低賃金額と比較して確認することになります。

最低賃金法3条

最低賃金額（最低賃金において定める賃金の額をいう。）は、時間によって定めるものとする。

ところで、社員の給料は毎月月末に口座振込で支払おうと思っていますが、それで大丈夫ですかね？

労働基準法24条

1項 賃金は、通貨で、直接労働者に、その全額を支払わなければならない。ただし、法令若しくは労働協約に別段の定めがある場合又は厚生労働省令で定める賃金について確実な支払の方法で厚生労働省令で定めるものによる場合においては、通貨以外のもので支払い、また、法令に別段の定めがある場合又は当該事業場の労働者の過半数で組織する労働組合があるときはその労働組合、労働者の過半数で組織する労働組合がないときは労働者の過半数を代表する者との書面による協定がある場合においては、賃金の一部を控除して支払うことができる。

2項 賃金は、毎月1回以上、一定の期日を定めて支払わなければならない。ただし、臨時に支払われる賃金、賞与その他これに準ずるもので厚生労働省令で定める賃金については、この限りでない。

大丈夫ですよ。賃金については、労働基準法24条において、①通貨で、②直接労働者に、③全額を、④毎月1回以上、⑤一定の期日を定めて支払わなければならないと規定されています（**賃金支払の5原則**）。
ただし、たとえば、①の例外として、労働者の同意を得て、賃金を労働者の銀行口座に振り込むことや、③の例外として、所得税や健康保険などの社会保険の保険料を源泉徴収することなど、いくつかの例外が認められていますよ。

全額支払わなければならないということは、社員の月給は1円単位まで支払わなければ、法違反になりますか？

1か月の給与の額に100円未満の端数が生じたときは、四捨五入して（50円未満の端数は切り捨て、それ以上を100円に切り上げる）支払っても、賃金支払の便宜上の取扱いとして認められ、法違反として取り扱われません。

次の方法は、賃金支払の便宜上の取扱いと認められるから、労働基準法24条違反としては取り扱われない。

①１か月の賃金支払額（賃金の一部を控除して支払う場合には控除した額。以下同じ。）に100円未満の端数が生じた場合に、50円未満の端数を切り捨て、それ以上を100円に切り上げて支払うこと。

②１か月の賃金支払額に生じた1,000円未満の端数を翌月の賃金支払日に繰り越して支払うこと。

（昭和63.3.14基発150号）

【労働時間】

話は変わりますが、労働時間は1日8時間、1週間40時間までと聞きましたが、それは、どの会社も同じですかね？

労働基準法では、休憩時間を除いて、1日8時間、1週間40時間を法定労働時間と定めています。この時間が労働時間の上限になりますよ。
ただし、商業、映画･演劇業（映画製作の事業を除く）、保健衛生業及び接客娯楽業であって、常時使用する労働者が10人未満の事業場は、特例として週法定労働時間は44時間とされています。でも、1日の労働時間は8時間までですよ。

労働基準法32条

1項 使用者は、労働者に、休憩時間を除き１週間について40時間を超えて、労働させてはならない。

2項 使用者は、１週間の各日については、労働者に、休憩時間を除き１日について８時間を超えて、労働させてはならない。

労働基準法施行規則25条の2，1項

使用者は、法別表第８号（商業）、第10号〔映画･演劇業（映画の製作の事業を除く。）〕、第13号（保健衛生業）及び第14号（接客娯楽業）に掲げる事業のうち常時10人未満の労働者を使用するものについては、法第32条（労働時間）の規定にかかわらず、１週間について44時間、１日について８時間まで労働させることができる。

<労働者の過半数を代表する者>　（労働基準法施行規則６条の２）

「労働者の過半数を代表する者」とは、その事業場の全労働者の過半数の者によって代表者とされた者をいいます。また、次のいずれにも該当する者でなければなりません。

① 監督又は管理の地位にある者でないこと

② 法に規定する協定等をする者を選出することを明らかにして実施される投票、挙手等の方法による手続きにより選出された者であって、使用者の意向に基づき選出されたものでないこと

そうですか。社員は20人位採用するつもりですので、1日8時間、週40時間が上限となりますね。ところで、この上限を超えて残業させる場合は、36協定というものが必要と聞きましたが、そうなのですか？

はい、そうです。事業の運営上どうしても労働時間の上限を超えて労働させざるを得ない場合もありますよね。このような場合に、事業場の過半数の労働者で組織している労働組合又はその労働組合がない場合は労働者の過半数代表者と時間外・休日労働に関する協定（「36協定」と呼ばれています。）を締結して、所轄労働基準監督署長に届け出ることによって、労働者に法定労働時間を超える労働や休日労働をさせることができますよ。

労働基準法36条1項
使用者は、当該事業場に、労働者の過半数で組織する労働組合がある場合においてはその労働組合、労働者の過半数で組織する労働組合がない場合においては労働者の過半数を代表する者との書面による協定をし、厚生労働省令で定めるところによりこれを行政官庁（所轄労働基準監督署長）に届け出た場合においては、第32条から第32条の５まで若しくは第40条の労働時間又は前条（35条）の休日に関する規定にかかわらず、その協定で定めるところによって労働時間を延長し、又は休日に労働させることができる。

ところで、36協定を締結して届け出ると、何時間くらい残業させることができますかね？

労働基準法36条４項
前項の限度時間（時間外労働の限度時間）は、１箇月について45時間及び１年について360時間とする。

そうですね。36協定を締結・届出をしたからと言って、無制限に残業をさせられるわけではありません。限度時間は、原則として、月45時間・年360時間です。

あれ？　これは、残業だけの限度時間のような気がしますが、休日労働の時間も含まれていますか？

上記の限度時間は時間外労働だけです。なお、36協定によって労働させる場合であっても、時間外労働と休日労働の合計は、1か月で100時間未満、「2か月平均」「3か月平均」「4か月平均」「5か月平均」「6か月平均」がすべて1か月当たり80時間以内としなければなりませんよ。

＜36協定に定める事項＞　（労働基準法36条２項他）

① 労働時間を延長し、又は休日に労働させることができることとされる労働者の範囲
② 対象期間（労働時間を延長し、又は休日に労働させることができる期間をいい、１年間に限るものとする。）
③ 労働時間を延長し、又は休日に労働させることができる場合
④ 対象期間における１日、１箇月及び１年のそれぞれの期間について労働時間を延長して労働させることができる時間又は労働させることができる休日の日数
⑤ 当該労使協定（労働協約による場合を除く。）の有効期間の定め
⑥ 上記④の「１年」の起算日

…等

【休憩・休日】

たしか、休憩時間は法律で決まっていましたよね？

休憩時間は、次のように規定されています。

労働時間	休憩時間
6時間以内	与えなくてもよい
6時間超8時間以内	45分以上
8時間超	1時間以上

労働基準法34条1項
使用者は、労働時間が６時間を超える場合においては少なくとも45分、８時間を超える場合においては少なくとも１時間の休憩時間を労働時間の途中に与えなければならない。

それでは、10時間労働させる場合には、1時間の休憩の他に何分か追加して休憩させないとダメですか？

すでに勤務時間の途中に1時間の休憩時間を与えていれば、他に休憩時間を与える必要はありませんよ。

労働基準法34条における労働時間とは実労働時間の意であり、これが１日８時間を超える場合には、所定労働時間の途中に与えられる休憩時間を含めて少なくとも１時間の休憩時間が与えられなければならないものであること。
(昭和26.10.23基収5058号)

あ、あと…。祝日を出勤日にすることがあるかもしれませんが、祝日も休日としないとダメですか？

休日については、毎週少なくとも1回の休日又は4週間を通じて4日以上の休日(「法定休日」といいます)を与えなければならないとされています。この法定休日が与えられていれば、国民の祝日に休ませなくても構いませんよ。

国民の祝日に関する法律は、国民の祝日に休ませることを強制的に義務づけをするのでなく、労働基準法は、毎週１回又は４週４日以上の休日を与えることを義務づけているが、この要件を満たす限り、国民の祝日に休ませなくても労働基準法違反とはならない。　(昭和41.7.14基発739号)

<休憩の3原則>　(労働基準法34条)

1. 途中付与の原則 … 休憩時間は、労働時間の途中に与えなければならない。

2. 一斉付与の原則 … 休憩時間は、当該事業場の労働者に一斉に与えなければならない。

3. 自由利用の原則 … 休憩時間は、労働者に自由に利用させなければならない。

【就業規則】

そういえば、社員を20人採用するとおっしゃっていましたよね。それならば、就業規則を作成しなければなりませんよ。

そうなんですか！　ところで、そもそも就業規則とはどういうものですか？

就業規則は、労働者の賃金や労働時間などの労働条件に関すること、職場内での規律などについて、労働者の意見を聴いた上で使用者が作成するルールブックのことですよ。多数の労働者を使用する会社においては、ルールを定めそれを守ることで、安心して働き、無用なトラブルを防ぐことができますので、就業規則の役割は重要です。

労働基準法89条
常時10人以上の労働者を使用する使用者は、所要の事項について就業規則を作成し、行政官庁（所轄労働基準監督署長）に届け出なければならない。

それでは、就業規則にはどのようなことを書けばいいですか？

就業規則に記載する内容には、必ず記載しなければならない「絶対的必要記載事項」（右の事項）と、会社に定めがある場合には必ず定めなければならない「相対的必要記載事項」（退職手当、賞与等の臨時の賃金、安全及び衛生に関する事項等）があります。

労働基準法89条
絶対的必要記載事項
①始業及び終業の時刻、休憩時間、休日、休暇並びに労働者を２組以上に分けて交替に就業させる場合における就業時転換に関する事項
②賃金（退職手当及び臨時の賃金等を除く。）の決定、計算及び支払の方法、賃金の締切り及び支払の時期並びに昇給に関する事項
③退職に関する事項（解雇の事由を含む。）

そういえば、先ほど就業規則は労働者の意見を聴いて作成するものとおっしゃいましたが、従業員全員に意見を聴かないといけませんか？

いいえ、全員に聴く必要はありませんね。社長さんの会社には労働組合がありませんので、就業規則を作成する際には、労働者の過半数を代表する者の意見を聴かなければなりません。もっとも同意を得ることまでは必要ありませんよ。

労働基準法90条１項
使用者は、就業規則の作成又は変更について、当該事業場に、労働者の過半数で組織する労働組合がある場合においてはその労働組合、労働者の過半数で組織する労働組合がない場合においては労働者の過半数を代表する者の意見を聴かなければならない。

＜常時10人以上とは＞
時には10人未満になる場合があっても、常態として10人以上の労働者を使用している場合をいいます。また、この10人には、パートタイム労働者も含まれます。

2025年試験対応!!

法改正最前線

テーマ
・雇用保険法の改正
・育児休業、介護休業等育児又は家族介護を行う労働者の福祉に関する法律(育児介護休業法)等の改正

【改正のポイント①】

1 雇用保険法の一部改正

(1)改正の趣旨

多様な働き方を効果的に支える雇用のセーフティネットの構築、「人への投資」の強化等のため、教育訓練やリ・スキリング支援の充実、育児休業給付に係る安定的な財政運営の確保等の措置が順次施行されています。〔令和7年4月1日施行。ただし、**(4)**①は令和6年10月1日施行、**(5)**は令和6年5月17日施行〕

(2)自己都合離職者の給付制限の見直し

自己都合で退職した者が、離職期間中や離職日前1年以内に、雇用の安定・就職の促進に必要な職業に関する教育訓練等を自ら受けた場合には、給付制限をせず、基本手当を受給できるようになりました。

改正後

法33条1項(離職理由による給付制限)
被保険者が自己の責めに帰すべき重大な理由によって解雇され、又は正当な理由がなく自己の都合によって退職した場合には、第21条の規定による期間の満了後1箇月以上3箇月以内の間で公共職業安定所長の定める期間は、基本手当を支給しない。ただし、次に掲げる受給資格者(第1号に掲げる者にあっては公共職業安定所長の指示した公共職業訓練等を受ける期間及び当該公共職業訓練等を受け終わった日後の期間に限り、第3号に掲げる者にあっては第2号に規定する訓練を受ける期間及び当該訓練を受け終わった日後の期間に限る。)については、この限りでない。
① 公共職業安定所長の指示した公共職業訓練等を受ける受給資格者(次号に該当する者を除く。)
② 第60条の2第1項に規定する教育訓練その他の厚生労働省令で定める訓練を**基準日前1年以内**に受けたことがある受給資格者(正当な理由がなく自己の都合によって退職した者に限る。次号において同じ。)
③ 前号に規定する訓練を**基準日以後**に受ける受給資格者(同号に該当する者を除く。)

(3)就業促進手当の改正

就業手当を**廃止**するとともに、就業促進定着手当の上限を支給残日数の**20%に引き下げる**こととされました。

〈就業促進定着手当の上限額〉
従　来:基本手当日額×〔支給残日数×10分の4(早期再就職者にあっては、10分の3)〕
改正後:基本手当日額×(支給残日数×**10分の2**)

(4)教育訓練給付の改正

①教育訓練給付金の給付率の引上げ

教育訓練給付金の給付率の上限を受講費用の70%から**80%に引き上げる**こととされました。

②教育訓練支援給付金の改正

教育訓練支援給付金の額について、基本手当の日額に相当する額の80%から**60%に引き下げる**とともに、**令和9年3月31日**以前に教育訓練を開始した者に対して支給する(2年間延長)ものとされました。

(5)国庫負担の改正

①育児休業給付に係る国庫負担

育児休業給付に要する費用に係る国庫の負担額について、暫定措置(本来の負担額の100分の10を負担する措置)を**廃止**することになりました。したがって、国庫は、育児休業給付に要する費用の８分の１を負担することになります。

②介護休業給付に係る国庫負担

介護休業給付に要する費用に係る国庫の負担額について、暫定措置(本来の負担額の100分の10を負担する措置)を**２年間延長**することになりました。したがって、令和８年度までの各年度の国庫の負担額については、国庫が負担すべきこととされている額の100分の10に相当する額となります。

(6)その他の改正

①基本手当の支給に関する暫定措置の改正

特定理由離職者(希望に反して契約更新がなかったことにより離職した者に限る。)を特定受給資格者とみなして基本手当の支給に関する規定を適用する暫定措置を**令和９年３月31日以前**の離職者まで適用するものとされました。

②地域延長給付の改正

地域延長給付について、**令和９年３月31日以前**の離職者まで支給することができるものとされました。

2 高年齢雇用継続給付の改正

(令和7年4月1日施行)

高年齢者等の雇用の安定等に関する法律による高年齢者雇用確保措置の進展等を踏まえて、高年齢雇用継続基本給付金の額は、各支給対象月に支払われた賃金の額に**100分の10**(当該賃金の額が、みなし賃金日額に30を乗じて得た額の**100分の64**に相当する額以上であるときは、みなし賃金日額に30を乗じて得た額に対する当該賃金の額の割合が逓(てい)増(ぞう)する程度に応じ、**100分の10**から一定の割合で逓減(ていげん)するように厚生労働省令で定める率)を乗じて得た額とするものとされました。なお、高年齢再就職給付金の額についても、同様に改正されました。

改正前	改正後
法61条5項 (本文略) ① 当該賃金の額が、みなし賃金日額に30を乗じて得た額の100分の61に相当する額未満であるとき。 100分の15 ② 前号に該当しないとき。みなし賃金日額に30を乗じて得た額に対する当該賃金の額の割合が逓増する程度に応じ、100分の15から一定の割合で逓減するように厚生労働省令で定める率	**法61条5項** (本文略) ① 当該賃金の額が、みなし賃金日額に30を乗じて得た額の**100分の64**に相当する額未満であるとき **100分の10** ② 前号に該当しないとき みなし賃金日額に30を乗じて得た額に対する当該賃金の額の割合が逓増する程度に応じ、**100分の10**から一定の割合で逓減するように厚生労働省令で定める率

【改正のポイント②】

1 育児介護休業法の一部改正

(1)改正の趣旨

男女ともに仕事と育児･介護を両立できるようにするため、子の年齢に応じた柔軟な働き方を実現するための措置の拡充、育児休業の取得状況の公表義務の対象拡大や介護離職防止のための仕事と介護の両立支援制度の強化等の措置が順次施行されています。(令和７年４月１日施行)

(2)子の看護休暇の改正

①名称の変更

従　来：子の看護休暇

改正後：**子の看護等休暇**

②対象となる子の範囲の拡大

従　来：小学校就学の始期に達するまでの子

改正後：**小学校第３学年修了前**の子(９歳に達する日以後の最初の３月31日までの間にある子)

③取得事由の拡大

従　来：疾病･負傷、予防接種･健康診断

改正後：感染症に伴う学級閉鎖等や子の行事への参加等を追加

④労使協定により除外できる労働者の改正

労使協定により子の看護等休暇を取得することができないものとして定めることのできる労働者から、「当該事業主に引き続き雇用された期間が６月に満たない労働者」を除くこととされました。

なお、介護休暇についても④と同様の改正が行われました。

(3)所定外労働時間の制限の改正

労働者が子を養育するために所定外労働時間の制限を請求した場合において、事業主が所定労働時間を超えて労働させてはならない労働者の範囲が拡大されました。

従　来：３歳に満たない子を養育する労働者

改正後：**小学校就学の始期に達するまでの子**を養育する労働者

(4)介護についての申出があった場合等における措置等の新設

① 事業主は、労働者が家族の介護に直面した旨を申し出たときは、当該労働者に対して、介護休業に関する制度や介護両立支援制度等※1について知らせるとともに、介護休業申出及び介護両立支援制度等申出※2に係る当該労働者の意向を確認するための面談等を講じなければなりません。

※1 仕事と介護との両立に資するものとして厚生労働省令で定める制度又は措置
※2 介護両立支援制度等の利用に係る申出

② 事業主は、労働者に対して、介護に直面する前の早い段階(40歳到達等)での介護休業に関する制度や介護両立支援制度等に関する情報を知らせなければなりません。

(5)雇用環境の整備及び雇用管理等に関する措置の改正

次の措置が新設されました。

新　設
法22条(雇用環境の整備及び雇用管理等に関する措置の改正) 2 事業主は、介護休業申出が円滑に行われるようにするため、次の各号のいずれかの措置を講じなければならない。 ① その雇用する労働者に対する介護休業に係る研修の実施 ② 介護休業に関する相談体制の整備 ③ その他厚生労働省令で定める介護休業に係る雇用環境の整備に関する措置 4 事業主は、介護両立支援制度等申出が円滑に行われるようにするため、次の各号のいずれかの措置を講じなければならない。 ① その雇用する労働者に対する介護両立支援制度等に係る研修の実施 ② 介護両立支援制度等に関する相談体制の整備 ③ その他厚生労働省令で定める介護両立支援制度等に係る雇用環境の整備に関する措置

(6)育児休業等の取得状況の公表の対象となる事業主の範囲の改正

毎年少なくとも１回、その雇用する男性労働者の育児休業取得率等を公表しなければならない事業主の範囲が、常時雇用する労働者の数が1000人を超えるものから**300人を超える**ものへと拡大されました。

(7)在宅勤務等の措置の追加

① 育児のための所定労働時間の短縮等の措置が困難な労働者であって３歳未満の子を養育するものに関し事業主が講ずる措置に、在宅勤務等の措置※が追加されることとなりました。

※住居その他これに準ずるものとして労働契約又は労働協約、就業規則その他これらに準ずるもので定める場所における勤務(在宅勤務等)をさせる措置

2 次世代育成支援対策推進法の一部改正

〔令和7年4月1日施行。ただし、(2)は令和6年5月31日施行〕

(1)一般事業主行動計画の改正

常時雇用する労働者数が**100人を超える**事業主が一般事業主行動計画を策定し、又は変更しようと

するときは、育児休業の取得状況等に係る状況把握・数値目標の設定をしなければならないとされました。

なお、常時雇用する労働者数が100人以下の場合は努力義務となります。

(2)期限の延長

次世代育成支援対策推進法の有効期限(現行は令和7年3月31日まで)が**令和17年3月31日**まで、10年間延長されます。

受験の神様 ツボじぃさんにきく！

お悩み相談室

ツボじぃ

今回のお悩みテーマ **勉強時間の確保**

ここは、悩める子羊さんたちのお悩みを、受験の神様「ツボじぃ」がやさしく解決へと導いてくれる相談室です。毎年多くの子羊さんが、ツボじぃのありがたいお言葉で救われ、本試験に合格しています。さあ、今年も2025年の本試験合格に向けて、お悩みをドシドシ解決していきましょう！

初学者Aさん

先日から社労士の受験勉強を開始しており、仕事をしながら通信で合格を目指しています。
平日は概ね決まった時間に帰れるのですが、家事などをしていると、気づけば寝る時間になっているという日も多く、あまり勉強が進んでいません。どうしたら勉強時間を確保できるでしょうか。

まずは、「いつ」「何をやるか」を決め、決めたとおりに行動することから始めるとよいのぉ。
そのうえで、決めた内容が生活スタイルに合わなければ、「その勉強時間を他の時間帯に移動する」ように設定し直すと、勉強ができないまま時間が過ぎることがなくなると思うぞ。

お悩み分析

社会保険労務士試験の合格までに必要な勉強時間は、1,000時間と言われていますが、この勉強時間をこれまでの生活に組み込むためには、最初のうちは多少無理をしてでも積極的に勉強時間を作っていく必要があるでしょう。

Aさんのように、勉強をできないまま１日が終わってしまうという方は、あらかじめ「いつ」、「何をやるか」をしっかりと決めて、その時間になったら「講義を視聴する」「問題集を開く」など、決めた通りの行動をすることから始めてみましょう。

ポイントは、**決めた通りに行動すること**です。

例えば、「火曜日と木曜日の夜９時から11時半は、講義を視聴する」と決めたら、その時間には講義を視聴することに集中しましょう。

最初のうちは、「ごはんの片づけが終わってから…」など後回しにしたい事情があるかと思いますが、決めた時間に勉強をすることで、そのうちに、「講義の前にごはんの片づけを終わらせる」と逆算して動けるようになってくるはずです。

ただ、どうしてもご自身が決めた内容が生活スタイルに合わないようであれば、「その勉強時間をどの時間帯に移動するか」という視点で、新たに設定し直しましょう。

このように、必ず勉強をすることを前提に組み直すことで、勉強をしないまま時間が過ぎてしまうということを防げるはずです。

なお、社労士試験は社会人の受験生がとても多い試験です。これまでの合格者も、終業後に自習室で学習をしてから帰宅をしたり、家族に協力してもらって勉強時間は声をかけないようにしてもらったりと、さまざまな工夫をしながら勉強時間を確保しています。

ＴＡＣ社労士講座を受講していた合格者の方の体験談もいくつかご紹介しますので、参考にしてみてください。

合格者体験談

私は通勤電車の中の勉強は割と集中できたので、その時間を大切にしました。始業前の20分、昼休みの30分も必ず勉強するようにしていました。

仕事は、終業後の残業をしなくて済むよう、周囲にも勉強していることを公言していました。残業をするにしても、夜の勉強時間は一定に保ちたかったので、朝早く来て仕事をするようにしていました。
ありがたいことに、主人が全般的に理解を示してくれて、特に直前期は家事をほぼしなくて済むように協力をしてくれました。

仕事はどうしても時間を削れないので、その他のプライベートな時間をほぼすべて社労士の勉強にあてることで勉強時間を確保した。同僚や友人に社労士の勉強をしていると伝え、つきあい程度の飲み会などは断るようにしていた。

勉強する時間帯はいつも会社に行く前の早朝をメインにしました。会社から帰ったらお酒は飲みたいし、疲れているのでどうしても眠くなるので。早寝早起き。仕事が休みのときも早朝にしました。

仕事優先で、時間がとれそうな時間で学習の計画をつくるようにした。計画倒れのときもあったが、気にしないで再計画するようにした。家族は、社労士受験を応援してくれ、勉強している時間も家事など強制されなかった。

私は子どもが２人いますが、日曜日の講義の際は主人の協力もあって１日勉強させてもらいました。平日の日中はどうしても子どもがいるので朝の勉強の時間を大切にしていました。夜は疲れていることが多く、朝の勉強時間と比較して集中力や頭のさえ方も違っていました。私の場合は時間を作り出すうえで家族の協力が大きかったと思います。

いかがでしたか？

最初のうちは大変かもしれませんが、徐々に勉強をすることが当たり前の生活となってきますので、頑張って勉強時間を確保し、合格を目指しましょう！

受験の神様 ツボじぃさんにきく！

重要事項暗記アプリ活用法

ツボじぃのアドバイスのとおりに決めた時間に決めた内容の勉強をし始めて、少しリズムが作れてきたので、もっと隙間時間を勉強にあててみようと思っています！　おすすめの勉強ツールはありませんか？

「無敵の社労士」購入者特典の**「重要事項暗記アプリ」**は使っておるかの？
スマホで学習ができて、隙間時間の学習にもピッタリじゃ。

ひょ～！　後で見ようと思ったまま忘れていました！
表紙を開いた、目次の前のページですね。これを読み込むと…

「書籍連動ダウンロードサービス」
にアクセス→パスワードを入力
※本サービスの提供期間は、2025年8月末までです。

アクセス用パスワード
250811368

社会保険労務士

2024年合格目標 無敵の社労士1 スタートダッシュ

合格力がつく「重要事項暗記アプリ」をご利用いただけます！
下記の「重要事項暗記アプリ」ボタンからアクセスし、『スタートダッシュ』ボタンをクリックしてください。パスワード入力画面に移動しますので、書籍に記載のパスワードをご入力ください。

重要事項暗記アプリ

2024年合格目標 無敵の社労士2 本試験徹底解剖

合格力がつく「重要事項暗記アプリ」をご利用いただけます！
下記の「重要事項暗記アプリ」ボタンからアクセスし、『本試験徹底解剖』ボタンをクリックしてください。パスワード入力画面に移動しますので、書籍に記載のパスワードをご入力ください。

重要事項暗記アプリ

Cyber Book Store書籍連動ダウンロードサービスの社会保険労務士の欄まで飛びますね！

このページの「重要事項暗記アプリ」のボタンからアプリに入るのじゃ。
どのボタンからでも大丈夫じゃよ。
毎回二次元バーコードからアクセスしなくても済むように、このページにブックマークなどをつけておくと良いぞ。

おお！　アプリのトップページが出てきました！

３つのボタンから学習したい号を選んで、
各書籍の二次元バーコードがあるページに記載されている
アクセス用パスワードを入力するのじゃ。
このパスワードもスマホにメモしておくと良いぞ。

フムフム…。
演習メニューが出てきました！
メニューは２種類あるんですね！

「**ジャンルで暗記**」は**科目別**で出題され、
「**とことん暗記**」は**全科目シャッフル**で
20問出題されるのじゃ。
どちらの演習メニューも間違えた問題だけを解き直すこともできるぞ。

科目別だけでなく、全科目シャッフルもできるので、
いい力試しになりそうですね！
これなら通勤時間も有効活用できそうです！

お風呂を沸かしている時間や、
普段の学習の息抜きにもピッタリなんじゃ。
「**重要事項暗記アプリ**」を使って
ジャンジャン勉強するのじゃよ〜。

お問合せ先一覧

最後まで「無敵の社労士❶ スタートダッシュ」をお読みいただきありがとうございます。

◆正誤表の確認方法
TAC出版書籍販売サイト「Cyber Book Store」のトップページ内の「正誤表」コーナーにて、正誤表をご確認ください。
URL：https://bookstore.tac-school.co.jp/

◆書籍の正誤についてのお問合せ
①ウェブページ「Cyber Book Store」内の「お問合せフォーム」より問合せをする
https://bookstore.tac-school.co.jp/inquiry/
②メールにより問合せをする
syuppan-h@tac-school.co.jp

※なお、書籍の正誤のお問合せ以外の書籍内容に関する解説・受験指導等は、一切行っておりません。そのようなお問合せにつきましては、お答えいたしかねますので、あらかじめご了承ください。
※お電話でのお問合せは、お受けできません。また、土日祝日はお問合せ対応をおこなっておりません。

編集後記

最後までお読みいただき、ありがとうございました。
『無敵の社労士』シリーズも、13年目に突入いたしました。今まで刊行を続けてこられたのも、読者の皆様の応援のおかげです。本当にありがとうございます。これから2025年度合格に向けてがんばっていきましょう！

2025年合格目標
無敵の社労士❶
スタートダッシュ

2024年8月8日　初版　第1刷発行
編　者：TAC出版　編集部
発行者：多田敏男
発行所：TAC株式会社　出版事業部（TAC出版）
〒101-8383　東京都千代田区神田三崎町3-2-18
電話　03（5276）9492（営業）
FAX　03（5276）9674
https://shuppan.tac-school.co.jp

組　版：朝日メディアインターナショナル株式会社
印　刷：株式会社ワコー
製　本：東京美術紙工協業組合

ISBN 978-4-300-11368-4
N.D.C. 364